轻松过关®1

2022年税务师职业资格考试

应试指导及全真模拟测试

税 法（Ⅱ）

（下册）

张泉春　主编

东奥会计在线　编

北京科学技术出版社

目录
CONTENTS

第二部分　考点精讲及同步训练

第四部分　全真模拟测试题及参考答案

第三章　国际税收

本章学习指南

一、考情概况

本章在税法（Ⅱ）中处于次要的地位，属于非重点章。2022 年将第一章的“源泉扣缴”移至本章的第三节，改为“非居民企业税收管理”。本章知识点繁杂，考点并不突出，学习起来较为困难。2022 年考试中预计本章分值在 10 分左右。

本章在历年考试中以单项选择题、多项选择题的形式为主，其中国际税收抵免制度也可以单独出计算型题目。通过最近三年真题考查情况来看，本章在同一知识点重复出题的可能性较大，尤其是真题涉及的知识点，考生要重点学习。

二、2022 年教材主要变化

1. 将企业所得税“源泉扣缴”移至本章第三节，改为“非居民企业税收管理”。
2. 新增“引力法”下的相关规定。
3. 新增代理人常设机构判定中要注意的事项。
4. 新增我国对外签署税收协定的典型条款中“受雇所得”和“艺术家和运动员”。
5. 新增《关于修订后的欧盟税收不合作辖区名单的结论》的相关规定。
6. 新增为完善反洗钱监管机制，进一步提升我国洗钱和恐怖融资风险防范能力，印发《金融机构客户尽职调查和客户身份资料及交易记录保存管理办法》。
7. 调整常设机构范围。
8. 将我国谈签、生效的国际税收协定的数据更新到 2021 年 12 月底。

三、基本结构框架

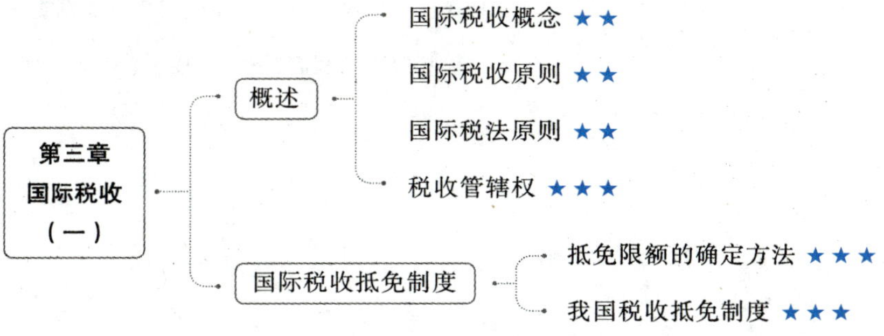

- **第三章 国际税收（二）**
  - 非居民企业税收管理
    - 非居民企业分类 ★★
    - 设立机构、场所的非居民企业税收管理 ★★★
    - 未设立机构、场所的非居民企业税收管理 ★★★
    - 非居民税收管理中国际税收协定与国内税法的关系 ★★
    - 外国企业常驻代表机构税收管理 ★★★
    - 非居民承包工程作业和提供劳务的税务管理 ★★
    - 非居民企业派遣人员在中国境内提供劳务征收企业所得税的规定 ★★
    - 非居民企业从事国际运输业务税收管理 ★★
    - 非居民企业间接转让财产企业所得税处理 ★★★
    - 香港市场投资者通过沪港通投资上海证券交易所上市A股的所得税规定 ★★
  - 国际税收协定
    - 国际税收协定概念 ★★
    - 我国对外签署税收协定典型条款 ★★★
    - 国际税收协定管理 ★★★
  - 国际避税与反避税
    - 主要国际避税地 ★★
    - 国际避税基本方法 ★★★
    - 国际反避税基本方法 ★★★
  - 国际税收合作
    - 我国税收情报交换 ★★
    - OECD金融账户涉税信息自动交换标准 ★★
    - 我国非居民金融账户涉税信息尽职调查管理 ★★★
    - 税基侵蚀与利润转移（BEPS）行动计划 ★★

本章核心考点精讲

第一单元　概　述

查看本单元视频，快速 GET 知识点
使用“会计云课堂”App或“微信”扫码

01 国际税收概念（★★）

1. 国际税收是指两个或两个以上国家之间开展跨境交易行为征税的一系列税收法律规范的总称。国际重复征税、国际双重不征税、国际避税与反避税、国际税收合作是常见的国际税收问题和税收现象。

2. 国家间对商品服务、所得、财产课税的制度差异是国际税收产生的基础。

3. 国际税收的实质是国家之间的税收分配关系和税收协调关系。国家间的税收分配关系是对同一课税对象由谁征税、征多少税的税收权益划分问题。国家间税收分配是国际税收协调的结果。避免国际重复征税，防止恶性国际税收竞争和国际避税，都需要国家之间开展有效的税收合作与协调。

经典题解

【例题 1 · 单选题】 国际税收产生的基础是（　　）。（2017 年）

A. 两个和两个以上国家都对跨境交易征税的结果

B. 不同国家之间税收合作的需要

C. 国家间对商品服务、所得和财产课税的制度差异

D. 跨境贸易和投资等活动的出现

【答案】 C

02 国际税收原则（★★）

国际税收规则需要解决对跨境交易的收入按照什么标准进行征税，如何在跨境交易活动的相关国家之间分配征税权这两个问题。国际税收的基本原则：单一课税原则、受益原则和国际税收中性原则。

原则	含义
单一课税原则	是指跨境交易产生的收入只应该被课征一道税和至少应该被课征一道税。只应该被课征一道税，要求国际税收规则应避免对跨境交易形成重复征税；至少应该被课征一道税，就是避免对跨境交易出现不课税或课税不足

原则	含义
受益原则	是指纳税人以从政府公共支出中获得的利益大小为税收负担分配的标准。受益多者多纳税，受益少者少纳税，受益相同者负担相同的税收，受益不同者负担不同的税收。国际税收规则将跨境交易中的积极所得（主要通过生产经营活动取得的收入）的征税权主要给予来源国，将消极所得（主要通过投资活动取得的收入）的征税权主要给予居住国，能较好地平衡来源国和居住国的税收利益
国际税收中性原则	（1）是指国际税收规则不应对涉外纳税人跨国经济活动的区位选择以及企业的组织形式等产生影响 （2）国际税收中性原则可以从来源国和居住国两个角度进行衡量：从来源国的角度看，就是资本输入中性；从居住国的角度看，就是资本输出中性。资本输出中性要求税法既不鼓励也不阻碍资本的输出，使国内投资者和海外投资者的相同税前所得适用相同的税率；资本输入中性要求位于同一国家内的本国投资者和外国投资者在相同税前所得情况下适用相同的税率

经典题解

【例题2·单选题】下列各项中，不属于国际税收基本原则的是（　　）。

A. 单一课税原则　　B. 受益原则

C. 国际税收中性原则　　D. 独占征税原则

【解析】国际税收的基本原则是：单一课税原则、受益原则和国际税收中性原则。选项D：属于国际税法原则。

【答案】D

03 国际税法原则（★★）

国际税法原则是普遍适用国际税收问题处理全过程和各个方面，具有指导意义的基本信念和习惯，包括优先征税原则、独占征税原则、税收分享原则和无差异原则。

原则	含义
优先征税原则	在国际税收关系中，确定将某项课税客体划归来源国，由来源国优先行使征税权
独占征税原则	在签订国际税收协定时，将某项税收客体排他性地划归某一国，由该国单独行使征税权力 【考点提示】独占征税原则常用以调整由国际经济活动产生的国家与纳税人之间的税收法律关系和国家之间的税收权益分配关系
税收分享原则	在签订国际税收协定时，将某些课税客体划归缔约国双方，由双方共同征税
无差异原则	对外国纳税人和本国纳税人实行平等对待，使两者在征税范围、税率和税收负担方面保持基本一致

经典题解

【例题3·多选题】国际税法原则包括（ ）。

A. 优先征税原则
B. 国际税收地域保护原则
C. 独占征税原则
D. 税收分享原则
E. 国际税收情报公开原则

【答案】ACD

04 税收管辖权（★★★）

（一）税收管辖权的概念和分类

1. 税收管辖权的概念

税收管辖权是一国政府在征税方面的主权，它表现在一国政府有权决定对哪些人征税、征何种税、征多少税及如何征税等方面。税收管辖权是国家主权的重要组成部分，而国家主权的行使范围一般遵从属地原则和属人原则。

在国际税收实践中，各国都是以纳税人或征税对象与本国的主权存在着某种属人或属地性质的连接因素，作为行使税收管辖权的前提或者依据，属人性质的连接因素就是税收居所，属地性质的连接因素就是所得来源地。

2. 税收管辖权的分类

根据行使征税权力的原则和税收管辖范围、内容的不同，目前世界上的税收管辖权分为三类：收入来源地管辖权、居民管辖权和公民管辖权。

税收管辖权	具体内容
收入来源地管辖权	又称地域管辖权，按照属地原则确立税收管辖权，它根据纳税人的所得和财产价值是否来源于本国境内行使征税权，而不论纳税人是否为本国的公民或居民
居民管辖权	按照属人原则确立税收管辖权，它是指一国政府对本国居民来自世界范围的全部所得和财产行使征税权。居民管辖权行使的关键是确定纳税人（包括自然人和法人）的居民身份，居民管辖权被大多数国家所采用
公民管辖权	又称国籍税收管辖权，它是一国政府对具有本国国籍者在世界范围内取得的所得和拥有的财产行使征税权。公民是指取得一国法律资格，具有一国国籍的人，不仅仅包括个人，也包括团体、企业或公司

3. 国际重复征税

（1）税收管辖权重叠，是国际重复征税问题产生的主要原因。

（2）税收管辖权重叠的形式有：

①收入来源地管辖权与居民管辖权的重叠；

②居民管辖权与居民管辖权的重叠；

③收入来源地管辖权与收入来源地管辖权的重叠。

（二）约束税收管辖权的国际惯例

1. 约束居民管辖权的国际惯例

（1）自然人居民身份的确定

确定标准	具体要求
法律标准	也称意愿标准，纳税人在某一国家内有居住主观意愿的，即为该国居民
住所标准	也称户籍标准，纳税人凡在某一国家内拥有永久性住所或习惯性居所的，即为该国居民，该国政府对其来源世界各地的全部所得征税 【考点提示】所谓住所，是指一个人以久住的意思而居住的某一处所，又称永久性住所，住所具有永久性和稳定性特点，但不能反映出一个人真正的活动场所。多数国家主要根据当事人在本国是否定居或习惯性居住的事实，并结合当事人的家庭（配偶、子女）所在地、经济利益中心、经济活动中心作为判定住所的标准
停留时间标准	任何个人在一国境内居住或停留达到一定时间以上，就成为该国的居民

经典题解

【例题4·多选题】在国际税收中，自然人居民身份的判定标准有（　　）。（2017年）

A. 经济活动中心标准　　B. 家庭所在地标准

C. 停留时间标准　　D. 法律标准

E. 住所标准

【答案】CDE

（2）法人居民身份的确定

确定标准	具体要求
注册地标准	又称法律标准，是指法人的居民身份依据法人在何国注册成立而定。凡是按照本国的法律在本国成立的法人，就是本国的法人居民，而不论该法人的管理机构所在地或业务活动所在地是否在本国境内
实际管理和控制中心所在地标准	是指依法人在本国是否设有管理和控制中心来判定其居民身份 【考点提示】所谓管理和控制中心，主要指法人的董事会或股东大会会议的场所，是一个事实上的概念，不同于法人的日常经营管理机构
总机构所在地标准	是指凡总机构设在哪一国，便为该国居民公司 【考点提示】所谓总机构，是负责管理和控制法人的全部日常经营业务，并统一核算法人盈亏的中心机构，如各类总公司、总厂或总店
控股权标准	又称资本控制标准。控制公司表决权的股东是哪一国的居民，就认定该公司是哪一国的法人居民，该国可以依据居民管辖权征税

经典题解

【例题5·单选题】下列各项中，不属于法人居民身份判定标准的是（　　）。

A. 住所标准　　B. 注册地标准

C. 总机构所在地标准　　D. 控股权标准

【答案】A

【例题6·多选题】国际上判定一个公司是否属于一国法人居民的一般判定标准包括（　　）。

A. 实际管理和控制中心所在地标准　　B. 总机构所在地标准

C. 控股权标准　　D. 营业活动所在地标准

E. 法人永久居住地标准

【答案】ABC

【例题7·多选题】在国际税收实践中，判断法人居民身份的标准有（　　）。（2021年）

A. 注册地标准　　B. 交易地点标准

C. 实际管理和控制中心所在地标准　　D. 总机构所在地标准

E. 控股权标准

【答案】ACDE

2. 约束收入来源地管辖权的国际惯例

（1）经营所得

经营所得，又称营业利润，即企业在某个固定场所从事经营活动获取的所得。如从事农业、工业、商业、服务业等生产经营的所得。经营所得来源地判定标准主要有以下两种：

确定标准	具体要求
常设机构标准	如果非居民的经营活动是通过在本国设立的营业机构或固定场所实施，并由此获得经营所得，则判定该笔营业所得来自于本国 【考点提示】《OECD税收协定范本》和《UN税收协定范本》都明确规定：缔约国一方企业的利润应仅在该国征税，但该企业设在缔约国另一方的常设机构进行营业的除外。如果该企业通过在缔约国另一方的常设机构进行营业，其利润可以在缔约国另一国征税
交易地点标准	英美法系国家比较侧重以交易地点来判定经营所得的来源地。交易地点包括但不限于：合同的签约地、货物的生产地、交付地、货款的支付地等

考点提示

所谓常设机构，是指企业在一国境内进行全部或部分经营活动的固定营业场所。常设机构的范围一般包括：管理场所、分支机构、办事处、工厂、作业场所、矿场、油井、气井、采石场或者其他开采自然资源的场所、建筑工地等。（调整）

常设机构的构成条件：一是要有一个营业场所；二是这一场所必须是固定的；三是能够构成常设机构的营业场所必须是企业用于进行全部或部分营业活动的场所，而不是为本企业从事非营业性质的准备活动或辅助性活动的场所。

代理性常设机构是指一个代理人如具有以被代理人名义与第三人签订合同的权力，并经常行使这种权力，且代理人所从事的活动不是准备性或辅助性的，则代理人应构成被代理人在来源国的常设机构。但是，如果代理人是独立的并能自主从事营业活动，则不能构成一个常设机构。

常设机构的利润确定，可以分为利润范围和利润计算两个方面。利润范围的确定一般采用归属法和引力法；利润的计算通常采用分配法和核定法。

方法	解释
归属法	常设机构所在国行使收入来源地管辖权课税，只能以归属于该常设机构的营业利润为课税范围，而不能扩大到对该常设机构所依附的对方国家企业来源于其国内的营业利润（这种方法已得到国际公认）
引力法	常设机构所在国除了以归属于该常设机构的营业利润为课税范围以外，对并不通过该常设机构，但经营的业务与该常设机构经营相同或同类取得的所得，也要归属该常设机构中合并征税
分配法	按照企业总利润的一定比例确定其设在非居住国的常设机构所得。一国企业设立在另一国的常设机构，有时只办理接洽、通信联络等事宜，并不从事营业，因此并无营业利润，只有费用损失
核定法	常设机构所在国按该常设机构的营业收入额核定利润或按经费支出额推算利润，并以此作为行使收入来源地管辖权的课税范围

经典题解

【例题8·单选题】国际公认的常设机构利润范围的确定方法是（　　）。（2019年）

A. 归属法　　B. 分配法　　C. 核定法　　D. 控股法

【答案】A

（2）劳务所得

劳务类型	来源地确定标准	
独立劳务	固定基地标准	是以一个跨国独立劳动者在某一国家内是否设有经常使用的固定基地从事专业性劳务活动，并通过该固定基地取得所得为依据，来确定独立劳务所得来源地的一种方法或标准
	停留期间标准	是以一个从事跨国独立劳动者在有关纳税年度中停留在某一国家的时间连续或累计是否已达到一定的天数（一般为183天）为依据，来确定独立劳务所得来源地的一种方法或标准
	所得支付者标准	是以某个跨国独立劳务者取得的报酬是否由某个国家的居民或设在该国境内的常设机构支付（或负担）为依据，来确定独立劳务所得来源地

<table>
<tr><th>劳务类型</th><th colspan="2">来源地确定标准</th></tr>
<tr><td rowspan="2">非独立劳务</td><td>停留期间标准</td><td>即以某雇员或职员在一个纳税年度内停留在某个国家的时间累计是否已超过 183 天为依据，确定非独立劳务所得的来源地。如果一国居民受雇于另一国超过 183 天，则另一国即可认定该雇员或职员在此期间取得的报酬是来源于其境内，并对其行使收入来源地管辖权进行征税</td></tr>
<tr><td>所得支付者标准</td><td>是以一国居民受雇于另一国而取得的报酬，是否由另一国的居民雇主支付，或者说其所得是否由设在另一国境内的固定基地或常设机构支付为依据，来确定跨国非独立劳务所得的来源地</td></tr>
<tr><td>其他劳务</td><td colspan="2">①各种跨国公司的董事或其他高级管理人员，国际上通行的做法是按照所得支付地标准确认支付董事费的公司所在国有权征税。其所取得的董事费或其他类似报酬所得，都应确定为来源于该董事会的公司所在国，并由该所在国对其行使收入来源地管辖权征税
②跨国从事演出、表演或参加比赛的演员、艺术家和运动员，国际上通行的做法是：由活动所在国行使收入来源地管辖权征税</td></tr>
</table>

经典题解

【例题 9 · 单选题】 下列关于来源地税收管辖权的判定标准，可适用于非独立个人劳务所得的是（　　）。（2017 年）

A. 劳务发生地标准　　B. 所得支付者标准

C. 常设机构标准　　D. 固定基地标准

【解析】 对于非独立个人劳务所得来源地的确定，目前国际上通常采用停留期间标准和所得支付者标准。

【答案】 B

【例题 10 · 单选题】 关于董事费来源地的判断，国际通行的标准是（　　）。（2018 年）

A. 住所标准　　B. 停留时间标准

C. 劳务发生地标准　　D. 所得支付地标准

【解析】 对于各种跨国公司的董事或其他高级管理人员，由于其经常在公司所在国境外的其他地点工作（如在分公司所在国或与公司业务有关的国家活动），流动性大，因此，确定这类人员提供劳务活动的地点比较困难，国际上通行的做法是按照所得支付地标准确认董事费的所得来源地。

【答案】 D

【例题 11 · 单选题】 跨国从事表演的艺术家，其所得来源地税收管辖权判定标准是（　　）。（2019 年）

A. 停留时间标准　　B. 固定基地标准

C. 所得支付者标准　　D. 演出活动所在国标准

【答案】 D

（3）投资所得

投资所得是指投资者将其资金、财产或权利提供给他人使用所获取的所得，包括利息、股息、特许权使用费等。

确定标准	具体要求
权利提供地标准	投资所得应由提供收取利息、股息、特许权使用费等权利的居民所在国行使征税权（该标准反映了居住国或国籍国的利益）
权利使用地标准	即权利在哪个国家使用，就判定投资所得来源于哪个国家（该标准代表着非居住国的利益）
双方分享征税权力	为调整居住国和非居住国之间对跨国投资所得征税的矛盾，国际上通常是按利益共享原则，合理划分这类权利的提供方和使用方双方国家的征税权，对非居住国征税的最高额作出限制，以便给这类权利的提供方所在国行使征税权留有余地

（4）不动产所得

不动产所得是指出租和使用不动产所取得的所得。

不动产所得的来源地以不动产的所在地或坐落地为判定标准，由不动产的所在地或坐落地国家行使收入来源地管辖权。

（5）财产转让所得

财产转让所得是指销售动产和转让不动产的收益。

转让财产类型	征税方
存货、商品、商誉、许可权等	转让者的居住国征税
不动产	不动产的坐落地国家征税
常设机构的营业财产或从事个人独立劳务的固定基地财产	其所属常设机构或固定基地所在国征税
从事国际运输的船舶、飞机	一般由船舶、飞机企业的居住国征税

（6）遗产继承所得

①以不动产或有形动产为代表的，以其物质形态的存在国为遗产所在地，并由遗产所在国对遗产所得行使收入来源地管辖权征税；

②以股票或债权为代表的，以其发行者或债务人的居住国为遗产所在地，并由遗产所在国对遗产所得行使收入来源地管辖权征税。

第二单元　国际税收抵免制度

查看本单元视频，快速GET知识点
使用“会计云课堂”App或“微信”扫码

目前，国际上居住国政府可选择采用免税法、抵免法、税收饶让、扣除法和低税法等方法，减除国际重复征税，其中抵免法是普遍采用的方法。

抵免法是指居住国政府对其居民取得的国内外所得汇总征税时，允许居民将其国外所得部分已纳税款从中扣减。其计算公式：

居住国应征所得税额＝（∑国内外应税所得额×居住国所得税率）－允许抵免的已缴纳国外税额

05 抵免限额的确定方法（★★★）

一般来说，抵免限额是指居住国（国籍国）允许居民（公民）纳税人从本国应纳税额中，扣除就其外国来源所得缴纳的外国税款的最高限额，即对跨国纳税人在外国已纳税款进行抵免的限度。这个限额以不超过其外国来源所得按照本国税法规定的适用税率计算的应纳税额为限。

抵免限额的计算公式：

$$抵免限额=（\sum 国内外应税所得额\times 居住国所得税率）\times\frac{国外应税所得}{\sum 国内外应税所得额}$$

简化后：

抵免限额＝国外应税所得×居住国所得税率

实务中，抵免限额又分为分国抵免限额（分国抵免法）、综合抵免限额（综合抵免法）和分项抵免限额（分项抵免法）三种不同的计算方法。

计算方法	具体要求
分国抵免法	分国抵免限额（分国抵免法）是当某居住国居民拥有多国收入时，居住国政府按其收入的来源国分别计算抵免限额，计算公式如下： $分国抵免限额=（\sum 国内外应税所得额\times 居住国所得税率）\times\frac{某一外国应税所得}{\sum 国内外应税所得额}$
综合抵免法	综合抵免限额（综合抵免法）是在多国税收抵免条件下，跨国纳税人所在国政府对其全部外国来源所得，不分国别汇总在一起，统一计算一个抵免限额。其计算公式如下： $综合抵免限额=（\sum 国内外应税所得额\times 居住国所得税率）\times\frac{\sum 国外应税所得}{\sum 国内外应税所得额}$
分项抵免法	分项抵免限额（分项抵免法）是为了防止跨国纳税人以某一外国低税率所得税的不足限额部分，用于冲抵另一外国高税率所得税的超限额部分，进行国际间的税收逃避活动，而对国外的收入分项进行抵免，把一些专项所得从总所得中抽离出来，对其单独规定抵免限额，各项所得的抵免限额之间不能互相冲抵。其计算公式如下： $分项抵免限额=（\sum 国内外应税所得额\times 居住国所得税率）\times\frac{国外某一专项所得}{\sum 国内外应税所得额}$

考点提示

分国抵免限额与综合抵免限额相比，在不同条件下，它们抵免效果不同。当跨国纳税人在国外经营普遍盈利且国外税率与国内税率不一致时（纳税人在高税国与低税国均有投资），采用综合抵免限额对纳税人有利，采用分国抵免限额对居住国有利。其次，当跨国纳税人的国外经营活动盈亏并存时，采用分国抵免限额对纳税人有利，采用综合抵免限额对居住国有利。

经典题解

【例题 12·单选题】当跨国纳税人的国外经营活动盈亏并存时，对纳税人有利的税额抵免方法是（　　）。（2017 年考题改编）

A. 分国分项抵免限额　　B. 分项抵免限额

C. 综合抵免限额　　D. 分国抵免限额

【答案】D

【案例精析】我国的居民企业甲，适用 25% 的企业所得税税率，2021 年取得来源于境内的应税所得 5000 万元。当年取得来源于 A 国的应税所得 2000 万元，A 国企业所得税税率 20%；取得来源于 B 国的应税所得 1000 万元，已在 B 国缴纳所得税 300 万元。试比较计算甲公司的分国抵免法和综合抵免法下的实际应纳税额：

（1）甲公司国内外应纳税所得额 = 5000+2000+1000 = 8000（万元）

（2）分国抵免法：

来源于 A 国所得的抵免限额 =（∑国内外应税所得额×居住国所得税率）× $\frac{\text{某一外国应税所得}}{\sum\text{国内外应税所得额}}$ = 8000×25%× $\frac{2000}{8000}$ = 500（万元）

来源于 B 国所得的抵免限额 =（∑国内外应税所得额×居住国所得税率）× $\frac{\text{某一外国应税所得}}{\sum\text{国内外应税所得额}}$ = 8000×25%× $\frac{1000}{8000}$ = 250（万元）

采用分国抵免法下，甲公司实际在我国缴纳企业所得税额 = 8000×25% −（2000×20%）−250 = 1350（万元）。

（3）综合抵免法：

来源于境外所得的综合抵免限额 =（∑国内外应税所得额×居住国所得税率）× $\frac{\sum\text{国外应税所得}}{\sum\text{国内外应税所得额}}$ = 8000×25%× $\frac{2000+1000}{8000}$ = 750（万元）

采用综合抵免法下，甲公司实际在我国缴纳企业所得税额 = 8000×25% − 700 = 1300（万元）。

（4）综上比较，当跨国纳税人在国外经营普遍盈利且国外税率与国内税率不一致时（纳税人在高税国与低税国均有投资），采用综合抵免限额对纳税人有利，采用分国抵免限额对居住国有利。

06 我国税收抵免制度（★★★）

（一）基本规则

1. 直接抵免

居民企业以及在中国境内设立机构、场所的非居民企业，取得的下列所得已在境外缴纳的所得税税额，可以从其当期应纳税额中抵免，抵免限额为该项所得依照《企业所得税法》及其实施条例计算的应纳税额；超过抵免限额的部分，可以在以后5个年度内，用每年度抵免限额抵免当年应抵税额后的余额进行抵补：

（1）居民企业来源于中国境外的应税所得；

（2）非居民企业在中国境内设立机构、场所，取得发生在中国境外但与该机构、场所有实际联系的应税所得。

2. 间接抵免

居民企业从其直接或者间接控制的外国企业分得的来源于中国境外的股息、红利等权益性投资收益，外国企业在境外实际缴纳的所得税税额中属于该项所得负担的部分，可以作为该居民企业的可抵免境外所得税税额，在企业所得税税法规定的抵免限额内抵免。

（二）境外所得的范围和抵免办法

1. 纳税人境外所得的范围

（1）居民企业（包括按境外法律设立但实际管理机构在中国，被判定为中国税收居民的企业）可以就其取得的境外所得直接缴纳和间接负担的境外企业所得税性质的税额进行抵免。

（2）非居民企业（外国企业）在中国境内设立的机构（场所）可以就其取得的发生在境外，但与该机构（场所）有实际联系的所得直接缴纳的境外企业所得税性质的税额进行抵免。

2. 抵免办法

抵免办法	解释	适用范围
直接抵免	企业直接作为纳税人就其境外所得在境外缴纳的所得税额在我国应纳税额中抵免	主要适用于企业就来源于境外的营业利润所得在境外所缴纳的企业所得税，以及就来源于或发生于境外的股息、红利等权益性投资所得、利息、租金、特许权使用费、财产转让等所得在境外被源泉扣缴的预提所得税
间接抵免	境外企业就分配股息前的利润缴纳的外国所得税额中由我国居民企业就该项分得的股息性质的所得间接负担的部分，在我国的应纳税额中抵免	我国居民企业（母公司）的境外子公司在所在国（地区）缴纳企业所得税后，将税后利润的一部分作为股息、红利分配给该母公司，子公司在境外就其应税所得实际缴纳的企业所得税税额中按母公司所得股息占全部税后利润之比的部分即属于该母公司间接负担的境外企业所得税税额

（三）境外所得税额抵免计算的基本项目

企业应按照税法的有关规定准确计算下列当期与抵免境外所得税有关的项目后，确定当期实际可抵免分国（地区）别的境外所得税税额和抵免限额：

1. 境内所得的应纳税所得额（境内应纳税所得额）和分国（地区）别的境外所得的应纳税所得额（境外应纳税所得额）；

2. 分国（地区）别的可抵免境外所得税税额；

3. 分国（地区）别的境外所得税的抵免限额。

考点提示

自2017年1月1日起，企业可以选择“分国（地区）不分项”或者“不分国（地区）不分项”计算其来源于境外的应纳税所得额，并按照有关规定计算其可抵免境外所得税税额和抵免限额。上述方式一经选择，5年内不得改变。

经典题解

【例题13·单选题】 自2017年1月1日起，企业可以选择按国（地区）别分别计算[分国（地区）不分项]，或者不按国（地区）别汇总计算[不分国（地区）不分项]其来源于境外的应纳税所得额，上述方法一经选择，（　　）年内不得改变。

A. 1　　　　B. 3

C. 5　　　　D. 6

【答案】 C

（四）境外应纳税所得额的计算

1. 确认境外所得的实现年度

（1）企业来源于境外的股息、红利等权益性投资收益所得，若实际收到所得的日期与境外被投资方作出利润分配决定的日期不在同一纳税年度的，应按被投资方作出利润分配日所在的纳税年度确认境外所得。

（2）企业来源于境外的利息、租金、特许权使用费、转让财产等收入，若未能在合同约定的付款日期当年收到上述所得，仍应按合同约定付款日期所属的纳税年度确认境外所得。

（3）企业收到某一纳税年度的境外所得已纳税凭证时，凡是迟于次年5月31日汇算清缴终止日的，可以对该所得境外税额抵免追溯计算。

【案例精析】 假定甲公司在境外投资设立子公司，该子公司2020年获利，于2021年12月作出对2020年利润分配的决定，甲公司于2022年3月收到分得的股息红利100万元，则该项股息红利应确认为2021年的所得。

2. 境外应纳税所得额的计算思路

（1）根据税法规定确定的境外所得，在计算适用境外税额直接抵免的应纳税所得额时，应为将该项境外所得直接缴纳的境外所得税额还原计算后的境外税前所得。

（2）直接缴纳税额还原后的所得中属于股息、红利所得的，在计算适用境外税额间接抵免的境外所得时，应再将该项境外所得间接负担的税额还原计算，即该境外股息、红利所得应为境外股息、红利税后净所得与就该项所得直接缴纳和间接负担的税额之和。

（3）对上述税额还原后的境外税前所得，应再就计算企业应纳税所得总额时已按税法规定扣除的有关成本费用中与境外所得有关的部分进行对应调整扣除后，计算为境外应纳税所得额。

【案例精析】我国某居民公司在A国设立一个全资子公司。2021年该居民公司取得A国子公司分回的利润864万元，A国子公司的当年利润缴纳A国企业所得税400万元，当年税后利润的60%用于分配，A国预提所得税税率10%。试计算该居民公司来源于A国的境外应纳税所得额：

（1）A国预提所得税前所得=864÷（1-10%）=960（万元）；

（2）该居民公司来源于A国所得间接负担的企业所得税=400×60%=240（万元）；

（3）该居民公司来源于A国的应纳税所得额=960+240=1200（万元）。

3. 居民企业境外应纳税所得额的计算

（1）居民企业应就其来源于境外的股息、红利等权益性投资收益，以及利息、租金、特许权使用费、转让财产等收入，扣除按照《企业所得税法》及其实施条例等规定计算的与取得该项收入有关的各项合理支出后的余额为应纳税所得额。

境外所得项目		对应调整扣除相关成本费用
股息、红利等权益性投资收益		与境外投资业务有关的项目研究、融资成本和管理费用
利息		为取得该项利息而发生的相应的融资成本和相关费用
租金	融资租赁	融资成本
	经营租赁	租赁物相应的折旧或折耗
特许权使用费		提供特许使用的资产的研发、摊销等费用
财产转让		被转让财产的成本净值和相关费用

（2）在计算境外应纳税所得额时，企业为取得境内、境外所得而在境内、境外发生的共同支出，与取得境外应税所得有关的、合理的部分，应在境内、境外［分国（地区）别］应税所得之间，按照合理比例进行分摊后扣除。

考点提示

共同支出，是指与取得境外所得有关但未直接计入境外所得应纳税所得额的成本费用支出，通常包括未直接计入境外所得的营业费用、管理费用和财务费用等支出。

可按下列一种比例或几种比例的综合比例分摊扣除：①资产比例；②收入比例；③员工工资支出比例；④其他合理比例。

4. 境外分支机构应纳税所得额的计算

（1）居民企业在境外投资设立不具有独立纳税地位的分支机构，其来源于境外的所得，以境外收入总额扣除与取得境外收入有关的各项合理支出后的余额为应纳税所得额。

考点提示

1. 由于分支机构不具有分配利润职能，因此居民企业在境外设立不具有独立纳税地位的分支机构取得的各项境外所得，无论是否汇回中国境内，均应计入企业所属纳税年度的境外应纳税所得额。

2. 确定与取得境外收入有关的合理的支出，应主要考查发生支出的确认和分摊方法是否符合一般经营常规和我国税收法律规定的基本原则。对企业已在计算应纳税所得总额时扣除，但属于应由各分支机构合理分摊的总部管理费等有关成本费用应作出合理的对应调整分摊。

（2）在汇总计算境外应纳税所得额时，企业在境外同一国家（地区）设立不具有独立纳税地位的分支机构，选择“分国（地区）不分项”计算其来源于境外的应纳税所得额，按照《企业所得税法》及其实施条例的有关规定计算的亏损，不得抵减其境内或他国（地区）的应纳税所得额，但可以用同一国家（地区）其他项目或以后年度的所得按规定弥补。

（五）可予抵免境外所得税税额的确认

可予抵免境外所得税税额，是指企业来源于中国境外的所得依照中国境外税收法律以及相关规定应当缴纳并已实际缴纳的企业所得税性质的税款。

1. 不应作为可抵免境外所得税税额的情形：

（1）按照境外所得税法律及相关规定属于错缴或错征的境外所得税税款；

（2）按照税收协定规定不应征收的境外所得税税款；

（3）因少缴或迟缴境外所得税而追加的利息、滞纳金或罚款；

（4）境外所得税纳税人或者其利害关系人从境外征税主体得到实际返还或补偿的境外所得税税款；

（5）按照我国《企业所得税法》及其实施条例规定，已经免征我国企业所得税的境外所得负担的境外所得税税款；

（6）按照国务院财政、税务主管部门有关规定已经从企业境外应纳税所得额中扣除的境外所得税税款。

经典题解

【例题14·多选题】依据企业所得税相关规定，下列款项不得抵免境内所得税税额的有（　　）。（2020年）

A. 按境外所得税法应该缴纳并已实际缴纳的所得税税款

B. 按境外所得税法律规定属于错缴的境外所得税税款

C. 境外所得税纳税人从境外征税主体得到实际返还的所得税税款

D. 按照税收协定规定不应征收的境外所得税税款

E. 因少缴或迟缴境外所得税而追加的滞纳金或罚款

【答案】BCDE

2. 可抵免的境外所得税税额的基本条件为：

（1）企业来源于中国境外的所得依照中国境外税收法律以及相关规定计算而缴纳的税额。

（2）缴纳的属于企业所得税性质的税额，而不拘泥于名称。在不同的国家，对于企业所得税的称呼有着不同的表述，如法人所得税、公司所得税等。判定是否属于企业所得税性质的税额，主要看其是否是针对企业净所得征收的税额。

（3）限于企业应当缴纳且已实际缴纳的税额。税收抵免旨在解决重复征税问题，仅限于企业应当缴纳且已实际缴纳的税额（除另有饶让抵免或其他规定外）。

（4）可抵免的企业所得税税额，若是税收协定非适用所得税项目，或来自非协定国家的所得，无法判定是否属于对企业征收的所得税税额的，应层报国家税务总局裁定。

经典题解

【例题 15 · 单选题】 下列与境外所得税相关的支出，能作为“可抵免境外所得税税额”的是（　　）。（2019 年）

A. 企业错误使用境外所得税法不应缴纳而实际缴纳的税额

B. 已经免征我国企业所得税的境外所得负担的境外所得税

C. 因少缴或迟缴境外所得税而追加的利息、滞纳金或罚款

D. 企业来源于中国境外所得依照中国境外税收法规计算而缴纳的税额

【答案】 D

（六）适用间接抵免的外国企业持股比例的计算层级

项目	内容
间接抵免的含义	境外企业就分配股息前的利润缴纳的外国所得税额中由我国居民企业就该项分得的股息性质的所得间接负担的部分，在我国的应纳税额中抵免
间接抵免的适用范围	我国居民企业（母公司）从其符合规定“持股条件”的境外子公司取得的股息、红利等权益性投资收益所得，即跨国母子公司之间的股息、红利等权益性投资收益所得
多层间接抵免法	除另有规定外，由居民企业直接或者间接持有20%以上股份的外国企业，限于符合以下持股方式的五层外国企业： （1）第一层：单一居民企业直接持有 20%以上股份的外国企业 （2）第二层至第五层：单一上一层外国企业直接持有 20%以上股份，且由该企业直接持有或通过一个或多个符合规定持股方式的外国企业间接持有总和达到 20%以上股份的外国企业 【考点提示】上述符合规定的“持股方式”是指，各层企业直接持股、间接持股以及为计算居民企业间接持股总和比例的每一个单一持股，均应达到 20%的持股比例

【案例精析】 中国居民企业 A 分别控股了三家公司：甲国 B1、甲国 B2、乙国 B3，持股比例分别为 40%、60%、100%；B1 持有丙国 C1 公司 30%股份，B2 持有丙国 C2 公司 50%股份，B3 持有丁国 C3 公司 40%股份；C1、C2、C3 分别持有戊国 D 公司 30%、50%、20%股份；D 公司持有己国 E 公司 100%股份；E 公司持有庚国 F 公司 95%股份；F 公司持有辛国 G 公司 100%股份；E、F、G 公司无可分配利润。如下图所示：

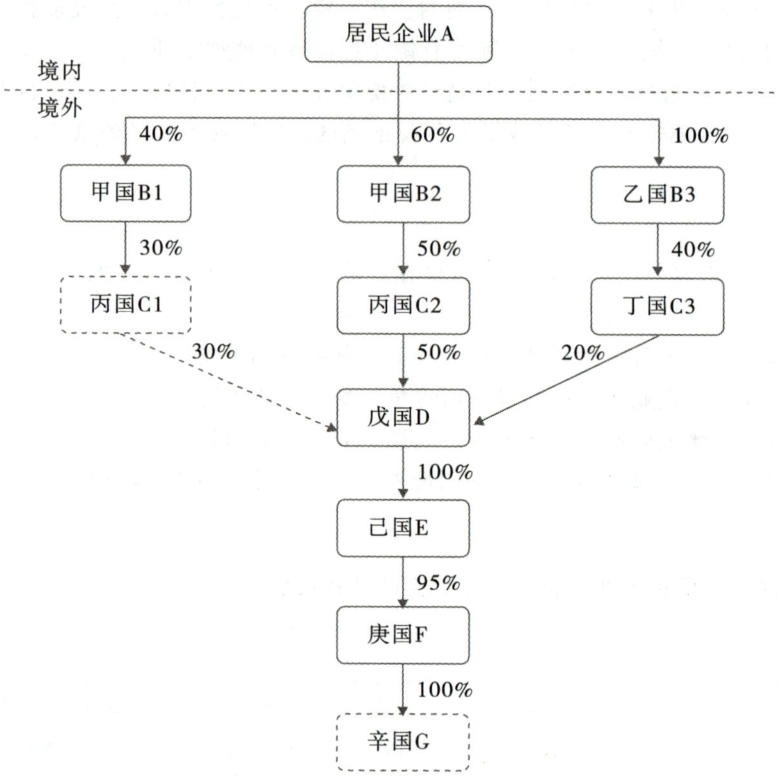

各企业持股比例及层级关系

判定范围	分析
向下第一层： B 层各公司间接抵免持股条件	B1、B2、B3 公司分别直接被居民企业 A 控股 40%、60%、100%，均符合间接抵免第一层公司的持股条件
向下第二层： C 层各公司间接抵免持股条件	① C1 公司虽然被符合条件的上一层公司 B1 控股 30%，但仅受居民企业 A 间接控股 12%（40%×30%），因此，属于不符合间接抵免持股条件的公司 ② C2 公司被符合条件的上一层公司 B2 控股 50%，且被居民企业 A 间接控股达到 30%（60%×50%），因此，属于符合间接抵免持股条件的公司 ③ C3 公司被符合条件的上一层公司 B3 控股 40%，且被居民企业 A 间接控股达到 40%（100%×40%），因此，属于符合间接抵免持股条件的公司

判定范围	分析
向下第三层： D 公司间接抵免持股条件	①虽然 D 公司被 C1 控股达到了 30%，但由于 C1 属于不符合持股条件的公司，所以，C1 对 D 公司的 30%持股也不得再计入 D 公司间接抵免持股条件的范围，来源于 D 公司 30%部分的所得的已纳税额不能进入居民企业 A 的抵免范畴 ②D 公司被 C2 控股达到 50%，但被居民企业 A 通过符合条件的 B2、C2 间接持股仅 15%（60%×50%×50%），未达到 20%，因此，不能由此判定 D 是否符合间接抵免条件 ③D 公司被 C3 控股达到 20%，且由居民企业 A 通过符合条件的 B3、C3 间接控股达 8%（100%×40%×20%），加上居民企业 A 通过 B2、C2 的间接控股 15%，间接控股总和达到 23%。因此，D 公司符合间接抵免条件，其所纳税额中属于向 C2 和 C3 公司分配的 70%股息所负担的部分，可进入居民企业 A 的间接抵免范畴
向下第四层： E 公司间接抵免持股条件	E 公司被符合条件的上一层公司 D 持股 100%，且被居民企业 A 间接持股 23%（23%×100%），因此，属于符合间接抵免持股条件的公司
向下第五层： F 公司间接抵免持股条件	F 公司被符合条件的上一层公司 E 持股 95%，且被居民企业 A 间接持股 21.85%（23%×95%），因此，属于符合间接抵免持股条件的公司
向下第六层： G 公司间接抵免持股条件	居民企业 A 通过其他公司，对 G 公司的间接控制由于超过了五层，因此，G 公司不能纳入居民企业 A 的间接抵免范畴

（七）境外所得间接负担税额的计算

居民企业在用境外所得间接负担的税额进行税收抵免时，其取得的境外投资收益实际间接负担的税额，是指根据直接或者间接持股方式合计持股 20%以上（含 20%）的规定层级的外国企业股份，由此应分得的股息、红利等权益性投资收益中，从最低一层外国企业起逐层计算的属于由上一层企业负担的税额，其计算公式如下：

本层企业所纳税额属于由一家上一层企业负担的税额=

（本层企业就利润和投资收益所实际缴纳的税额+符合规定的由本层企业间接负担的税额）$\times\dfrac{\text{本层企业向一家上一层企业分配的股息（红利）}}{\text{本层企业所得税后利润额}}$

1. 公式中：

（1）本层企业是指实际分配股息（红利）的境外被投资企业。

（2）本层企业就利润和投资收益所实际缴纳的税额是指，本层企业按所在国税法就利润缴纳的企业所得税和在被投资方所在国就分得的股息等权益性投资收益被源泉扣缴的预提所得税。

（3）符合规定的由本层企业间接负担的税额是指，该层企业由于从下一层企业分回股息（红利）而间接负担的由下一层企业就其利润缴纳的企业所得税税额。

（4）本层企业向一家上一层企业分配的股息（红利）是指，该层企业向上一层企业实际分配的扣缴预提所得税前的股息（红利）数额。

（5）本层企业所得税后利润额是指，该层企业实现的利润总额减去就其利润实际缴纳的企业所得税后的余额。

2. 每一层企业从其持股的下一层企业在一个年度中分得的股息（红利），若是由该下一层企业不同年度的税后未分配利润组成，则应按该股息（红利）对应的每一年度未分配利润，分别计算就该项分配利润间接负担的税额；按各年度计算的间接负担税额之和，即为取得股息（红利）的企业该年度中分得的股息（红利）所得间接负担的所得税额。

3. 境外第二层及以下层级企业归属不同国家的，在计算居民企业负担境外税额时，均以境外第一层企业所在国（地区）为国别划分进行归集计算，而不论该第一层企业的下层企业归属何国（地区）。

【案例精析】我国的居民企业A公司在境外进行了投资，相关投资架构如下图：

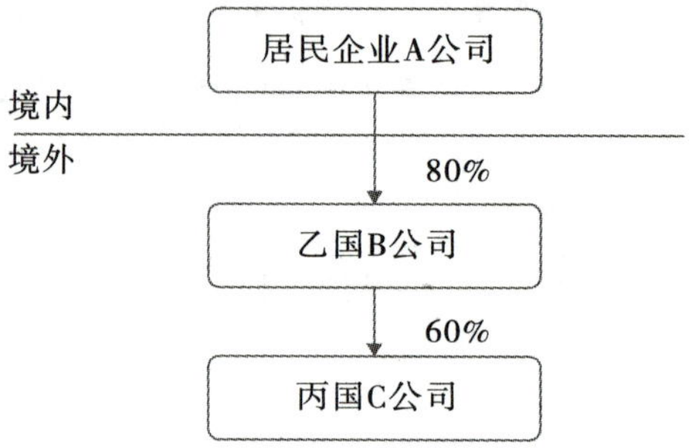

2021年经营及分配状况如下：

主体	税率	预提所得税税率	本国的应纳税所得额（万元）
我国A公司	25%	——	5000
乙国B公司	30%	10%	2000
丙国C公司	20%	10%	1000

（其他相关资料：B公司和C公司均按照持股比例将全部税后利润进行了分配）

要求：计算A公司2021年应在我国缴纳的企业所得税。

【解析】境内A公司直接持有B公司的股份80%>20%，可以适用间接抵免政策。乙国B公司直接持有丙国C公司60%的股份，境内A公司间接持有C公司的股份=80%×60%=48%>20%，可以适用间接抵免政策。

第一步：

C公司的应纳税额=1000×20%=200（万元）

C公司向B公司分配的股息=（1000-200）×60%=480（万元）

C公司的已纳税额由B公司间接负担的金额=200×480/800=120（万元）

B公司全部应纳税所得额=2000+480+120=2600（万元）

B公司取得C公司股息的抵免限额=2600×30%×（480+120）/2600=180（万元）

B公司收到股息在丙国的负担税款 = 120+480×10% = 168（万元）

B公司取得股息的可抵免额：168万元

B公司在乙国应纳税额 = 2600×30% − 168 = 612（万元）。

第二步：

B公司向A公司分配的股息 =（2600−612−168）×80% = 1456（万元）

B公司已纳税额由A公司间接负担的金额 =（612+168）×［1456÷（2600−612−168）］= 624（万元）

A公司全部应纳税所得额 = 5000+1456+624 = 7080（万元）

A公司取得B公司股息的抵免限额 = 7080×25%×（1456+624）/7080 = 520（万元）

A公司收到股息在乙国的负担税款 = 624+1456×10% = 769.6（万元）

A公司取得股息的可抵免额：520万元

A公司在我国应缴纳的企业所得税 = 7080×25% − 520 = 1250（万元）。

（八）抵免限额的计算

1. 抵免限额，是指企业来源于中国境外的所得，依照我国企业所得税法及其实施条例的规定计算的应纳税额。除国务院财政、税务主管部门另有规定外，分国（地区）不分项原则下，该抵免限额计算公式为：

$$某国（地区）所得税抵免限额 = 境内、境外所得依照所得税法及其实施条例规定计算的应纳税总额 \times \frac{来源于某国（地区）的应纳税所得额}{境内、境外应纳税所得总额}$$

该公式可以简化成：

某国（地区）所得税抵免限额 = 来源于某国（地区）的（税前）应纳税所得额×国内所得税税率

2. 适用税率

（1）中国境内、境外所得依照《企业所得税法》及其实施条例的规定计算的应纳税总额的税率是25%，即使企业境内所得按税收法规规定享受企业所得税优惠的，在进行境外所得税额抵免限额计算中的中国境内、境外所得应纳税总额所适用的税率也应为25%。

（2）符合规定的高新技术企业其来源于境外的所得可以按照15%的优惠税率缴纳企业所得税，在计算境外抵免限额时，可按照15%的优惠税率计算境内外应纳税总额。

3. 非实际亏损额

企业在同一纳税年度的境内外所得加总为正数的，其境外分支机构发生的亏损，由于结转弥补的限制而发生的未予弥补的部分（非实际亏损额），今后在该分支机构的结转弥补期限不受5年期限制。即：

（1）如果企业当期境内外所得盈利额与亏损额加总后和为零或正数，则其当年度境外分支机构的非实际亏损额可无限期向后结转弥补。

（2）如果企业当期境内外所得盈利额与亏损额加总后和为负数，则以境外分支机构的亏损额超过企业盈利额部分的实际亏损额，按规定的期限进行亏损弥补，未超过企业盈利额部分的非实际亏损额仍可无限期向后结转弥补。

考点提示

分国（地区）不分项方法下，如果企业境内为亏损，境外盈利分别来自多个国家，则弥补境内亏损时，企业可以自行选择弥补境内亏损的境外所得来源国家（地区）顺序。

【案例精析】我国某居民企业适用税率25%，适用5年弥补亏损政策，在境外设立不具有独立纳税地位的分支机构，2021年境内外经营所得、亏损弥补和应纳税额分别如下（单位：万元）：

境内所得	境外所得	境内外所得加总	亏损弥补			境内应纳税额
			实际亏损	非实际亏损	补亏期限	
100	-80	20>0	——	80	无限期补亏	100×25%=25
100	-150	-50<0	50	100	50万元，5年补亏 100万元，无限期补亏	

经典题解

【例题16·单选题】某居民企业2021年境内应纳税所得额500万元，其在甲国非独立纳税的分支机构发生亏损600万元，则该分支机构可以无限期向后结转弥补的亏损额为（　　）万元。

A. 0　　B. 600　　C. 500　　D. 100

【解析】如果企业当期境内外所得盈利额与亏损额加总后和为负数（500-600=-100），则以境外分支机构的亏损额超过企业盈利额部分的实际亏损额（100万元），按规定的期限进行亏损弥补，未超过企业盈利额部分的非实际亏损额（500万元）可无限期向后结转弥补。

【答案】C

（九）税收饶让抵免

居民企业从与我国政府订立税收协定（或安排）的国家（地区）取得的所得，按照该国（地区）税收法律享受了免税或减税待遇，且该免税或减税的数额按照税收协定规定应视同已缴税额在中国的应纳税额中抵免的，该免税或减税数额可作为企业实际缴纳的境外所得税额用于办理税收抵免。

考点提示

境外所得采用简易办法计算抵免额的，不适用饶让抵免。

（十）简易办法计算抵免

考点提示

居民企业从境外未达到直接持股20%条件的境外子公司取得的股息所得，以及取得利息、租金、特许权使用费、转让财产等所得，向所得来源国直接缴纳的预提所得税额，应按直接抵免有关规定正常计算抵免，不适用简易办法计算抵免。

采用简易办法须遵循“分国（地区）不分项”原则。适用简易办法计算抵免的两种情况：

1. 定率计算

企业从境外取得营业利润所得以及符合境外税额间接抵免条件的股息所得，虽有所得来源国（地区）政府机关核发的具有纳税性质的凭证或证明，但因客观原因无法真实、准确地确认应当缴纳并已经实际缴纳的境外所得税税额的，除就该所得直接缴纳及间接负担的税额在所得来源国（地区）的实际有效税率低于12.5%以上的外，可按境外应纳税所得额的12.5%作为抵免限额，企业按该国（地区）税务机关或政府机关核发具有纳税性质凭证或证明的金额，其不超过抵免限额的部分，准予抵免；超过的部分不得抵免。

2. “白名单”

企业从境外取得营业利润所得以及符合境外税额间接抵免条件的股息所得，凡所得来源国（地区）的法定税率且其实际有效税率明显高于25%的，可直接按25%计算抵免限额。

考点提示

法定税率且实际有效税率明显高于我国（税率）的国家（“白名单”国家），目前包括美国、阿根廷、布隆迪、喀麦隆、古巴、法国、日本、摩洛哥、巴基斯坦、赞比亚、科威特、孟加拉国、叙利亚、约旦、老挝。

（十一）境外所得税抵免时应纳所得税额的计算

企业抵免境外所得税额后实际应纳所得税额的计算公式：

企业实际应纳所得税额=企业境内外所得应纳税总额-企业所得税减免、抵免优惠税额-境外所得税抵免额

公式中抵免优惠税额是指企业购置用于环境保护、节能节水、安全生产等专用设备的投资额，可以按一定比例实行税额抵免。

境外所得税抵免额是指按照规定计算的境外所得税额在抵免限额内实际可以抵免的税额。

第三单元 非居民企业税收管理

查看本单元视频，快速GET知识点
使用“会计云课堂”App或“微信”扫码

07 非居民企业分类（★★）

非居民企业，是指依照外国（地区）法律成立且实际管理机构不在中国境内，但在中国境内设立机构、场所的，或者在中国境内未设立机构、场所，但有来源于中国境内所得的企业。

考点提示

尽管依照中国法律成立的个人独资企业、合伙企业不适用企业所得税法，但依照外国法律成立的各种类型的组织，包括个人独资企业、合伙企业、信托基金、外国非政府组织、学术机构如有取得来源于中国境内的所得，适用企业所得税法。（新增）

分类	征管原则（新增）
设立机构、场所的非居民企业	（1）在中国境内开展生产经营活动，应当就其所设机构、场所取得的来源于中国境内的所得，以及发生在中国境外但与其所设机构、场所有实际联系的所得（一般称为“经营所得”或“积极所得”）缴纳企业所得税 （2）主要包括外国企业分公司、外国企业常驻代表机构和非居民企业在境内承包工程和提供劳务等 （3）该类非居民企业所得税适用企业所得税法的一般规定，在税基确定、境外税收抵免、适用税率、征收方式等方面与居民企业基本相同
未设立机构、场所的非居民企业	（1）有来源于我国境内的所得（一般称为“投资所得”或“消极所得”）按照来源地管辖权原则，该类企业应就其来源于我国境内的所得缴纳企业所得税 （2）该类企业采取源泉扣缴的方式征税，在税基确定、适用税率、征税方式等方面与居民企业、设立机构、场所的非居民企业相比有较大区别 （3）有些非居民企业虽然在我国境内设立了机构、场所，但取得的所得与该机构、场所没有实际联系，对该项所得也作为未设立机构、场所的非居民企业取得的所得来管理

08 设立机构、场所的非居民企业税收管理（★★★）

（一）一般规定（新增）

1. 设立机构、场所的非居民企业的税收管理内容与居民企业类似，应当按照《税收征管法》及有关法律法规设置账簿，根据合法、有效凭证记账，进行核算，并应按照其实际履行的功能与承担的风险相匹配的原则，准确计算应纳税所得额，据实申报缴纳企业所得税。

2. 管理对象

类型	要求
营业机构类	①主要包括外国企业分公司、外国企业常驻代表机构等 ②此类非居民企业在境内开展营业活动取得所得（不论其工商登记营业内容如何），采用据实申报的缴税方式，不能据实申报的，税务机关可以核定征收

类型	要求
营业场所类	①主要包括非居民企业在境内承包工程和提供劳务等临时开展营业活动，取得所得采用非居民企业自行据实申报的缴税方式 ②如果“营业场所类”在境内仅为特定合同而在境内开展营业，持续时间通常较短而遵从程度较低，税务机关可以指定支付人作为扣缴义务人
营业代理人类	虽然营业代理人表面上不是非居民企业设立的机构、场所，但是税务机关可根据实际情况认定“营业代理人”并将其视同非居民企业设立的机构、场所处理

（二）设立机构、场所的非居民企业企业所得税的查账征收（新增）

该类非居民企业在计算应纳税额时，收入、成本、费用、扣除的确定基本适用居民企业的规定。

项目	要求
费用扣除	（1）该类非居民企业实际发生的与取得收入有关的、合理的支出，包括成本、费用、税金、损失和其他支出，准予在计算其应纳税所得额时扣除 （2）非居民企业在中国境内设立的机构、场所，就其中国境外总机构发生的与该机构、场所生产经营有关的费用，能够提供总机构出具的费用汇集范围、定额、分配依据和方法等证明文件，并合理分摊的，准予扣除 （3）自 2018 年 7 月 1 日起，企业从境外购进货物或者劳务发生的支出，以对方开具的发票或者具有发票性质的收款凭证、相关税费缴纳凭证作为税前扣除凭证
适用税率	（1）设立机构、场所的非居民企业企业所得税的适用税率为 25% （2）对该类非居民企业不适用小型微利企业减按 20%税率征收企业所得税的优惠政策
税收优惠	企业所得税法中并未对设立机构、场所的非居民企业的税收优惠做出专门规定，一般情况下适用于居民企业的有关规定，但应当符合税收优惠的具体适用条件
税收抵免	（1）非居民企业在中国境内设立机构、场所，取得发生在中国境外但与该机构、场所有实际联系的应税所得，已在境外缴纳的所得税额，可以从其当期应纳税额中抵免 （2）抵免限额为该项所得依照企业所得税法及相关规定计算的应纳税额；超过抵免限额的部分，可以在以后 5 个纳税年度内，用每年度抵免限额抵免当年应抵税额后的余额进行抵补

（三）设立机构、场所的非居民企业企业所得税的核定征收

1. 核定方法

非居民企业因会计账簿不健全，资料残缺难以查账，或者其他原因不能准确计算并据实申报其应纳税所得额的，税务机关有权采取以下方法核定其应纳税所得额：

核定方法	适用情形及计算公式
按收入总额核定	适用于能够正确核算收入或通过合理方法推定收入总额，但不能正确核算成本费用的非居民企业： 应纳税所得额=收入总额×核定利润率
按成本费用核定	适用于能够正确核算成本费用，但不能正确核算收入总额的非居民企业： $应纳税所得额=\frac{成本（费用）总额}{1-核定利润率}×核定利润率$
按经费支出换算收入核定	适用于能够正确核算经费支出总额，但不能正确核算收入总额和成本费用的非居民企业： $应纳税所得额=\frac{经费支出总额}{1-核定利润率}×核定利润率$

2. 利润率

业务范围	核定利润率范围
从事承包工程作业、设计和咨询劳务	15%～30%
从事管理服务	30%～50%
从事其他劳务或劳务以外经营活动	不低于15%

3. 其他要求

（1）非居民企业与中国居民企业签订机器设备或货物销售合同，同时提供设备安装、装配、技术培训、指导、监督服务等劳务，其销售货物合同中未列明提供上述劳务服务收费金额，或者计价不合理的，主管税务机关可以根据实际情况，参照相同或相近业务的计价标准核定劳务收入。无参照标准的，以不低于销售货物合同总价款的10%为原则，确定非居民企业的劳务收入。

（2）非居民企业为中国境内客户提供劳务取得的收入，凡其提供的服务全部发生在中国境内的，应全额在中国境内申报缴纳企业所得税。凡其提供的服务同时发生在中国境内、外的，应以劳务发生地为原则划分其境内、外收入，并就其在中国境内取得的劳务收入申报缴纳企业所得税。税务机关对其境内、外收入划分的合理性和真实性有异议的，可以要求非居民企业提供真实有效的证明，并根据工作量、工作时间、成本费用等因素合理划分其境内、外收入；如非居民企业不能提供真实有效的证明，税务机关可视同其提供的服务全部发生在中国境内，确定其劳务收入并据以征收企业所得税。

（3）采取核定征收方式征收企业所得税的非居民企业，在中国境内从事适用不同核定利润率的经营活动，并取得应税所得的，应分别核算并适用相应的利润率计算缴纳企业所得税；凡不能分别核算的，应从高适用利润率，计算缴纳企业所得税。

09 未设立机构、场所的非居民企业税收管理（★★★）

（一）源泉扣缴

1. 未设立机构、场所的非居民企业因在境内仅有投资或财产存在无人员活动，取得所得主要有股息、利息、租金、特许权使用费和财产转让所得，故称为“消极所得”。此类非居民企业无须办理税务登记和定期纳税申报，而是在取得所得时，由支付人作为扣缴义务人进行源泉扣缴。

2. 扣缴义务人

类型	内容
法定	非居民企业在境内未设立机构、场所，或者虽然设立机构、场所但取得的所得与其所设机构、场所没有实际联系的，应缴纳的所得税，实行源泉扣缴，以支付人为扣缴义务人 【考点提示1】支付人是指依照有关法律规定或者合同约定对非居民企业直接负有支付相关款项义务的单位和个人 【考点提示2】支付人自行委托代理人或指定其他第三方代为支付相关款项，或者因担保合同或法律规定等原因由第三方保证人或担保人支付相关款项的，仍由委托人、指定人或被保证人、被担保人承担扣缴义务
指定	非居民企业在中国境内取得工程作业和劳务所得应缴纳的所得税，税务机关可以指定工程价款或劳务费的支付人为扣缴义务人

3. 具体规定

（1）扣缴义务人扣缴企业所得税的，应当按照扣缴义务发生之日人民币汇率中间价折合成人民币，计算非居民企业应纳税所得额。（新增）

（2）扣缴义务发生之日为相关款项实际支付或者到期应支付之日。（新增）

（3）扣缴义务人应当自扣缴义务发生之日起7日内向扣缴义务人所在地主管税务机关申报和解缴代扣税款。

（4）非居民企业取得应源泉扣缴的所得为股息、红利等权益性投资收益的，相关应纳税款扣缴义务发生之日为股息、红利等权益性投资收益实际支付之日。（新增）

（5）应当扣缴的税款，扣缴义务人应扣未扣的，由扣缴义务人所在地主管税务机关依照规定责令扣缴义务人补扣税款，并依法追究扣缴义务人责任；需要向纳税人追缴税款的，由所得发生地主管税务机关依法执行。扣缴义务人所在地与所得发生地不一致的，负责追缴税款的所得发生地主管税务机关应通过扣缴义务人所在地主管税务机关核实有关情况；扣缴义务人所在地主管税务机关应当自确定应纳税款未依法扣缴之日起5个工作日内，向所得发生地主管税务机关发送《非居民企业税务事项联络函》，告知非居民企业涉税事项。（新增）

（6）追缴非居民企业应纳税款时，可以采取以下措施：（新增）

①责令该非居民企业限期申报缴纳应纳税款；

②收集、查实该非居民企业在中国境内其他收入项目及其支付人的相关信息，并向该其他项目支付人发出《税务事项通知书》，从该非居民企业其他收入项目款项中依照法定程序追缴欠缴税款及应缴的滞纳金。

经典题解

【例题 17 · 单选题】依据企业所得税相关规定，下列表述正确的是（　　）。（2009 年考题改编）

A. 境外营业机构的盈利可以弥补境内营业机构的亏损

B. 扣缴义务人每次扣缴的税款，应当自代扣之日起 10 日内缴入国库

C. 扣缴义务人每次扣缴的税款，应当自代扣之日起 15 日内缴入国库

D. 居民企业在中国境内设立不具有法人资格的营业机构，可在设立地缴纳企业所得税

【解析】境外营业机构的亏损不得抵减境内营业机构的盈利，但是境外营业机构的盈利可以弥补境内营业机构的亏损，选项 A 正确；扣缴义务人每次扣缴的税款，应当自代扣之日起 7 日内缴入国库，选项 BC 错误；居民企业在中国境内设立不具有法人资格的营业机构应当汇总计算并缴纳企业所得税，选项 D 错误。

【答案】A

【例题 18 · 单选题】下列关于企业所得税源泉扣缴的说法，符合税法规定的是（　　）。（2014 年考题改编）

A. 扣缴义务人每次代扣的税款应当自代扣之日起 3 日内缴入国库

B. 在境内未设立机构、场所的非居民企业应缴纳的所得税实行源泉扣缴，支付人为扣缴义务人

C. 在中国境内从事工程作业的非居民企业应缴纳的所得税实行源泉扣缴，支付人在实际支付款项时扣缴企业所得税

D. 在境内未设立机构、场所的非居民企业应自行申报缴纳企业所得税

【解析】选项 A：扣缴义务人每次代扣的税款，应当自代扣之日起 7 日内缴入国库。选项 C：对非居民企业在中国境内取得工程作业和劳务所得应缴纳的所得税，税务机关“可以”指定工程价款或者劳务费的支付人为扣缴义务人；税款由扣缴义务人在每次支付或者到期应支付时，从支付或者到期应支付的款项中扣缴。选项 D：在境内未设立机构、场所的非居民企业应缴纳的所得税，实行源泉扣缴。

【答案】B

【例题 19 · 单选题】根据企业所得税的有关规定，下列关于源泉扣缴的表述中，不正确的是（　　）。

A. 非居民企业应缴纳的企业所得税，实行源泉扣缴，以支付人为扣缴义务人

B. 非居民企业在中国境内取得工程作业和劳务所得应缴纳的所得税，税务机关可以指定工程价款或者劳务费的支付人为扣缴义务人

C. 应当扣缴的非居民企业提供工程作业的所得税，扣缴义务人未依法扣缴或者无法履行扣缴义务的，由纳税人在项目所在地缴纳

D. 扣缴义务人每次代扣的税款，应当自代扣之日起 7 日内缴入国库

【解析】选项 A：并非所有的非居民企业都实行源泉扣缴的办法，只有在中国境内未设立机构、场所，或者虽设立机构、场所但取得的所得与其所设机构、场所没有实际联系的非

居民企业，其应缴纳的企业所得税，才实行源泉扣缴，以支付人为扣缴义务人。

【答案】 A

（二）未设立机构、场所的非居民企业所得税应纳税额的计算

1. 一般规定

对于在中国境内未设立机构、场所的，或者虽设立机构、场所但取得的所得与其所设机构、场所没有实际联系的非居民企业的境内所得，按照下列方法计算应纳税所得额：

（1）股息、红利等权益性投资收益和利息、租金、特许权使用费所得，以收入全额为应纳税所得额。

（2）转让财产所得，以收入全额减除财产净值后的余额为应纳税所得额。

考点提示

财产净值是指财产的计税基础减除已经按照规定扣除的折旧、折耗、摊销、准备金等后的余额。

（3）其他所得，参照前两项规定的方法计算应纳税所得额。

考点提示

1. 转让财产所得差额纳税，其余所得全额纳税。

2. 非居民企业取得上述规定的相关所得，在计算缴纳企业所得税时，应以不含增值税的收入金额计算应纳税所得额。

3. 扣缴义务人与非居民企业签订规定业务合同时，凡合同中约定由扣缴义务人实际承担应纳税款的，应将非居民企业取得的不含税所得换算为含税所得计算并解缴应扣税款。

经典题解

【例题 20 · 单选题】 某外国公司实际管理机构不在中国境内，也未在中国境内设立机构、场所，2021 年从中国境内某企业取得著作权的使用权转让收入 21.2 万元（含增值税），发生成本 10 万元。该外国公司在中国境内应缴纳企业所得税（　　）万元。（2017 年考题改编）

A. 1.0　　B. 2.0　　C. 2.5　　D. 5.0

【解析】 取得的著作权使用权转让收入，属于特许权使用费所得，以不含增值税的收入全额为应纳税所得额。应缴纳的企业所得税 = 21.2÷（1+6%）×10% = 2（万元）。

【答案】 B

【例题 21 · 单选题】 某外国企业未在中国境内设立经营机构，2021 年 6 月将商标许可权转让给境内某企业使用，取得含税特许权使用费 10.6 万元，该外国企业应缴纳企业所得税（　　）万元。（2021 年）

A. 0.5　　B. 2.5　　C. 1.0　　D. 1.25

【解析】 非居民企业在境内未设立机构、场所，取得的境内所得应缴纳所得税，实行源泉扣缴，适用税率为 10%，以支付人为扣缴义务人。该外国企业应缴纳企业所得税 = 10.6÷

（1+6%）×10%＝1.0（万元）。

【答案】C

【例题 22·单选题】2022 年 3 月，境内某公司向一非居民企业（在中国境内未设立机构、场所）支付利息 26 万元、租金 40 万元、财产转让价款 120 万元（该财产为位于中国境内的房屋，净值为 50 万元），该公司应扣缴该非居民企业企业所得税（　　）万元。（上述金额均不含增值税）（2011 年考题改编）

A. 13.6　　B. 20.6　　C. 27.2　　D. 41.2

【解析】对于在中国境内未设立机构、场所，或者虽设立机构、场所但取得的所得与其所设机构、场所没有实际联系的非居民企业的境内所得，按照下列方法计算应纳税所得额：（1）股息、红利等权益性投资收益和利息、租金、特许权使用费所得，以收入全额为应纳税所得额；（2）转让财产所得，以收入全额减除财产净值后的余额为应纳税所得额。该公司应扣缴该非居民企业的企业所得税＝（26+40+120−50）×10%＝13.6（万元）。

【答案】A

2. 其他特殊规定（新增）

情形	税务处理
到期应支付而未支付	（1）中国境内企业（以下称为企业）和非居民企业签订与利息、租金、特许权使用费等所得有关的合同或协议，如果未按照合同或协议约定的日期支付上述所得款项，或者变更或修改合同或协议延期支付，但已计入企业当期成本、费用，并在企业所得税年度纳税申报中作税前扣除的，应在企业所得税年度纳税申报时按照企业所得税法有关规定代扣代缴企业所得税 【考点提示】企业一次性在税前扣除的，应该一次性代扣代缴企业所得税 （2）如果企业上述到期未支付的所得款项，不是一次性计入当期成本、费用，而是计入相应资产原价或企业筹办费，在该类资产投入使用或开始生产经营后分期摊入成本、费用，分年度在企业所得税前扣除的，应在企业计入相关资产的年度纳税申报时就上述所得全额代扣代缴企业所得税 【考点提示】企业分期在税前扣除的，应该分期代扣代缴企业所得税 （3）如果企业在合同或协议约定的支付日期之前支付上述所得款项的，应在实际支付时按照企业所得税法有关规定代扣代缴企业所得税 【考点提示】以收付实现制确认纳税时点
担保费	非居民企业取得来源于中国境内的担保费，应按照企业所得税法对利息所得规定的税率计算缴纳企业所得税 【考点提示 1】上述来源于中国境内的担保费，是指中国境内企业、机构或个人在借贷、买卖、货物运输、加工承揽、租赁、工程承包等经济活动中，接受非居民企业提供的担保所支付或负担的担保费或相同性质的费用 【考点提示 2】上述规定的税率为 20%减按10%

情形	税务处理
土地使用权转让	非居民企业在中国境内未设立机构、场所而转让中国境内土地使用权，或者虽设立机构、场所但取得的土地使用权转让所得与其所设机构、场所没有实际联系的，应以其取得的土地使用权转让收入总额减除计税基础后的余额作为土地使用权转让所得计算缴纳企业所得税，并由扣缴义务人在支付时代扣代缴 【考点提示 1】土地使用权的计税基础为非居民企业取得该项土地使用权时实际发生的支出 【考点提示 2】非居民企业由于没有实际使用该土地，只能作为投资性房地产处理，故不扣除非居民企业按规定对土地使用权的摊销支出
融资租赁	在中国境内未设立机构、场所的非居民企业，以融资租赁方式将设备、物件等租给中国境内企业使用，租赁期满后设备、物件所有权归中国境内企业（包括租赁期满后作价转让给中国境内企业），非居民企业按照合同约定的期限收取租金，应以租赁费（包括租赁期满后作价转让给中国境内企业的价款）扣除设备、物件价款后的余额，作为贷款利息所得计算缴纳企业所得税，由中国境内企业在支付时代扣代缴 【考点提示】由于融资行为不属于销售增值，所以按贷款利息所得计算
不动产的租金	（1）非居民企业出租位于中国境内的房屋、建筑物等不动产，对未在中国境内设立机构、场所进行日常管理的，以其取得的租金收入全额计算缴纳企业所得税，由中国境内的承租人在每次支付或到期应支付时代扣代缴 （2）如果非居民企业委派人员在中国境内或者委托中国境内其他单位或个人对上述不动产进行日常管理的，应视为其在中国境内设立机构、场所，非居民企业应在税法规定的期限内自行申报缴纳企业所得税

10　非居民税收管理中国际税收协定与国内税法的关系（新增）（★★）

1. 非居民企业所得税管理不但适用国内税法，同时也要遵从国际税收协定的有关规定。

2. 对非居民的税收处理存在国内法与税收协定规定不一致的，应当把握以下原则：

（1）首先是税收协定优先原则；

（2）其次是优惠孰优原则，如果国内税法规定优于税收协定，一般情况下，按国内税法规定执行。

11　外国企业常驻代表机构税收管理（★★★）

外国企业常驻代表机构，是指按照国务院有关规定，在工商行政管理部门登记或经有关部门批准，设立在中国境内的外国企业（包括港、澳、台企业）及其他组织的常驻代表机构（简称“代表机构”）。

项目	要求
税务登记管理	（1）代表机构应当自领取工商登记证件（或有关部门批准）之日起30 日内，向所在地主管税务机关申报办理税务登记 （2）代表机构税务登记内容发生变化或者驻期届满、提前终止业务活动的，应当按照《税收征收管理法》及相关规定，向主管税务机关申报办理变更登记或者注销登记；代表机构应当在办理注销登记前，就其清算所得向主管税务机关申报并依法缴纳企业所得税
账簿凭证管理	代表机构应当按照有关法律、行政法规和国务院财政、税务主管部门的规定设置账簿，根据合法、有效凭证记账，进行核算
申报要求	代表机构应按照实际履行的功能和承担的风险相配比的原则，准确计算其应税收入和应纳税所得额，并在季度终了之日起15 日内向主管税务机关据实申报缴纳企业所得税
核定征收	（1）按经费支出换算收入核定：适用于能够准确反映经费支出但不能准确反映收入或成本费用的代表机构 $应纳税所得额=\frac{本期经费支出额}{1-核定利润率}\times 核定利润率$ 代表机构的经费支出额包括：在中国境内、外支付给工作人员的工资薪金、奖金、津贴、福利费、物品采购费（包括汽车、办公设备等固定资产）、通讯费、差旅费、房租、设备租赁费、交通费、交际费、其他费用等 ①购置固定资产所发生的支出，以及代表机构设立时或者搬迁等原因所发生的装修费支出，应在发生时一次性作为经费支出额换算收入计税 ②利息收入不得冲抵经费支出额；发生的交际应酬费，以实际发生数额计入经费支出额 ③以货币形式用于我国境内的公益、救济性质的捐赠、滞纳金、罚款，以及为其总机构垫付的不属于其自身业务活动所发生的费用，不应作为代表机构的经费支出额 ④其他费用包括：为总机构从中国境内购买样品所支付的样品费和运输费用；国外样品运往中国发生的中国境内的仓储费用、报关费用；总机构人员来华访问聘用翻译的费用；总机构为中国某个项目投标由代表机构支付的购买标书的费用等 （2）按收入总额核定：适用于可以准确反映收入但不能准确反映成本费用的代表机构 应纳税所得额=收入总额×核定利润率 （3）代表机构的核定利润率不应低于 15%。采取核定征收方式的代表机构，如能建立健全会计账簿，准确计算其应税收入和应纳税所得额，报主管税务机关备案，可调整为据实申报方式

经典题解

【例题 23 · 单选题】 下列关于外国企业常驻代表机构经费支出的税务处理方法，符合企业所得税相关规定的是（ ）。（2017 年）

A. 以货币形式用于我国境内的公益救济性捐赠，发生的当期一次性作为经费支出

B. 代表机构设立时发生的装修费用，在发生的当期一次性作为经费支出

C. 代表机构搬迁发生的装修费用，在冲抵搬迁处置收入后分年抵减应纳税所得额

D. 购置固定资产的支出，通过计提折旧分别计入相应各期经费支出

【解析】 选项 A：以货币形式用于我国境内的公益、救济性质的捐赠、滞纳金、罚款，以及为其总机构垫付的不属于其自身业务活动所发生的费用，不应作为代表机构的经费支出额。选项 BCD：购置固定资产所发生的支出，以及代表机构设立时或者搬迁等原因所发生的装修费支出，应在发生时一次性作为经费支出额换算收入计税。

【答案】 B

【例题 24 · 单选题】 某外国公司在境内设立一常驻代表机构从事产品售后服务，2013 年 2 月，主管税务机关对其 2012 年度业务进行检查时，发现该代表机构账簿不健全，不能准确核算成本，收入经查实为 120 万元，决定按照最低利润率对其进行核定征收企业所得税。2012 年该常驻代表机构应缴纳企业所得税（ ）万元。（2013 年）

A. 3　　　　B. 3.5

C. 4　　　　D. 4.5

【解析】 代表机构的核定利润率最低为 15%，应纳企业所得税额 = 收入额 × 核定利润率 × 企业所得税税率。则常驻代表机构应缴纳企业所得税 = 120 × 15% × 25% = 4.5（万元）。

【答案】 D

12 非居民承包工程作业和提供劳务的税务管理（★★）

项目	要求
非居民承包工程作业和提供劳务的认定	（1）非居民，包括非居民企业和非居民个人 （2）承包工程作业，是指在中国境内承包建筑、安装、装配、修缮、装饰、勘探及其他工程作业 （3）提供劳务是指在中国境内从事加工、修理修配、交通运输、仓储租赁、咨询经纪、设计、文化体育、技术服务、教育培训、旅游、娱乐及其他劳务活动

项目	要求
登记备案管理	（1）非居民企业在中国境内承包工程作业或提供劳务的，应当自项目合同或协议签订之日起30日内，向项目所在地主管税务机关办理税务登记手续 （2）依照法律、行政法规规定负有税款扣缴义务的境内机构和个人，应当自扣缴义务发生之日起30日内，向所在地主管税务机关办理扣缴税款登记手续 （3）境内机构和个人向非居民发包工程作业或劳务项目的，应当自项目合同签订之日起30日内，向主管税务机关报送《境内机构和个人发包工程作业或劳务项目报告表》，并附送非居民的税务登记证、合同、税务代理委托书复印件或非居民对有关事项的书面说明等资料 （4）非居民企业在中国境内承包工程作业或提供劳务的，应当在项目完工后15日内，向项目所在地主管税务机关报送项目完工证明、验收证明等相关文件复印件，并依据《税务登记管理办法》的有关规定申报办理注销税务登记 （5）境内机构和个人向非居民发包工程作业或劳务项目合同发生变更的，发包方或劳务受让方应自变更之日起10日内向所在地主管税务机关报送《非居民项目合同变更情况报告表》 （6）境内机构和个人向非居民发包工程作业或劳务项目，从境外取得的与项目款项支付有关的发票和其他付款凭证，应在自取得之日起30日内向所在地主管税务机关报送《非居民项目合同款项支付情况报告表》及付款凭证复印件 （7）境内机构和个人不向非居民支付工程价款或劳务费的，应当在项目完工开具验收证明前，向其主管税务机关报告非居民在项目所在地的项目执行进度、支付人名称及其支付款项金额、支付日期等相关情况 （8）境内机构和个人向非居民发包工程作业或劳务项目，与非居民的主管税务机关不一致的，应当自非居民申报期限届满之日起15日内向境内机构和个人的主管税务机关报送非居民申报纳税证明资料复印件
企业所得税申报征收	（1）非居民企业在中国境内承包工程作业或提供劳务项目的，企业所得税按纳税年度计算、分季预缴，年终汇算清缴，并在工程项目完工或劳务合同履行完毕后结清税款 （2）工程价款或劳务费的支付人所在地县（区）以上主管税务机关根据有关信息，确定符合相关规定所列指定扣缴的三种情形之一的，可指定工程价款或劳务费的支付人为扣缴义务人，并将《非居民企业承包工程作业和提供劳务企业所得税扣缴义务通知书》送达被指定方 （3）指定扣缴义务人应当在申报期限内向主管税务机关报送扣缴企业所得税报告表及其他有关资料。扣缴义务人未依法履行扣缴义务或无法履行扣缴义务的，由非居民企业在项目所在地申报缴纳。主管税务机关应自确定未履行扣缴义务之日起15日内通知非居民企业在项目所在地申报纳税 （4）非居民企业逾期仍未缴纳税款的，项目所在地主管税务机关应自逾期之日起15日内，收集该非居民企业从中国境内取得其他收入项目的信息，包括收入类型，支付人的名称、地址，支付金额、方式和日期等，并向其他收入项目支付人发出《非居民企业欠税追缴告知书》，并依法追缴税款和滞纳金

13 非居民企业派遣人员在中国境内提供劳务征收企业所得税的管理（★★）

1. 判定条件

非居民企业（简称“派遣企业”）派遣人员在中国境内提供劳务，如果派遣企业对被派遣人员工作结果承担部分或全部责任和风险，通常考核评估被派遣人员的工作业绩，应视为派遣企业在中国境内设立机构、场所提供劳务。

如果派遣企业属于税收协定缔约对方企业，且提供劳务的机构、场所具有相对的固定性和持久性，该机构、场所构成在中国境内设立的常设机构。

2. 判定因素

在作出上述判断时，应结合下列因素予以确定：

（1）接收劳务的境内企业（简称“接收企业”）向派遣企业支付管理费、服务费性质的款项；

（2）接收企业向派遣企业支付的款项金额超出派遣企业代垫、代付被派遣人员的工资、薪金、社会保险费及其他费用；

（3）派遣企业并未将接收企业支付的相关费用全部发放给被派遣人员，而是保留了一定数额的款项；

（4）派遣企业负担的被派遣人员的工资、薪金未全额在中国缴纳个人所得税；

（5）派遣企业确定被派遣人员的数量、任职资格、薪酬标准及其在中国境内的工作地点。

3. 如果派遣企业仅为在接收企业行使股东权利、保障其合法股东权益而派遣人员在中国境内提供劳务的，包括被派遣人员为派遣企业提供对接收企业投资的有关建议、代表派遣企业参加接收企业股东大会或董事会议等活动，均不因该活动在接收企业营业场所进行而认定为派遣企业在中国境内设立机构、场所或常设机构。

14 非居民企业从事国际运输业务税收管理（★★）

1. 从事国际运输业务，是指非居民企业以自有或者租赁的船舶、飞机、舱位，运载旅客、货物或者邮件等进出中国境内口岸的经营活动以及相关装卸、仓储等附属业务。

2. 非居民企业以程租、期租、湿租的方式出租船舶、飞机取得收入的经营活动属于国际运输业务。

3. 非居民企业以光租、干租等方式出租船舶、飞机，或者出租集装箱及其他装载工具给境内机构或者个人取得的租金收入，不属于本考点规定的国际运输业务收入。（新增）

4. 非居民企业应自有关部门批准其经营资格或运输合同、协议签订之日起30日内，自行或委托代理人选择向境内一处业务口岸所在地主管税务机关办理税务登记，并同时提供经营资格证书、经营航线资料、相关业务合同以及境内联系人等相关信息。非居民企业选择境内一处口岸办理税务登记后，应当在其他业务口岸发生业务时向所在地主管税务机关报送税务登记资料、运输合同及其他相关资料的复印件。

5. 非居民企业从事国际运输业务取得的所得应根据企业所得税法的规定，从收入总额中减除实际发生并与取得收入有关、合理的支出后的余额确定应纳税所得额。

收入总额是指非居民企业运载旅客、货物或者邮件等进出中国境内口岸所取得的客运收入、货运收入的总和。客运收入包括客票收入以及逾重行李运费、餐费、保险费、服务费和娱乐费等；货运收入包括基本运费以及各项附加费等。

15 非居民企业间接转让中国应税财产的企业所得税管理（★★★）

1. 非居民企业通过实施不具有合理商业目的的安排，间接转让中国居民企业股权等财产，规避企业所得税纳税义务的，应按照企业所得税法的规定，重新定性该间接转让交易，确认为直接转让中国居民企业股权等财产。

2. 如果一项间接转让中国应税财产交易因不具有合理商业目的被调整定性为直接转让中国应税财产交易，则按照规定可以就间接转让中国应税财产所得征收企业所得税。但如果被转让境外企业股权价值来源包括中国应税财产因素和非中国应税财产因素，则需按照合理方法将转让境外企业股权所得划分为归属于中国应税财产所得和归属于非中国应税财产所得，只需就归属于中国应税财产所得按照规定调整征税。（新增）

【案例精析】一家设立在开曼的境外企业（不属于境外注册中国居民企业）持有中国应税财产和非中国应税财产两项资产，非居民企业转让开曼企业股权所得为 1000 万元，假设其中归属于中国应税财产的所得对应为 800 万元，归属于非中国应税财产所得对应为 200 万元，在这种情况下，只就归属于中国应税财产的 800 万元部分按规定征税；假设其中归属于中国应税财产的所得对应为 1200 万元，归属于非中国应税财产的所得对应为-200 万元，那么即便转让开曼企业股权所得为 1000 万元，仍需就归属于中国应税财产的 1200 万元按规定征税。

3. 判断合理商业目的，应整体考虑与间接转让中国应税财产交易相关的所有安排，结合实际情况综合分析相关因素。

4. 除规定情形外，与间接转让中国应税财产相关的整体安排同时符合以下情形的，无须进行分析和判断，应直接认定为不具有合理商业目的：

（1）境外企业股权75%（含）以上价值直接或间接来自于中国应税财产；

（2）间接转让中国应税财产交易发生前一年内任一时点，境外企业资产总额（不含现金）的 90%（含）以上直接或间接由在中国境内的投资构成，或间接转让中国应税财产交易发生前一年内，境外企业取得收入的 90%（含）以上直接或间接来源于中国境内；

（3）境外企业及直接或间接持有中国应税财产的下属企业虽在所在国家（地区）登记注册，以满足法律所要求的组织形式，但实际履行的功能及承担的风险有限，不足以证实其具有经济实质；

（4）间接转让中国应税财产交易在境外应缴所得税税负低于直接转让中国应税财产交易在中国的可能税负。

5. 间接转让中国应税财产同时符合以下条件的，应认定为具有合理商业目的：

（1）交易双方的股权关系具有下列情形之一：

①股权转让方直接或间接拥有股权受让方80%（含）以上的股权；

②股权受让方直接或间接拥有股权转让方80%（含）以上的股权；

③股权转让方和股权受让方被同一方直接或间接拥有 80%（含）以上的股权。

考点提示

1. 境外企业股权50%以上（不含50%）价值直接或间接来自于中国境内不动产的，第①、②、③项的持股比例应为100%。

2. 上述间接拥有的股权按照持股链中各企业的持股比例乘积计算。

（2）本次间接转让交易后可能再次发生的间接转让交易相比在未发生本次间接转让交易情况下的相同或类似间接转让交易，其中国所得税负担不会减少。

（3）股权受让方全部以本企业或与其具有控股关系的企业的股权（不含上市企业股权）支付股权交易对价。

16 香港市场投资者通过沪港通、深港通投资上海证券交易所、深圳证券交易所上市A股的所得税规定（★★）

1. 对香港市场投资者（包括企业和个人）投资上交所上市A股取得的转让差价所得，暂免征收所得税。

2. 对香港市场投资者（包括企业和个人）投资上交所上市A股取得的股息红利所得，在香港中央结算有限公司不具备向中国结算提供投资者的身份及持股时间等明细数据的条件之前，暂不执行按持股时间实行差别化征税政策，由上市公司按照10%的税率代扣所得税，并向其主管税务机关办理扣缴申报。

对于香港投资者中属于其他国家税收居民且其所在国与中国签订的税收协定规定股息红利所得税率低于10%的，企业或个人可以自行或委托代扣代缴义务人，向上市公司主管税务机关提出享受税收协定待遇的申请，主管税务机关审核后，应按已征税款和根据税收协定税率计算的应纳税款的差额予以退税。

3. 对香港市场投资者通过深港通投资深圳证券交易所上市A股，执行与上述相同的政策。（新增）

第四单元 国际税收协定

查看本单元视频，快速GET知识点

使用“会计云课堂”App或“微信”扫码

17 国际税收协定概念（★★）

国际税收协定，是指两个或两个以上的主权国家（或税收管辖区），为了协调相互之间的税收管辖关系和处理有关税务问题，通过谈判缔结的书面协议。

截至2021年12月底，我国已对外正式签署109个避免双重征税协定，其中102个协定已生效。并和香港、澳门两个特别行政区签署了税收安排，与台湾地区签署了税收协议。（调整）

18 我国对外签署税收协定典型条款（《中新协定》）（★★★）

（一）税收居民

在本协定中，“缔约国一方居民”是指按照该缔约国法律，由于住所、居所、成立地、管理机构所在地，或者其他类似的标准，在该缔约国负有纳税义务的人，并且包括该缔约国及其行政区或地方当局。

考点提示

这一用语不包括仅因来源于该缔约国的所得或财产收益而在该缔约国负有纳税义务的人。

1. 加比规则

同一人有可能同时为缔约国双方居民。为了解决这种情况下个人最终居民身份的归属，税收协定普遍采取“加比规则”，加比规则的使用是有先后顺序的，只有当使用前一标准无法解决问题时，才使用后一标准。公司及其他团体的双重居民身份冲突协调规则，一般以实际管理机构为依据判定。有些协定没有加比原则，需要根据协定条款的其他规定，如根据协商条款进行处理。

2. 双重居民身份下最终居民身份的判定

判定依据	要求
永久性住所	重点在于该住所必须具有永久性，即个人已安排长期居住，而不是为了某些原因（如旅游、商务考察等）临时逗留
重要利益中心	要参考个人家庭和社会关系、职业、政治、文化和其他活动、营业地点、管理财产所在地等因素综合评判
习惯性居处	在出现以下两种情况之一时，应采用习惯性居处的标准来判定个人居民身份的归属：一是个人在缔约国双方均有永久性住所且无法确定重要经济利益中心所在国；二是个人的永久性住所不在缔约国任何一方，如该个人不断地穿梭于缔约国一方和另一方旅馆之间
国籍	如果该个人在缔约国双方都有或都没有习惯性居处，应以该人的国籍作为判定居民身份的标准

考点提示

双重居民身份下最终居民身份的判定标准依次顺序：①永久性住所；②重要利益中心；③习惯性居处；④国籍。当采用上述标准依次判断仍然无法确定其身份时，可由缔约国双方主管当局按照协定规定的相互协商程序协商解决。

3. 公司及其他团体居民身份判定依据

实际管理机构所在地，是指实质上作出有关企业整体经营关键性的管理与商业决策之地。通常理解为最高层人员如董事会作出决策所在地。一个实体可以有多个管理机构所在地，但是只能有一个实际管理机构所在地。

经典题解

【例题25·单选题】 下列关于双重居民身份下最终居民身份判定标准的排序中，正确的是（　　）。

A. 永久性住所、重要利益中心、习惯性居处、国籍

B. 重要利益中心、习惯性居处、国籍、永久性住所

C. 国籍、永久性住所、重要利益中心、习惯性居处

D. 习惯性居处、国籍、永久性住所、重要利益中心

【答案】 A

（二）常设机构

考点提示

常设机构条款是税收协定的重要条款，它主要与营业利润条款结合，组成对缔约一方所取得营业利润的征税规则，以限制所得来源国的征税权，避免双重征税。

1. 常设机构主要用来确定企业是否在某国或地区具有纳税义务，从而使该国或地区能对归属于常设机构的所得进行征税。常设机构规则不仅是征税的前提条件，还是辨别应税所得征收方式的基础。一般来说，对归属于常设机构的所得要按照常设机构营业利润征税，对不归属于常设机构的所得则按照其他条款处理。

2. 常设机构，是指企业进行全部或部分营业的固定营业场所。常设机构包括：管理场所；分支机构；办事处；工厂；车间（作业场所）；矿场、油井或气井、采石场或者其他开采自然资源的场所。

类型	解释
一般常设机构	一般常设机构是具有固定性、持续性和经营性的营业场所，但不包括从事协定所列举的专门从事准备性、辅助性活动的机构。即缔约国一方企业在缔约国另一方仅由于仓储、展览、采购及信息收集等活动的目的设立的具有准备性或辅助性的固定场所，不应被认定为常设机构
工程型常设机构	包括建筑工地，建筑、装配或安装工程，或者与其有关的监督管理活动，但仅以该工地、工程或活动连续达到规定时间（通常为6个月）以上的为限，未达到该规定时间的则不构成常设机构
劳务型常设机构	“缔约国一方企业通过雇员或者其他人员，在缔约国另一方为同一个项目或相关联的项目提供劳务，包括咨询劳务，仅以在任何__个月中连续或累计超过__天/月为限，未达到该规定时间的则不构成常设机构。”不同协定对时间长度的计算方法有所不同，通常为任何12个月中连续或累计超过6个月或183天
代理型常设机构	当一个人（除税收协定规定的独立代理人外）在缔约国一方代表缔约国另一方的企业进行活动，有权以该企业的名义签订合同并经常行使这种权力，这个人为该企业进行的任何活动，应认为该企业在该缔约国一方设有常设机构

考点提示

此外，我国同部分国家签订的税收协定还增加了有关保险业务构成常设机构的特殊规定。

（三）营业利润

1. 缔约国一方企业的利润应仅在该国征税，但该企业通过设在缔约国另一方的常设机构进行营业的除外。如果该企业通过在缔约国另一方的常设机构进行营业，其利润可以在另一国征税，但应仅以归属于该常设机构的利润为限。

2. 税收协定规定，只有在构成常设机构的情况下，来源国才有权对营业利润征税。因此营业利润条款是与“常设机构”密切相关的条款。“常设机构”条款主要起界定作用，明确哪些活动在何种情况下构成“常设机构”，从而确定来源国拥有对该“常设机构”的征税权。而“营业利润”条款是指一旦构成“常设机构”，企业从事跨国经营产生的利润如何在国家间划分征税权。

（四）国际运输——海运和空运

1. 我国对外签订的税收协定，大多数采用居民国独占征税权原则。一般表述为：“缔约国一方企业以船舶或飞机经营国际运输业务取得的利润，应仅在该缔约国征税”。

2. 部分协定采用总机构所在国独占征税权原则，部分协定采用实际管理机构所在国独占征税权原则，部分协定采用总机构或实际管理机构所在国独占征税权原则。

（五）股息

“股息”是指根据股份或非债权关系分享利润的权利取得的所得，以及按照分配利润的公司是其居民的缔约国法律，视同股份所得同样征税的其他公司权利取得的所得。简单来说，股息是被投资公司所作的利润分配，股息支付不仅包括每年股东会议所决定的利润分配，也包括其他货币或具有货币价值的收益分配。股息还包括缔约国按防止资本弱化的规定调整为股息的“利息”。

考点提示

对所支付的股息同常设机构有实际联系的不适用股息条款，而应按营业利润处理。

1. 股息优惠税率

（1）我国签订的税收协定中明确了居民国和来源国对股息都有征税权，来源国即指分配股息的公司所在国。一般而言，来源国基于税收协定对股息所得实行限制性税率（具体税率与持股比例相关，一般低于来源国国内税法规定的税率）。

（2）一般而言，来源国基于税收协定对股息所得实行限制性税率，具体税率规定如下：

①在受益所有人是公司（合伙企业除外），并直接拥有支付股息公司至少25%资本的情况下，不应超过股息总额的5%。

②在其他情况下，不应超过股息总额的10%。

考点提示

取得股息的人在具有该所得受益所有人身份的情况下，才能在来源国享受协定规定的优惠税率，否则将按来源国的国内法进行征税。

（3）适用优惠税率股息的范围

①适用低税率的股息，应属于符合条件的受益所有人拥有资本比例达到25%以上的期间的利润所形成的股息。

②非居民直接拥有中国居民公司资本比例在取得股息前连续12个月以内任何时候均至少达到25%的，可以享受该协定待遇。

③如分配的股息涉及12个月以前的企业未分配利润，则不再考虑股息受益所有人在所分配利润所属年度的持股比例是否满足要求。

2. 股息免税

我国签订的税收协定中，对于个别国家，来源国放弃股息所得征税权，即我国居民取得的股息所得享受协定免税待遇。

在适用股息条款时，存在受益所有人的问题。当股息所得的居民符合协定关于“受益所有人”的规定，并满足一定条件时，来源国才会放弃对该股息所得的征税权。

（六）利息

“利息”是指从各种债权取得的所得，无论其有无抵押担保或者是否有权分享债务人的利润；特别是从公债、债券或者信用债券取得的所得，包括其溢价和奖金。由于延期支付所处的罚款，不应视为利息。

考点提示

对所支付的利息同常设机构有实际联系的不适用利息条款，而应按营业利润处理。

居民国对本国居民取得的来自缔约国另一方的利息拥有征税权，利息来源国对利息也有征税的权利，但对利息来源国的征税权设定了最高税率：

（1）当受益所有人为银行或金融机构的情况下，利息的征税税率为7%。

（2）其他情况下利息的征税税率为10%。

（七）特许权使用费

“特许权使用费”是指使用或有权使用文学、艺术或科学著作，包括电影影片、无线电或电视广播使用的胶片、磁带的版权，专利，商标，设计或模型，图纸、秘密配方或秘密程序所支付的作为报酬的各种款项；也包括使用或有权使用工业、商业、科学设备或有关工业、商业、科学经验的情报所支付的作为报酬的各种款项。

考点提示

对所支付的特许权使用费同常设机构有实际联系的不适用特许权使用费条款，而应按营业利润处理。

1. 特许权使用费内容

项目	内容
特许权使用费包括的内容	①应与使用或有权使用以下权利有关：构成权利和财产的各种形式的文学和艺术，有关工业、商业和科学实验的文字和信息中确定的知识产权，不论这些权利是否已经或必须在规定的部门注册登记。还应注意，这一定义既包括在有许可的情况下支付的款项，也包括因侵权支付的赔偿款 ②使用或有权使用工业、商业、科学设备取得的所得，即设备租金 ③使用或有权使用有关工业、商业、科学经验的情报取得的所得 ④服务提供方提供服务形成的成果属于特许权使用费定义范围，并且服务提供方仍保有该项成果的所有权，服务接受方对此成果仅有使用权，此类服务产生的所得 ⑤在转让或许可专有技术使用权过程中，技术许可方派人员为该项技术的应用提供有关支持、指导等服务，并收取的服务费（无论是单独收取还是包括在技术价款中），未构成常设机构或未归属于常设机构的服务收入
特许权使用费不包括的内容	①设备所有权最终转移给用户的有关融资租赁协议涉及的支付款项中被认定为利息的部分 ②使用不动产取得的所得 ③服务提供方在提供服务过程中使用了某些专门知识和技术，但并不许可这些技术使用权 ④在转让或许可专有技术使用权过程中，技术许可方派人员为该项技术的应用提供有关支持、指导等服务，并收取的服务费，已构成常设机构且收入归属常设机构的服务收入 ⑤单纯货物贸易项下作为售后服务的报酬，产品保证期内卖方为买方提供服务所取得的报酬，专门从事工程、管理、咨询等专业服务的机构或个人提供的相关服务所取得的所得

经典题解

【例题26·多选题】下列所得中，属于《中新协定》中的特许权使用费所得的有（　　）。（2019年考题改编）

A. 缔约国一方居民向我国居民企业因专利违规使用单独收取的侵权赔偿费

B. 我国居民王某向缔约国一方居民提供税务咨询服务取得的报酬

C. 缔约国一方居民向我国居民企业提供商业情报取得的所得

D. 缔约国一方居民向我国居民企业提供专有技术使用权而单独收取的指导费（未构成常设机构）

E. 我国居民企业向缔约国居民出口设备，在产品保证期内提供售后服务取得的报酬

【解析】选项BE：单纯货物贸易项下作为售后服务的报酬，产品保证期内卖方为买方提供服务所取得的报酬，专门从事工程、管理、咨询等专业服务的机构或个人提供的相关服务所取得的所得不是特许权使用费，应作为劳务活动所得适用《中新协定》中营业利润的规定。

【答案】ACD

2. 我国对外签署的税收协定，明确了居民国和所得来源国对特许权使用费都有征税权，来源国是指实际支付特许权使用费的企业所在国。

3. 如果特许权使用费受益所有人是缔约国另一方居民，则所征税款不应超过特许权使用费总额的10%。

经典题解

【例题27·单选题】我国对外签署的税收协定，明确了居民国和所得来源国对特许权使用费都有征税权，如果特许权使用费受益所有人是缔约国另一方居民，则所征税款不应超过特许权使用费总额的（　　）。

A. 10%　　　　B. 15%

C. 20%　　　　D. 25%

【答案】A

（八）转让主要由不动产组成的公司股权

1. 我国签订的部分税收协定中规定，转让一个公司股份取得的收益，该公司的财产又主要直接或间接由位于一方的不动产所组成，可以在不动产所在国征税。

2. 还有部分税收协定规定，缔约国一方居民转让股份或类似权益（比如合伙企业或信托中的权益）取得的收益，如果转让前365天内的任一时间，该股份或类似权益超过50%的价值直接或间接来自于位于缔约国另一方的不动产，可以在该缔约国另一方征税。

（九）转让公司股权（主要由不动产构成的股权除外）

转让不动产组成的公司股份以外的其他股票取得的收益，该项股票又相当于参与缔约国一方居民公司的股权的25%的，可以在该缔约国征税。

（十）受雇所得（非独立个人劳务）（新增）

1. 受雇所得的一般征税原则，即应在缔约国一方居民个人从事受雇活动的所在国（地区）征税。(来源国拥有优先征税权)

2. 受雇所得要在来源国（即劳务发生国）获得免税待遇必须同时具备三个条件，反之，只要有一个条件未符合，就构成在来源国的纳税义务。(来源国应给予免税，居民国独占征税权)

这三个条件是：

（1）居民个人在有关历年中或会计（财政、纳税）年度中或任何12个月（任何365天）中在该缔约国另一方停留连续或累计不超过183天；

（2）该项报酬由并非该缔约国另一方居民的雇主支付或代表雇主支付；

（3）该项报酬不是由雇主设在该缔约国另一方的常设机构或固定基地所负担。

（十一）艺术家和运动员（新增）

1. 艺术家和运动员从事个人活动所取得的所得，由活动所在国征税。

2. 艺术家或运动员由于雇佣关系取得的归属于其他人（包括公司）的所得，也由活动所在国征税。

3. 艺术家或运动员从事政府间的文化交流或者是由政府或其地方当局公共基金资助进行的表演活动取得的所得，活动所在国应予以免税。

（十二）《中新协定》的修订

1. 不具有法人资格的中外合作办学机构，以及中外合作办学项目中开展教育教学活动的场所构成税收协定缔约对方居民在中国的常设机构。常设机构条款中关于劳务活动构成常设机构的表述为“在任何十二个月中连续或累计超过六个月”的，按照“在任何十二个月中连续或累计超过183天”的表述执行。

2. 关于海运和空运条款

缔约国一方企业以船舶或飞机从事国际运输业务从缔约国另一方取得的收入，在缔约国另一方免予征税。

项目	内容
属于国际运输收入	（1）从事国际运输业务取得的收入，是指企业以船舶或飞机经营客运或货运取得的收入，以及以程租、期租形式出租船舶或以湿租形式出租飞机（包括所有设备、人员及供应）取得的租赁收入 （2）下列与国际运输业务紧密相关的收入应作为国际运输收入的一部分：①为其他国际运输企业代售客票取得的收入；②从市区至机场运送旅客取得的收入；③通过货车从事货仓至机场、码头或者后者至购货者间的运输，以及直接将货物发送至购货者取得的运输收入；④仅为其承运旅客提供中转住宿而设置的旅馆取得的收入 （3）非专门从事国际运输业务的企业，以其拥有的船舶或飞机经营国际运输业务取得的收入
不属于国际运输收入	企业从事以光租形式出租船舶或以干租形式出租飞机，以及使用、保存或出租用于运输货物或商品的集装箱（包括拖车和运输集装箱的有关设备）等租赁业务取得的收入

经典题解

【例题28·多选题】根据《中新协定》，与国际运输业务密切相关的下列收入中应作为国际运输收入的有（　　）。（2018年）

A. 直接将货物发送至购货者取得的运输收入

B. 从市区至机场运送旅客取得的收入

C. 以光租形式出租船舶取得的租赁收入

D. 仅为其承运旅客提供中转住宿而设置的旅馆取得的收入

E. 为其他国际运输企业代售客票取得的收入

【答案】ABDE

3. 有关合伙企业及其他类似实体（简称“合伙企业”）适用税收协定的问题，应按以下原则执行：

（1）依照中国法律在中国境内成立的合伙企业，其合伙人为税收协定缔约对方居民的，该合伙人在中国负有纳税义务的所得被缔约对方视为其居民的所得的部分，可以在中国享受协定待遇。

（2）依照外国（地区）法律成立的合伙企业，其实际管理机构不在中国境内，但在中国境内设立机构、场所的，或者在中国境内未设立机构、场所，但有来源于中国境内所得的，是中国企业所得税的非居民企业纳税人。除税收协定另有规定的以外，只有当该合伙企业是缔约对方居民的情况下，其在中国负有纳税义务的所得才能享受协定待遇。

19 国际税收协定管理（★★★）

（一）受益所有人认定

1. 受益所有人的定义

受益所有人，是指对所得或所得据以产生的权利或财产具有所有权和支配权的人。

2. 判定需要享受税收协定待遇的缔约对方居民（简称“申请人”）受益所有人身份时，应根据下列因素，结合具体案例的实际情况进行综合分析：

项目	要求
不利于对申请人“受益所有人”身份判定的因素	①申请人有义务在收到所得的12个月内将所得的50%以上支付给第三国（地区）居民，“有义务”包括约定义务和虽未约定义务但已形成支付事实的情形 ②申请人从事的经营活动不构成实质性经营活动 【考点提示】实质性经营活动包括具有实质性的制造、经销、管理等活动。申请人从事的经营活动是否具有实质性，应根据其实际履行的功能及承担的风险进行判定 ③缔约对方国家（地区）对有关所得不征税或免税，或征税但实际税率极低 ④在利息据以产生和支付的贷款合同之外，存在债权人与第三人之间在数额、利率和签订时间等方面相近的其他贷款或存款合同 ⑤在特许权使用费据以产生和支付的版权、专利、技术等使用权转让合同之外，存在申请人与第三人之间在有关版权、专利、技术等的使用权或所有权方面的转让合同
“受益所有人”身份的判定	申请人从中国取得的所得为股息时，申请人虽不符合“受益所有人”条件，但直接或间接持有申请人100%股份的人符合“受益所有人”条件，并且属于以下两种情形之一的，应认为申请人具有“受益所有人”身份： ①上述符合“受益所有人”条件的人为申请人所属居民国（地区）居民 ②上述符合“受益所有人”条件的人虽不为申请人所属居民国（地区）居民，但该人和间接持有股份情形下的中间层均为符合条件的人
直接判定申请人具有“受益所有人”身份	下列申请人从中国取得的所得为股息时，可不根据规定的因素进行综合分析，直接判定申请人具有“受益所有人”身份： ①缔约对方政府 ②缔约对方居民且在缔约对方上市的公司 ③缔约对方居民个人 ④申请人被第①至③项中的一人或多人直接或间接持有100%股份，且间接持有股份情形下的中间层为中国居民或缔约对方居民

经典题解

【例题 29 · 多选题】从中国取得股息所得的下列申请人，可直接判定为“受益所有人”的有（　　）。（2020 年）

A. 缔约对方政府

B. 被缔约对方居民个人间接持有 95% 股份的居民申请人

C. 缔约对方居民且在缔约对方上市的公司

D. 缔约对方居民个人

E. 被缔约对方居民个人直接持有 100% 股份的居民申请人

【答案】 ACDE

3. 受益所有人管理中其他规定

（1）代理人或指定收款人等（统称“代理人”）不属于受益所有人。申请人通过代理人代为收取所得的，无论代理人是否属于缔约对方居民，都不应据此影响对申请人受益所有人身份的判定。

（2）在主管税务机关后续管理中，申请人因不具有受益所有人身份而自行补缴税款的，主管税务机关应将相关案件层报省税务机关备案；主管税务机关认为应该否定申请人受益所有人身份的，应报经省税务机关同意后执行。

（3）申请人虽具有受益所有人身份，但主管税务机关发现需要适用税收协定主要目的测试条款或国内税收法律规定的一般反避税规则的，适用一般反避税相关规定。

（二）非居民纳税人享受税收协定待遇的税务管理

1. 在中国境内发生纳税义务的非居民纳税人，是指按照税收协定居民条款规定应为缔约对方税收居民的纳税人，需要享受“协定待遇”的，自 2020 年 1 月 1 日起，采取“自行判断、申报享受、相关资料留存备查”的方式办理。非居民纳税人自行判断符合享受协定待遇条件的，可在纳税申报时，或通过扣缴义务人在扣缴申报时，自行享受协定待遇，同时按照规定归集和留存相关资料备查，并接受税务机关后续管理。

2. 非居民纳税人不符合享受协定待遇条件而享受了协定待遇且未缴或少缴税款的，除因扣缴义务人未按规定扣缴申报外，视为非居民纳税人未按照规定申报缴纳税款，主管税务机关依法追缴税款并追究非居民纳税人延迟纳税责任。在扣缴情况下，税款延迟缴纳期限自扣缴申报享受协定待遇之日起计算。

（三）中国税收居民身份证明的开具管理

1. 企业或者个人（统称“申请人”）为享受中国政府对外签署的税收协定（含与中国香港、澳门和台湾签署的税收安排或者协议）、航空协定税收条款、海运协定税收条款、汽车运输协定税收条款、互免国际运输收入税收协议或者换函（统称“税收协定”）待遇，可以向税务机关申请开具《税收居民证明》。

2. 申请人向主管其所得税的县税务局申请开具《税收居民证明》。

第五单元 国际避税与反避税

查看本单元视频，快速 GET 知识点
使用“会计云课堂”App或“微信”扫码

20 主要国际避税地（★★）

主要国际避税港地，是指能够为纳税人提供某种合法避税机会的国家和地区。这些国家和地区通常不课征所得税和一般财产税，或者虽课征所得税和一般财产税但税率远低于国际一般负担水平。在避税地，外国人可以在那里取得收入或拥有资产而不必支付高税负。避税地可以是一个国家，也可以是一个国家的某个地区，如沿海地区，交通方便的城市、港口、岛屿。有时避税地还包括自由贸易区、自由关税区等。

21 国际避税基本方法（★★★）

国际避税方法	解释
选择有利的企业组织形式	纳税人对外投资时，可以根据合伙企业与公司、子公司与分公司在不同国家之间的税制差异，选择最有利的组织形式以实现税收利益最大化
个人住所和公司居所转移	（1）跨国自然人可以通过迁移住所避免成为某一国的居民，从而躲避或减轻纳税义务。居住在高税区的人，可以设法移居到低税区，使其在住所上成为事实上的低税区居民，从而使其全球范围的所得承担低税区的纳税义务，得以减轻所得税、遗产税和财产税的负担 （2）跨国法人可以将其总机构或实际管理机构移居到低税区，避免成为高税国的居民纳税人，得以降低整个公司的税收负担。企业也可通过跨国并购，将自己变成低税区企业的组成部分，实现税收从高税区向低税区的倒置
利用转让定价	转让定价是跨国公司进行国际避税的重要工具。跨国公司集团从整体利益出发，利用各关联企业所在国的关税税率和所得税的差异，通盘考虑所有成员企业的收入和费用，通过内部转让价格处理关联交易，将费用和成本从低税区转移至高税区，将利润从高税区转移至低税区，以减轻整个集团在全球负担的关税和所得税
利用税收协定	一个第三国居民（缔约国的非居民）可以通过改变其居民身份，得以享受其他两个国家签署的税收协定中的优惠待遇。缔约国的非居民利用税收协定的主要目的是规避来源国征收的营业利润所得税以及股息、利息、特许权使用费的预提所得税
利用资本弱化	由于债务人支付给债权人利息可以税前扣除，选择债务融资方式比权益性融资方式具有税收优势；许多国家对非居民纳税人获得利息征收的预提所得税税率，通常比对股息征收的企业所得税税率低，采用债权投资比股权投资的税负低

国际避税方法	解释
利用信托转移财产	利用信托转移财产，可以通过在避税港设立个人持股信托公司、受控信托公司和订立信托合同的方式实现。个人持股信托公司，是指消极投资收入占总收入60%以上，股份的50%以上被5个或5个以下的个人所持有的公司。受控信托公司主要为掩盖股东纳税人在避税地设立的受控持股公司的股权
利用避税港中介公司	通过总公司或母公司将销售或提供给其他国家和地区的商品、服务、技术，虚构为设在避税港受控中介公司的转手交易，从而将所得的部分所得滞留在避税港，或者通过贷款和投资方式再重新回流，以规避原应承担的高税率国家的税负
利用错配安排	纳税人在跨国交易中，利用两个国家对同一实体、同一笔收入或同一支出的税务处理规则的不同，同时规避或减轻跨国交易在两个国家的税负

22 国际反避税基本方法（★★★）

国际反避税是指拥有税收管辖权的国家或地区针对纳税人各种形式的避税措施，采取的防止纳税人主体或客体进行转移、限制利用避税地等应对措施：

1. 防止通过纳税主体国际转移；
2. 防止通过纳税客体国际转移；
3. 防止利用避税地；
4. 转让定价调整；
5. 加强税收多边合作。

第六单元　国际税收合作

国际税收合作主要包括情报交换和征管互助。

23 我国税收情报交换（★★）

1. 情报交换，是指我国与相关税收协定缔约国家的主管当局为了正确执行税收协定及其所涉及税种的国内法而相互交换所需信息的行为。

2. 情报交换在税收协定规定的权利和义务范围内进行。

3. 情报交换通过税收协定确定的主管当局或其授权代表进行。

24 OECD 金融账户涉税信息自动交换标准（★★）

根据 AEOI 标准开展金融账户涉税信息自动交换，首先由缔约一方的金融机构通过履行尽职调查程序，识别出缔约另一方的税收居民，包括全部自然人和账户余额在 25 万美元以上的实体在该金融机构所开设的账户，然后按照统一申报标准，从信息相关年度的次年起，按年向金融机构所在国（地区）主管部门报送上述账户的名称、纳税人识别号、地址、账号、余额、利息、股息以及出售金融资产的收入等信息，再由该国税务主管当局与账户持有人的居民所在国税务主管当局开展自动税收情报交换。

应申报信息	具体内容
金融机构的基本信息	机构名称和机构识别号
个人（账户持有人或实际控制人）的基本信息	姓名、居住场所、纳税人识别号、出生地点、出生时间
实体的基本信息	名称、居住场所、纳税人识别号
账户的基本信息	账户号码、账户余额或价值（包括现金价值保险合同或年金合同中的现金价值或退保金额）
账户的其他信息	①托管账户为当年收到的利息、股息及其他所得的总额以及当年收到的出售或赎回资产的收入总额 ②存款账户为当年收到的利息总额 ③其他账户为当年收到的全部款项的总额，包括支付的回购款项的总额

25 我国非居民金融账户涉税信息尽职调查管理（★★★）

（一）基本定义

1. 存款机构是指在日常经营活动中吸收存款的机构。

2. 托管机构是指近三个会计年度总收入的20%以上来源于为客户持有金融资产的机构，机构成立不满三年的，按机构存续期间计算。

3. 投资机构是指符合以下条件之一的机构：

（1）近三个会计年度总收入的 50%以上来源于为客户投资、运作金融资产的机构，机构成立不满三年的，按机构存续期间计算；

（2）近三个会计年度总收入的 50%以上来源于投资、再投资或者买卖金融资产，且由存款机构、托管机构、特定的保险机构或者本项第（1）条所述投资机构进行管理并作出投资决策的机构，机构成立不满三年的，按机构存续期间计算；

（3）证券投资基金、私募投资基金等以投资、再投资或者买卖金融资产为目的而设立的投资实体。

4. 特定的保险机构是指开展有现金价值的保险或者年金业务的机构。《非居民金融账户涉税信息尽职调查管理办法》所称保险机构是指上一公历年度内，保险、再保险和年金合同的收入占总收入比重50%以上的机构，或者在上一公历年度末拥有的保险、再保险和年金合同的资产占总资产比重50%以上的机构。

5. 金融资产包括证券、合伙权益、大宗商品、掉期、保险合同、年金合同或者上述资产的权益，前述权益包括期货、远期合约或者期权。金融资产不包括实物商品或者不动产非债直接权益。金融资产的定义不区分场内交易或场外交易衍生品，场外交易衍生品包括在内。

6. 金融账户包括：存款账户和托管账户。

7. 其他账户是指符合以下条件之一的账户：

（1）投资机构的股权或者债权权益，包括私募投资基金的合伙权益和信托的受益权；

（2）具有现金价值的保险合同或者年金合同。

8. 非居民和非居民金融账户

非居民是指中国税收居民以外的个人和企业（包括其他组织），但不包括政府机构、国际组织、中央银行、金融机构或者在证券市场上市交易的公司及其关联机构。

非居民金融账户是指在我国境内的金融机构开立或者保有的、由非居民或者有非居民控制人的消极非金融机构持有的金融账户。金融机构应当在识别出非居民金融账户之日起将其归入非居民金融账户进行管理。

9. 消极非金融机构

（1）消极非金融机构是指符合下列条件之一的机构：

①上一公历年度内，股息、利息、租金、特许权使用费收入等不属于积极经营活动的收入，以及据以产生前述收入的金融资产的转让收入占总收入比重50%以上的非金融机构；

②上一公历年度末，拥有可以产生第①项所述收入的金融资产占总资产比重50%以上的非金融机构；

③税收居民国（地区）不实施金融账户涉税信息自动交换标准的投资机构。

（2）下列非金融机构不属于消极非金融机构：

①上市公司及其关联机构；

②政府机构或者履行公共服务职能的机构；

③仅为了持有非金融机构股权或者向其提供融资和服务而设立的控股公司；

④成立时间不足24个月且尚未开展业务的企业；

⑤正处于资产清算或者重组过程中的企业；

⑥仅与本集团（该集团内机构均为非金融机构）内关联机构开展融资或者对冲交易的企业；

⑦非营利组织。

经典题解

【例题30·单选题】依据我国非居民金融账户涉税信息尽职调查管理的相关规定，下列非金融机构属于消极非金融机构的是（　　）。（2020年）

A. 上市公司及其关联企业

B. 非营利组织

C. 上一公历年度末，拥有可产生利息的金融资产占总资产比重50%以上的非金融机构

D. 仅为了持有非金融机构股权而设立的控股公司

【答案】C

【例题 31 · 单选题】依据《非居民金融账户涉税信息尽职调查管理办法》的规定，下列非金融机构属于消极非金融机构的是（　　）。（2019 年）

A. 非营利组织

B. 上市公司及其关联机构

C. 正处于重组过程中的企业

D. 上一公历年度内取得股息收入占其总收入 50% 以上的机构

【答案】D

【例题 32 · 多选题】根据《非居民金融账户涉税信息尽职调查管理办法》的规定，下列各项中不属于消极非金融机构的有（　　）。

A. 上一公历年度末，拥有可以产生股息、利息、租金、特许权使用费收入的金融资产占总资产比重 50% 以上的非金融机构

B. 仅为了持有非金融机构股权或者向其提供融资和服务而设立的控股公司

C. 税收居民国（地区）不实施金融账户涉税信息自动交换标准的投资机构

D. 成立时间不足 24 个月且尚未开展业务的企业

E. 正处于资产清算或者重组过程中的企业

【答案】BDE

10. 控制人

控制人是指对某一机构实施控制的个人。

公司的控制人按照以下规则依次判定：（1）直接或者间接拥有超过 25% 公司股权或者表决权的个人；（2）通过人事、财务等其他方式对公司进行控制的个人；（3）公司的高级管理人员。

合伙企业的控制人是拥有超过 25% 合伙权益的个人。

信托的控制人是指信托的委托人、受托人、受益人以及其他对信托实施最终有效控制的个人。

基金的控制人是指拥有超过 25% 权益份额或者其他对基金进行控制的个人。

11. 关联机构

关联机构是指一个机构控制另一个机构，或者两个机构受到共同控制，则这两个机构互为关联机构。控制是指直接或者间接拥有机构 50% 以上的股权和表决权。

12. 存量账户和新开账户

存量账户是指符合下列条件之一的账户，包括存量个人账户和存量机构账户：（1）“一类存量账户”为截至 2017 年 6 月 30 日由金融机构保有的、由个人或者机构持有的金融账户。（2）“二类存量账户”为 2017 年 7 月 1 日（含当日）以后开立并同时符合下列条件的金融账户：①账户持有人已在同一金融机构开立了一类存量账户的；②金融机构在确定账户加总余额时将二类存量账户与一类存量账户视为同一账户的；③金融机构已经对一类存量账户进行反洗钱客户身份识别的；④账户开立时，账户持有人无须提供除《非居民金融账户涉税信息尽职调查管理办法》要求以外的其他信息的。

存量个人账户包括低净值账户和高净值账户，低净值账户是指截至2017年6月30日账户加总余额不超过相当于100万美元的账户，高净值账户是指截至2017年6月30日账户加总余额超过100万美元的账户。

新开账户是指2017年7月1日以后在金融机构开立的，除存量个人账户和存量机构账户外，由个人或者机构持有的金融账户，包括新开个人账户和新开机构账户。

（二）新开个人账户尽职调查

金融机构应当按照以下规定，对新开个人账户开展尽职调查：

1. 个人开立账户时，金融机构应当获取由账户持有人签署的税收居民身份声明文件（以下简称“声明文件”），识别账户持有人是否为非居民个人。

2. 金融机构应当根据开户资料（包括通过反洗钱客户身份识别程序收集的资料），对声明文件的合理性进行审核，主要确认填写信息是否与其他信息存在明显矛盾。

3. 识别为非居民个人的，金融机构应当收集并记录报送所需信息。

4. 金融机构知道或者应当知道新开个人账户情况发生变化导致原有声明文件信息不准确或者不可靠的，应当要求账户持有人提供有效声明文件。账户持有人自被要求提供之日起90日内未能提供声明文件的，金融机构应当将其账户视为非居民账户管理。

（三）新开机构账户尽职调查

金融机构应当按照以下规定，对新开机构账户开展尽职调查：

1. 机构开立账户时，金融机构应当获取由该机构授权人签署的声明文件，识别账户持有人是否为非居民企业和消极非金融机构。声明文件应当作为开户资料的一部分，声明文件相关信息可并入开户申请书中。

2. 金融机构应当根据开户资料（包括通过反洗钱客户身份识别程序收集的资料）或者公开信息对声明文件的合理性进行审核，主要确认填写信息是否与其他信息存在明显矛盾。

3. 识别为非居民企业的，金融机构应当收集并记录报送所需信息。

4. 识别为消极非金融机构的，金融机构应当依据反洗钱客户身份识别程序收集的资料识别其控制人，并且获取机构授权人或者控制人签署的声明文件，识别控制人是否为非居民个人。

5. 金融机构知道或者应当知道新开机构账户情况发生变化导致原有声明文件信息不准确或者不可靠的，应当要求机构授权人提供有效声明文件。机构授权人自被要求提供之日起90日内未能提供声明文件的，金融机构应当将其账户视为非居民账户管理。

（四）无须开展尽职调查的账户

1. 同时符合下列条件的退休金账户：

（1）受政府监管；（2）享受税收优惠；（3）向税务机关申报账户相关信息；（4）达到规定的退休年龄等条件时才可取款；（5）每年缴款不超过五万美元，或者终身缴款不超过一百万美元。

2. 同时符合下列条件的社会保障类账户：

（1）受政府监管；（2）享受税收优惠；（3）取款应当与账户设立的目的相关，包括医疗等；（4）每年缴款不超过五万美元。

3. 同时符合下列条件的定期人寿保险合同：

（1）在合同存续期内或者在被保险人年满九十岁之前（以较短者为准），至少按年度支付保费，且保费不随时间递减；（2）在不终止合同的情况下，任何人均无法获取保险价值；（3）合同解除或者终止时，应付金额（不包括死亡抚恤金）在扣除合同存续期间相关支出后，不得超过为该合同累计支付的保费总额；（4）合同不得通过有价方式转让。

4. 为下列事项而开立的账户：

（1）法院裁定或者判决；（2）不动产或者动产的销售、交易或者租赁；（3）不动产抵押贷款情况下，预留部分款项便于支付与不动产相关的税款或者保险；（4）专为支付税款。

5. 同时符合下列条件的存款账户：

（1）因信用卡超额还款或者其他还款而形成，且超额款项不会立即返还账户持有人；（2）禁止账户持有人超额还款五万美元以上，或者账户持有人超额还款五万美元以上的款项应当在60日内返还账户持有人。

6. 上一公历年度余额不超过一千美元的休眠账户。休眠账户是满足下列条件之一的账户（不包括年金合同）：

（1）过去三个公历年度中，账户持有人未向金融机构发起任何与账户相关的交易；（2）过去六个公历年度中，账户持有人未与金融机构沟通任何与账户相关的事宜；（3）对于具有现金价值的保险合同，在过去六个公历年度中，账户持有人未与金融机构沟通任何与账户相关的事宜。

7. 由我国政府机关、事业单位、军队、武警部队、居民委员会、村民委员会、社区委员会、社会团体等单位持有的账户；由军人（武装警察）持军人（武装警察）身份证件开立的账户。

8. 政策性银行为执行政府决定开立的账户。

9. 保险公司之间的补偿再保险合同。

经典题解

【例题 33 · 多选题】 根据我国非居民金融账户涉税信息尽职调查管理规定，下列账户无须尽职调查的有（　　）。（2021 年）

A. 因不动产租赁而开立的账户

B. 专为支付税款而开立的账户

C. 终生缴款超过 100 万美元的退休金账户

D. 上一公历年度余额不超过 1000 美元的休眠账户

E. 由军人持军人身份证件开立的账户

【解析】 选项 C：同时符合下列条件的退休金账户，无须开展尽职调查：（1）受政府监管；（2）享受税收优惠；（3）向税务机关申报账户相关信息；（4）达到规定的退休年龄等条件时才可取款；（5）每年缴款不超过 5 万美元，或者终身缴款不超过 100 万美元。

【答案】 ABDE

26 税基侵蚀与利润转移（BEPS）行动计划（★★）

税基侵蚀与利润转移（简称“BEPS”），是指跨国企业利用国际税收规则存在的不足，以及各国税制差异和征管漏洞，人为将利润转移至仅有少量或没有经济活动的免税或低税地区，导致少缴或者总体上不缴纳公司税的税收筹划安排，造成对各国税基的侵蚀。

BEPS 行动计划是由二十国集团（G20）领导人背书，并委托 OECD 推进的国际税改项目，主要包括三个方面的内容：一是保持跨境交易相关国内法规的协调一致；二是突出强调实质经营活动并提高税收透明度；三是提高税收确定性。

BEPS 项目成果有以下 15 项：

1.《应对数字经济的税收挑战》

2.《消除混合错配安排的影响》

3.《制定有效受控外国公司规则》

4.《对利用利息扣除和其他款项支付实现的税基侵蚀予以限制》

5.《考虑透明度与实质性因素，更有效地打击有害税收实践》

6.《防止税收协定优惠的不当授予》

7.《防止人为规避构成常设机构》

8~10.《确保转让定价结果与价值创造相匹配》

11.《衡量和监控 BEPS》

12.《强制披露规则》

13.《转让定价文档和国别报告》

14.《使争议解决机制更有效》

15.《开发用于修订双边税收协定的多边工具》

本章小结

用“会计云课堂”App 扫码学习

您已成功完成“第三章”的学习，本章共 26 个考点，您都学会了吗？

为了让您对本章有更清晰的理解，加倍巩固。本书作者张泉春老师将通过“电台音频课”的方式，带您回顾重要考点。

名师点拨，高效提分。

※ 欢迎扫码免费学习。

同步强化练习题

使用“会计云课堂”App 或“微信”扫码快速做题、对答案、看解析、掌握解题思路，开启轻松过关之旅。

一、单项选择题

1. 下列不属于法人居民身份一般判定标准的是（ ）。
   A. 注册地标准
   B. 办公场所标准
   C. 控股权标准
   D. 总机构所在地标准

2. 下列各项中，不属于税收管辖权类型的是（ ）。
   A. 国家（或地区）管辖权
   B. 公民管辖权
   C. 居民管辖权
   D. 收入来源地管辖权

3. 按照居民税收管辖权的国际惯例，自然人居民身份的一般判定标准不包括（ ）。
   A. 住所标准
   B. 法律标准
   C. 停留时间标准
   D. 国籍标准

4. 下列属于常设机构利润计算通常采用的方法是（ ）。
   A. 归属法
   B. 分配法
   C. 引力法
   D. 控股法

5. 下列各项中，不属于国际税收基本原则的是（ ）。
   A. 单一课税原则
   B. 无差异原则
   C. 受益原则
   D. 国际税收中性原则

6. 关于投资所得来源地的判定标准，反映了居住国或国籍国利益的是（ ）。
   A. 权利使用地标准
   B. 双方分享征税权力
   C. 权利提供地标准
   D. 所得支付者标准

7. 不动产转让所得，由（ ）对不动产利得行使收入来源地管辖权征税。
   A. 不动产的坐落地国家
   B. 转让者的居住国
   C. 支付者的居住国
   D. 支付者的机构所在地国家

8. 只适用于母子公司经营方式的税收抵免方法是（ ）。
   A. 逆向抵免法
   B. 追溯抵免法
   C. 直接抵免法
   D. 间接抵免法

9. 某英国企业（实际管理机构不在中国境内）在中国境内设立分支机构，2021 年该分支机构在中国境内取得咨询收入

（不含增值税，下同）500 万元，在中国境内培训技术人员，取得英方支付的培训收入 200 万元；英国企业在中国境内取得与该分支机构无实际联系的所得 80 万元，在英国取得与该分支机构无实际联系的所得 70 万元。另一家美国企业在中国无分支机构，但 2021 年有来源于中国境内的所得 50 万元，来源于美国的所得 60 万元。2021 年度上述两个企业在中国境内应缴纳企业所得税的收入总额为（　　）万元。

A. 500　　B. 580

C. 830　　D. 780

10. 境外 A 公司在中国境内未设立机构、场所，2021 年取得境内甲公司分配的股息、红利性质的投资收益 100 万元，同时取得境内乙公司分配的股息、红利性质的投资收益 50 万元。已知 A 公司直接连续持有甲公司股票 10 个月，持有乙公司股票 15 个月，另外 A 公司持有的甲、乙公司股票均属于公开发行并上市流通的股票。取得境内丙公司支付的设备转让收入 80 万元，该项财产原值 80 万元，已计提折旧 20 万元。2021 年度该境外 A 公司在我国应缴纳企业所得税（　　）万元。

A. 15　　B. 14

C. 18　　D. 36

11. 2021 年 6 月，境内甲企业向境外非居民企业 A 支付设备租赁费，合同约定该设备租期 1 年，支付含增值税租金 100 万元，若 A 企业在境内未设立机构场所，也无代理人。则甲企业应扣缴 A 企业的企业所得税为（　　）万元。

A. 8.85　　B. 9.17

C. 10　　D. 25

12. 境外 A 公司在中国境内未设立机构、场所，2021 年取得境内甲公司分配的投资收益 100 万元；取得境内乙公司支付的位于境内的房产转让收入 80 万元，该项财产原值 80 万元，已提折旧 20 万元；取得境内丙公司支付的特许权使用费收入 20 万元、租金收入 50 万元。该境外 A 公司上述收入应按差额作为应纳税所得额缴纳企业所得税的是（　　）。

A. 财产转让收入

B. 租金收入

C. 特许权使用费收入

D. 投资收益

13. 根据“税收居民”条款，双重居民身份下最终居民身份判定标准的排序中，正确的是（　　）。

A. 永久性住所、重要利益中心、习惯性居处、国籍

B. 重要利益中心、习惯性居处、国籍、永久性住所

C. 国籍、永久性住所、重要利益中心、习惯性居处

D. 习惯性居处、国籍、永久性住所、重要利益中心

14. 下列所得中，不属于《中新协定》中利息的是（　　）。

A. 从信用债券取得的所得

B. 从公债取得的所得

C. 由于延期支付取得的罚款

D. 从债券取得的溢价所得

15. 下列各项中，不属于跨国公司进行国际避税方法的是（　　）。

A. 税收协定　　B. 转让定价调整

C. 信托转移财产　　D. 资本弱化

16. 根据《中新协定》中的“国际运输——海运和空运”条款，我国对外签署的税收协定大多数采用（　　）原则。

A. 居民国独占征税权

B. 总机构所在国独占征税权

C. 实际管理机构所在国独占征税权

D. 总机构或实际管理机构所在国独占征税权

17. 下列场所中，不应被认定为常设机构的是（　　）。

A. 管理场所

B. 工厂

C. 矿场

D. 仅由于仓储目的设立的辅助性固定场所

18. 下列所得中，不属于《中新协定》中的股息的是（　　）。

A. 根据股份分享利润的权利取得的所得

B. 根据债权关系分享利润的权利取得的所得

C. 按照分配利润的公司是其居民的缔约国法律，视同股份所得同样征税的其他公司权利取得的所得

D. 缔约国按防止资本弱化的规定调整为股息的利息

二、多项选择题

1. 下列属于国际税收合作形式的有（　　）。

A. 情报交换

B. 征管互助

C. 税务工作人员国际交流与培训

D. 对跨国纳税人提供纳税服务

E. 税收网站信息公开

2. 根据行使征税权力的原则和税收管辖范围、内容的不同，目前世界上的税收管辖权可以分为（　　）。

A. 收入来源地管辖权

B. 居住地管辖权

C. 居民管辖权

D. 公民管辖权

E. 销售地管辖权

3. 国际上判定一个公司是否属于一国法人居民的一般判定标准包括（　　）。

A. 注册地标准

B. 总机构所在地标准

C. 控股权标准

D. 实际管理和控制中心所在地标准

E. 法人永久居住所在地标准

4. 下列关于来源地税收管辖权的判定标准，适用于独立个人劳务所得的有（　　）。

A. 交易地点标准

B. 固定基地标准

C. 演出活动所在地标准

D. 所得支付者标准

E. 停留期间标准

5. 下列申请人从中国取得的所得为股息时，可不根据规定的因素进行综合分析，直接判定申请人具有“受益所有人”身份的有（　　）。

A. 缔约对方政府

B. 缔约对方居民且在缔约对方上市的公司

C. 缔约对方居民且未在缔约对方上市的公司

D. 缔约对方居民个人

E. 非缔约对方政府

6. 下列申请人从中国取得的所得为股息时，可不根据规定的因素进行综合分析，直接判定申请人具有“受益所有人”身份的有（　　）。

A. 缔约对方政府

B. 缔约对方居民且在缔约对方上市的公司

C. 缔约对方居民个人

D. 申请人被缔约对方政府直接持有100%股份

E. 申请人被缔约对方居民直接持有95%股份

7. 下列款项中，不能作为可抵免境外所得税税额的有（　　）。

A. 按照税收协定规定不应征收的境外所得税税款

B. 因少缴或迟缴境外所得税而追加的利息

C. 在与我国签订税收饶让协定的国家享受减税待遇所减征的境外所得税税款

D. 境外所得税纳税人从境外征税主体得到实际返还的境外所得税税款

E. 按照境外所得税法律及相关规定属于错缴或错征的境外所得税税款

8. 下列关于“受益所有人”的表述中，正确的有（　　）。

A. 受益所有人是指对所得具有所有权的人

B. 代理人属于受益所有人

C. 受益所有人是指对所得据以产生的权利具有支配权的人

D. 指定收款人不属于受益所有人

E. 在后续管理中，主管税务机关认为应该否定申请人受益所有人身份的，应报经国家税务总局同意后执行

9. 现行的国际反避税基本方法有（　　）。

A. 防止通过纳税主体国际转移

B. 防止利用避税地避税的措施

C. 利用错配安排的措施

D. 转让定价调整

E. 加强税收多边合作

10. 金融资产包括（　　）。

A. 合伙权益

B. 证券

C. 保险合同

D. 不动产非债直接权益

E. 年金合同

11. 根据《非居民金融账户涉税信息尽职调查管理办法》的规定，下列各项中不属于消极非金融机构的有（　　）。

A. 非营利组织

B. 成立时间不足24个月且尚未开展业务的企业

C. 政府机构

D. 正处于资产重组过程中的企业

E. 上一公历年度末，拥有可以产生不属于积极经营活动收入的金融资产占总资产比重50%以上的非金融机构

12. 非独立个人劳务所得来源地的确定中，对于跨国自然人受雇于某一国而在该国取得的报酬如何确定其来源地，目前，国际上通常采用的标准有（　　）。

A. 停留期间标准

B. 固定基地标准

C. 所得支付者标准

D. 所得获得者标准

E. 劳务发生地标准

13. OECD于2015年10月发布税基侵蚀和利润转移项目全部15项产出成果。下列各项中，属于该产出成果的有（　　）。

A. 《防止税收协定优惠的不当授予》

B. 《金融账户涉税信息自动交换标准》

C. 《消除混合错配安排的影响》

D. 《确保转让定价结果与价值创造相匹配》

E. 《制定有效受控外国公司规则》

同步强化练习题参考答案及解析

使用“会计云课堂”App 或“微信”扫码对答案、看解析、掌握解题思路，开启轻松过关之旅。

一、单项选择题

1. B　【解析】法人居民身份的判定一般有下列几个标准：注册地标准、实际管理和控制中心所在地标准、总机构所在地标准、控股权标准。

2. A　【解析】目前世界上的税收管辖权分为三类：收入来源地管辖权、居民管辖权和公民管辖权。

3. D　【解析】自然人居民身份的一般判定标准包括住所标准、法律标准和停留时间标准。

4. B　【解析】常设机构利润的计算通常采用分配法和核定法。

5. B　【解析】国际税收基本原则包括：单一课税原则、受益原则和国际税收中性原则。选项 B：属于国际税法原则。

6. C　【解析】权利提供地标准反映了居住国或国籍国的利益。即投资所得，应由提供收取利息、股息、特许权使用费等权利的居民所在国行使征税权。

7. A　【解析】不动产转让所得，由不动产的坐落地国家对不动产利得行使收入来源地管辖权征税。

8. D　【解析】只适用于母子公司经营方式的税收抵免方法是间接抵免法。

9. C　【解析】（1）非居民企业在我国境内设立机构、场所，取得与所设机构、场所无联系的境外所得（70 万元），不属于我国应税所得，不需要缴纳我国企业所得税。（2）非居民企业在我国境内未设立机构、场所的，就其来源于我国境内的所得缴纳企业所得税，所以美国企业来源于我国境内的所得 50 万元要纳税，两个企业应纳税收入总额 =（500+200+80）+50 = 830（万元）。

10. A　【解析】应纳企业所得税 =（100+50）×10% = 15（万元）。A 公司在我国境内未设立机构、场所，所以权益性投资收益不免税，要全额在中国境内缴纳企业所得税。设备转让属于动产转让，动产转让所得按照转让动产的企业或者机构、场所所在地确定所得来源地，所以转让设备所得属于境外所得，不在我国纳税。

11. A　【解析】在计算缴纳企业所得税时，租金收入应以不含增值税的收入全额作为应纳税所得额。甲企业应扣缴A企业的企业所得税 = 100÷（1+13%）×10% = 8.85（万元）。

12. A　【解析】该境外A公司的各项收入中，只有财产转让收入按差额计算企业所得税；投资收益、特许权使用费收入、租金收入全额计缴企业所得税。

13. A

14. C　【解析】“利息”是指从各种债权取得的所得，无论其有无抵押担保或者是否有权分享债务人的利润；特别是从公债、债券或者信用债券取得的所得，包括其溢价和奖金。由于延期支付所处的罚款，不应视为利息。

15. B　【解析】选项B：转让定价调整属于国际反避税的基本方法。

16. A　【解析】我国对外签署的税收协定，大多数采用居民国独占征税权原则。一般表述为：“缔约国一方企业以船舶或飞机经营国际运输业务取得的利润，应仅在该缔约国征税”。

17. D　【解析】缔约国一方企业在缔约国另一方仅由于仓储、展览、采购及信息收集等活动的目的设立的具有准备性或辅助性的固定场所，不应被认定为常设机构。

18. B　【解析】“股息”是指根据股份或非债权关系分享利润的权利取得的所得，以及按照分配利润的公司是其居民的缔约国法律，视同股份所得同样征税的其他公司权利取得的所得。简单来说，股息是被投资公司进行的利润分配，股息支付不仅包括年度股东会议所决定的利润分配，也包括其他货币或具有货币价值的收益分配。股息还包括缔约国按防止资本弱化的规定调整为股息的“利息”。

二、多项选择题

1. AB　【解析】国际税收合作主要包括情报交换和征管互助。

2. ACD　【解析】根据行使征税权力的原则和税收管辖范围、内容的不同，目前世界上的税收管辖权分为三类：收入来源地管辖权、居民管辖权和公民管辖权。

3. ABCD　【解析】判定一个公司（或企业、单位）是否属于一国的法人居民，一般有下列几个标准：注册地标准、实际管理和控制中心所在地标准、总机构所在地标准、控股权标准。

4. BDE 【解析】对于独立个人劳务所得来源地的确定，目前国际上通常采用固定基地标准、停留期间标准和所得支付者标准。

5. ABD 【解析】下列申请人从中国取得的所得为股息时，可不根据规定的因素进行综合分析，直接判定申请人具有“受益所有人”身份：

(1) 缔约对方政府；

(2) 缔约对方居民且在缔约对方上市的公司；

(3) 缔约对方居民个人；

(4) 申请人被第(1)至(3)项中的一人或多人直接或间接持有100%股份，且间接持有股份情形下的中间层为中国居民或缔约对方居民。

6. ABCD 【解析】下列申请人从中国取得的所得为股息时，可不根据规定的因素进行综合分析，直接判定申请人具有“受益所有人”身份：(1) 缔约对方政府；(2) 缔约对方居民且在缔约对方上市的公司；(3) 缔约对方居民个人；(4) 申请人被第(1)至(3)项中的一人或多人直接或间接持有100%股份，且间接持有股份情形下的中间层为中国居民或缔约对方居民。

7. ABDE 【解析】不应作为可抵免境外所得税税额的情形：

(1) 按照境外所得税法律及相关规定属于错缴或错征的境外所得税税款。

(2) 按照税收协定规定不应征收的境外所得税税款。

(3) 因少缴或迟缴境外所得税而追加的利息、滞纳金或罚款。

(4) 境外所得税纳税人或者其利害关系人从境外征税主体得到实际返还或补偿的境外所得税税款。

(5) 按照我国《企业所得税法》及其实施条例规定，已经免征我国企业所得税的境外所得负担的境外所得税税款。

(6) 按照国务院财政、税务主管部门有关规定已经从企业境外应纳税所得额中扣除的境外所得税税款。

8. ACD 【解析】选项B：代理人或指定收款人等不属于受益所有人。选项E：在后续管理中，主管税务机关认为应该否定申请人受益所有人身份的，应报经省税务机关同意后执行。

9. ABDE 【解析】国际反避税基本方法包括：(1) 防止通过纳税主体国际转移；(2) 防止通过纳税客体国际转移；(3) 防止利用避税地避税的措施；(4) 转让定价调整；(5) 加强税收多边合作。选项C：属于国际避税方法。

10. ABCE 【解析】金融资产包括证券、合伙权益、大宗商品、掉期、保险合同、年金合同或者上述资产的权益，前述权益包括期货、远期合约或者期权。金融资产不包括实物商品或者不动产非债直接权益。

11. ABCD 【解析】下列非金融机构不属于消极非金融机构：(1) 上市公司及其关联机构；(2) 政府机构或者履行公共服务职能的机构；(3) 仅为了持有非金融机

构股权或者向其提供融资和服务而设立的控股公司；（4）成立时间不足24个月且尚未开展业务的企业；（5）正处于资产清算或者重组过程中的企业；（6）仅与本集团（该集团内机构均为非金融机构）内关联机构开展融资或者对冲交易的企业；（7）非营利组织。

12. AC　【解析】非独立个人劳务所得来源地的确定中，对于跨国自然人受雇于某一国而在该国取得的报酬如何确定其来源地，目前，国际上通常采用两种标准：停留期间标准和所得支付者标准。

13. ACDE

第四章 印花税

本章学习指南

一、考情概况

印花税在实务中属于比较常见的税种，也是税法（Ⅱ）小税种中比较重要的一个税种。《中华人民共和国印花税法》已于2021年6月10日审议通过，并将于2022年7月1日起施行。2022年本章内容依据新印花税法的内容重新编写。历年考题以单项选择题和多项选择题为主，在个别年份考查的计算题中，印花税易与契税、房产税、城镇土地使用税结合命题，预计2022年本章分值在9分左右。本章整体学习难度并不大，需要考生重点关注印花税的税目辨析、计税依据和征收管理。

二、2022年教材主要变化

本章依据印花税法重新编写。

三、基本结构框架

- 第四章 印花税
  - 概述
    - 印花税的特点、立法原则 ★
  - 征税范围、纳税人和税率
    - 印花税的征税范围 ★★★
    - 纳税人的具体规定 ★★★
    - 税率的种类 ★★★
  - 减免税优惠
    - 减免税的基本规定 ★★★
    - 减免税的特殊规定 ★★★
  - 计税依据和应纳税额的计算
    - 印花税的计税依据 ★★★
    - 印花税应纳税额的计算方法 ★★★
  - 征收管理
    - 印花税的缴纳方法 ★★
    - 印花税的税票 ★
    - 纳税义务发生时间、期限和纳税地点 ★★
    - 印花税的核定征收 ★

本章核心考点精讲

查看本章视频，快速 GET 知识点，使用“会计云课堂” App 或“微信”扫码。

01 印花税概述（★）

印花税是对经济活动和经济交往中书立、领受、使用的应税经济凭证所征收的一种税。因纳税人主要是通过在应税凭证上粘贴印花税票来完成纳税义务，故名印花税。

（一）印花税的特点

1. 兼有凭证税和行为税性质；
2. 征税范围广泛；
3. 税率低、税负轻；
4. 由纳税人自行完成纳税义务。

（二）印花税的立法原则

1. 广集财政收入；
2. 促进我国经济法制化建设；
3. 培养公民的依法纳税观念；
4. 维护我国涉外经济权益；
5. 加强对其他税种的监督管理。

02 印花税的征税范围（★★★）

- 印花税的征税范围（一）
  - 书面合同
    - 借款合同
    - 融资租赁合同
    - 买卖合同
    - 承揽合同
    - 建设工程合同
    - 运输合同
    - 技术合同
    - 租赁合同
    - 保管合同
    - 仓储合同
    - 财产保险合同

- 印花税的征税范围（二）
  - 产权转移书据
    - 土地使用权出让书据
    - 土地使用权、房屋等建筑物和构筑物所有权转让书据
    - 股权转让书据（不包括证券交易）
    - 商标专用权、著作权、专利权、专有技术使用权转让书据
  - 营业账簿
  - 证券交易

税目		解释
书面合同	借款合同	是指银行业金融机构、经国务院银行业监督管理机构批准设立的其他金融机构与借款人（不包括同业拆借）的借款合同 【考点提示】非金融机构与借款人的借款合同不征印花税
	融资租赁合同	是指出租人根据承租人对出卖人、租赁物的选择，向出卖人购买租赁物，提供给承租人使用，承租人支付租金的合同
	买卖合同	是指动产买卖合同（不包括个人书立的动产买卖合同），包括供应、预购、采购、购销结合及协作、调剂、补偿、易货等合同，还包括各出版单位与发行单位之间订立的图书、报纸、期刊、音像征订凭证 【考点提示1】买卖合同仅包括动产买卖合同，土地使用权、房屋等建筑物、构筑物所有权转让合同按产权转移书据缴纳印花税 【考点提示2】个人动产买卖合同不征印花税
	承揽合同	是指承揽人按照定做人的要求完成工作，交付工作成果，定做人给付报酬的合同。包括加工、定做、修缮、修理、印刷、广告、测绘、测试等合同
	建设工程合同	是指承包人进行工程建设，发包人支付价款的合同。通常包括建设工程勘察、设计、施工合同
	运输合同	是指货运合同和多式联运合同，不包括管道运输合同
	技术合同	包括技术开发、转让、咨询、服务等合同 【考点提示1】技术转让合同包括专利申请转让、非专利技术转让所书立的合同，但不包括专利权转让、专有技术使用权转让所书立的书据。后者适用于“产权转移书据” 【考点提示2】一般的法律、会计、审计等方面的咨询不属于技术咨询，其所立合同不贴印花

<table>
<tr><th colspan="2">税目</th><th colspan="2">解释</th></tr>
<tr><td rowspan="4">书面合同</td><td>租赁合同</td><td colspan="2">是指出租人将租赁物交给承租人使用，承租人定期向出租人支付约定的租金的合同。包括租赁房屋、船舶、飞机、机动车辆、机械、器具、设备等合同
【考点提示】不包括企业与主管部门签订的租赁承包合同</td></tr>
<tr><td>保管合同</td><td colspan="2">又称寄托合同、寄存合同，是指双方当事人约定一方将物交付他方保管的合同。保管合同是保管人有偿地或无偿地为寄存人保管物品，并在约定期限内或应寄存人的请求，返还保管物品的合同</td></tr>
<tr><td>仓储合同</td><td colspan="2">又称仓储保管合同，是保管人储存存货人交付的仓储物，存货人支付仓储费的合同</td></tr>
<tr><td>财产保险合同</td><td colspan="2">是投保人与保险人约定的以财产及其有关利益为保险标的的协议。包括财产、责任、保证、信用等保险合同，但不包括再保险合同
【考点提示】本税目仅限财产保险合同，不包括人寿保险、养老保险、医疗保险等其他保险合同</td></tr>
<tr><td rowspan="4">产权转移书据</td><td>土地使用权出让书据</td><td>是指国家将土地使用权在一定年限内出让给土地使用者，由土地使用者向国家支付土地使用权出让金签订的协议或合同</td><td rowspan="4">【考点提示】转让包括买卖（出售）、继承、赠与、互换、分割</td></tr>
<tr><td>土地使用权、房屋等建筑物和构筑物所有权转让书据</td><td>不包括土地承包经营权和土地经营权转移</td></tr>
<tr><td>股权转让书据（不包括应缴纳证券交易印花税的）</td><td>是指股份制试点企业向社会公开发行的股票，因购买、继承、赠与所书立的书据。包括企业内部发行的股票买卖、继承、赠与等书立的书据</td></tr>
<tr><td>商标专用权、著作权、专利权、专有技术使用权转让书据</td><td>——</td></tr>
<tr><td colspan="2">营业账簿</td><td colspan="2">①印花税税目中的营业账簿归属于财务会计账簿，是按照财务会计制度的要求设置的，反映生产经营活动的账册
②按照营业账簿反映的内容不同，在税目中分为记载资金的账簿（以下简称“资金账簿”）和其他营业账簿两类
③目前只对资金账簿反映生产经营单位“实收资本（股本）”和“资本公积”的合计金额征收印花税，对其他营业账簿不征收印花税</td></tr>
</table>

税目	解释
证券交易	①证券交易是指证券持有人依照交易规则，将证券转让给其他投资者的行为。证券交易除应遵循《证券法》规定的证券交易规则，还应同时遵守《民法典》规则 【考点提示】印花税中的证券交易是指转让在依法设立的证券交易所、国务院批准的其他全国性证券交易场所交易的股票和以股票为基础的存托凭证 ②证券交易一般分为两种形式：一种形式是上市交易，是指证券在证券交易所集中交易挂牌买卖。另一种形式是上柜交易，是指公开发行但未达上市标准的证券在证券柜台交易

经典题解

【例题 1 · 单选题】 根据印花税的相关规定，下列合同不属于“产权转移书据”的是（ ）。（2017 年）

A. 专有技术使用权转让合同

B. 非专利技术转让合同

C. 土地使用权转让合同

D. 土地使用权出让合同

【解析】 选项 ACD：产权转移书据包括土地使用权出让书据，土地使用权、房屋等建筑物和构筑物所有权转让书据，股权转让书据（不包括证券交易），商标专用权、著作权、专利权、专有技术使用权转让书据。选项 B：非专利技术转让合同属于“技术合同”。

【答案】 B

【例题 2 · 多选题】 下列合同中，按“产权转移书据”计征印花税的有（ ）。（2019 年考题改编）

A. 专有技术使用权转让合同

B. 专利申请转让合同

C. 商品房销售合同

D. 土地使用权出让合同

E. 土地使用权转让合同

【解析】 选项 B：按“技术合同”计征印花税。

【答案】 ACDE

03 纳税人的具体规定（★★★）

1. 印花税的纳税人，是在中国境内书立应税凭证、进行证券交易，以及在中华人民共和国境外书立在境内使用的应税凭证的单位和个人。

2. 印花税的纳税人具体包括立合同人、立据人、立账簿人、证券交易人和使用人。

纳税人	解释
立合同人	①立合同人是签订合同的当事人，是指对凭证负有直接权利义务关系的单位和个人 ②不包括合同的担保人、证人、鉴定人 ③当事人的代理人有代理纳税的义务，他与纳税人负有同等的税收法律义务和责任
立据人	立据人是产权转移书据的当事人，是指土地、房屋等权属转移过程中买卖双方的单位和个人
立账簿人	立账簿人是设立营业账簿的当事人，是指设立并使用营业账簿的单位和个人
证券交易人	①证券交易人是出让证券的当事人，是指在中华人民共和国境内进行证券交易的单位和个人 ②证券交易印花税对证券交易的出让方征收，不对受让方征收
使用人	在中华人民共和国境外书立在境内使用的应税凭证的单位和个人，其纳税人是使用人 **【案例精析】**中国甲公司和美国A公司在美国签订了房屋租赁合同，约定甲公司将位于中国境内的一栋办公大楼出租给A公司使用。则合同属于境外书立境内使用的凭证，中国甲公司与美国A公司需要按租赁合同缴纳印花税

考点提示

同一应税凭证由两方以上当事人书立的，按照各自涉及的金额分别计算应纳税额。

经典题解

【例题3·单选题】甲公司将货物卖给乙公司，双方订立了买卖合同，丙公司作为该合同的担保人，丁公司作为证人，戊公司作为鉴定人，则该合同印花税的纳税人为（　　）。

A. 甲公司、乙公司

B. 甲公司、乙公司、戊公司

C. 甲公司、乙公司、丙公司

D. 甲公司、乙公司、丙公司、丁公司、戊公司

【答案】A

04 税率的种类（★★★）

<table>
<tr><th colspan="2">税目</th><th>税率</th></tr>
<tr><td rowspan="11">书面合同</td><td>借款合同</td><td rowspan="2">0.05‰</td></tr>
<tr><td>融资租赁合同</td></tr>
<tr><td>买卖合同</td><td rowspan="5">0.3‰</td></tr>
<tr><td>承揽合同</td></tr>
<tr><td>建设工程合同</td></tr>
<tr><td>运输合同</td></tr>
<tr><td>技术合同</td></tr>
<tr><td>租赁合同</td><td rowspan="4">1‰</td></tr>
<tr><td>保管合同</td></tr>
<tr><td>仓储合同</td></tr>
<tr><td>财产保险合同</td></tr>
<tr><td rowspan="4">产权转移书据</td><td>土地使用权出让书据</td><td rowspan="3">0.5‰</td></tr>
<tr><td>土地使用权、房屋等建筑物和构筑物所有权转让书据</td></tr>
<tr><td>股权转让书据（不包括应缴纳证券交易印花税的）</td></tr>
<tr><td>商标专用权、著作权、专利权、专有技术使用权转让书据</td><td>0.3‰</td></tr>
<tr><td colspan="2">营业账簿</td><td>0.25‰</td></tr>
<tr><td colspan="2">证券交易</td><td>1‰</td></tr>
</table>

05 减免税优惠（★★★）

（一）减免税基本规定

根据《印花税法》的规定，下列凭证免征印花税：

1. 应税凭证的副本或者抄本；

2. 依照法律规定应当予以免税的外国驻华使馆、领事馆和国际组织驻华代表机构为获得馆舍书立的应税凭证；

3. 中国人民解放军、中国人民武装警察部队书立的应税凭证；

4. 农民、家庭农场、农民专业合作社、农村集体经济组织、村民委员会购买农业生产资料或者销售农产品书立的买卖合同和农业保险合同；

5. 无息或者贴息借款合同、国际金融组织向中国提供优惠贷款书立的借款合同；

6. 财产所有权人将财产赠与政府、学校、社会福利机构、慈善组织书立的产权转移书据；

7. 非营利性医疗卫生机构采购药品或者卫生材料书立的买卖合同；

8. 个人与电子商务经营者订立的电子订单。

（二）减免税的特殊规定

1. 对房地产管理部门与个人签订的用于生活居住的租赁合同免征印花税；对个人出租、承租住房签订的租赁合同，免征印花税。

2. 对农牧业保险合同免税。对该类合同免税，是为了支持农村保险事业的发展，减轻农牧业生产的负担。

3. 军事货物运输、抢险救灾物资运输，以及新建铁路临管线运输等特殊货运凭证免税。

4. 对经国务院和省级人民政府决定或批准进行的国有（含国有控股）企业改组改制而发生的上市公司国有股权无偿转让行为，暂不征收证券（股票）交易印花税。

5. 对经县级以上人民政府及企业主管部门批准改制的企业因改制签订的产权转移书据免征印花税。

6. 对投资者（包括个人和机构）买卖封闭式证券投资基金免征印花税。

7. 对国家石油储备基地第一期项目建设过程中涉及的印花税予以免征。

8. 自2019年1月1日至2023年12月31日，对与高校学生签订的高校学生公寓租赁合同，免征印花税。

9. 为支持国家商品储备业务发展，对商品储备管理公司及其直属库资金账簿免征印花税；对其承担商品储备业务过程中书立的买卖合同免征印花税，对合同其他各方当事人应缴纳的印花税照章缴纳。

10. 对改造安置住房经营管理单位、开发商与改造安置住房有关的印花税以及购买安置住房的个人涉及的印花税予以免征。

在商品住房等开发项目中配套建造安置住房的，依据政府部门出具的相关材料、房屋征收（拆迁）补偿协议或棚户区改造合同（协议），按改造安置住房建筑面积占总建筑面积的比例免征印花税。

11. 自2018年1月1日起至2023年12月31日，对金融机构与小型、微型企业签订的借款合同免征印花税。

12. 自2022年1月1日至2024年12月31日，由省、自治区、直辖市人民政府根据本地区实际情况，依据“六税两费”优惠政策相关规定，对增值税小规模纳税人、小型微利企业和个体工商户可以在50%的税额幅度内减征印花税（不含证券交易印花税）。

经典题解

【例题4·单选题】 根据印花税法律制度的规定，下列各项中，应征印花税的是（　　）。

A. 中国人民解放军、中国人民武装警察部队书立的应税凭证

B. 无息或者贴息借款合同

C. 个人与电子商务经营者订立的电子订单

D. 营利性医疗卫生机构采购药品书立的买卖合同

【解析】 选项 D："非营利性"医疗卫生机构采购药品或者卫生材料书立的买卖合同才免征印花税。

【答案】 D

【例题 5 · 多选题】 下列凭证，免征印花税的有（　　）。（2020 年）

A. 货物运输合同

B. 贴息贷款合同

C. 抢险救灾物资运输合同

D. 已缴纳印花税的凭证副本

E. 将自有房产捐赠给政府签订的产权转移书据

【解析】 选项 A：照章纳税。

【答案】 BCDE

【例题 6 · 多选题】 下列凭证，免纳印花税的有（　　）。（2016 年考题改编）

A. 与高校学生签订的高校学生公寓租赁合同

B. 县政府批准企业改制签订的产权转移书据

C. 外国企业向我国企业提供优惠贷款书立的合同

D. 贴息贷款合同

E. 商品储备管理公司及其直属库新设立的资金账簿

【解析】 选项 C：国际金融组织向我国提供优惠贷款所书立的借款合同免征印花税。

【答案】 ABDE

【例题 7 · 多选题】 下列凭证，免征印花税的有（　　）。（2021 年考题改编）

A. 国际金融组织向我国企业提供一般性贷款所书立的合同

B. 个人购买安置住房书立的合同

C. 财产所有人将财产赠给学校所立的书据

D. 无息、贴息贷款合同

E. 报纸发行单位之间书立的征订凭证

【解析】 选项 A：国际金融组织向我国提供优惠贷款所书立的借款合同，免征印花税。

【答案】 BCDE

06 计税依据和应纳税额的计算（★★★）

应纳税额 = 应税凭证和证券交易计税金额 × 适用税率

（一）计税依据的基本规定

1. 应税合同的计税依据，为合同所列的金额，不包括列明的增值税税款。

2. 应税产权转移书据的计税依据，为产权转移书据所列的金额，不包括列明的增值税税款。

考点提示

如果没有单独列明增值税税款，包括在合同所列金额中，就以应税合同所列的金额（含税价）为计税依据。

【案例精析 1】 甲公司与乙公司签订货物买卖合同，合同总价款 113 万元，没有单独列明增值税款，则该合同计税依据为 113 万元。

【案例精析 2】 甲公司与乙公司签订货物买卖合同，合同总价款 113 万元，并注明不含增值税金额 100 万元、增值税 13 万元，则该合同计税依据为 100 万元。

3. 应税营业账簿的计税依据，为账簿记载的实收资本（股本）、资本公积合计金额。

考点提示

其他账簿、日记账簿和各明细分类账簿等不再征收印花税。

4. 证券交易的计税依据，为成交金额。

（二）计税依据的具体规定

1. 借款合同的计税依据为借款金额（即以借款本金为计税依据）。

情形	计税依据
凡是一项信贷业务既签订借款合同，又一次或分次填开借据的	以借款合同所载金额为依据计税贴花
凡是一项信贷业务只填开借据并作为合同使用的	以借据所载金额为依据计税贴花
借贷双方签订的流动资金周转性借款合同，一般按年（期）签订，规定最高限额，借款人在规定的期限和最高限额内随借随还	为避免加重借贷双方的负担，对这类合同只以其规定的最高限额为计税依据，在签订时贴花一次，在限额内随借随还不签订新合同的，不再另贴印花
对借款方以财产作抵押，从贷款方取得一定数量抵押贷款的合同	应按借款合同贴花 【考点提示】在借款方因无力偿还借款而将抵押财产转移给贷款方时，应再就双方书立的产权书据，按产权转移书据的有关规定计税贴花
如果贷方系由若干银行组成的银团，银团各方均承担一定的贷款数额，借款合同由借款方与银团各方共同书立，各执一份合同正本	借款方与贷款银团各方应分别在所执的合同正本上，按各自的借款金额计税贴花
在基本建设贷款中，如果按年度用款计划分年签订借款合同，最后一年签订总借款合同，且总合同的借款金额包括各个分合同的借款金额的	应按分合同分别贴花，最后签订的总合同，只就借款总额扣除分合同借款金额后的余额计税贴花

经典题解

【例题 8 · 单选题】 甲公司向银行申办一项金额 5000 万元的贷款，未签订借款合同，分五次填开借据作为合同使用，五次填开借据共载借款金额 8000 万元。该项贷款业务甲公司应缴纳印花税（　　）万元。（2020 年）

A. 0.25　　B. 4.00　　C. 2.50　　D. 0.40

【解析】 对于借款合同，凡是一项信贷业务只填开借据并作为合同使用的，应以借据所载金额为计税依据计税贴花。该项贷款业务甲公司应缴纳印花税 = 8000×0.05‰ = 0.40（万元）。

【答案】 D

2. 融资租赁合同的计税依据为收取或支付的租金。

3. 买卖合同的计税依据为合同记载的价款，不得作任何扣除。

如以物易物的易货合同是反映既购又销双重经济行为的合同，因此，对这类合同的计税依据为合同所载的购、销合计金额。

经典题解

【例题 9 · 单选题】 甲汽车轮胎厂与乙汽车制造厂签订了一份货物交换合同，甲厂以价值 65 万元的轮胎交换乙厂的两辆汽车，同时甲厂再支付给乙厂 3 万元差价。对此项交易，甲厂应缴纳的印花税税额为（　　）元。

A. 195　　B. 390　　C. 399　　D. 408

【解析】 以货换货方式进行商品交易签订的合同，应按合同所载的购、销合计金额计税贴花；甲厂应缴纳的印花税 =（65+68）×0.3‰×10000 = 399（元）。

【答案】 C

4. 承揽合同的计税依据是加工或承揽收入的金额。

主要材料或原料提供方	计税依据
受托方	凡在合同中分别记载加工费金额和原材料金额的，应分别按“承揽合同”“买卖合同”计税，两项税额相加数，即为合同应贴印花
委托方	由委托方提供主要材料或原料，受托方只提供辅助材料的加工合同，无论加工费和辅助材料金额是否分别记载，均以辅助材料与加工费的合计数，依照“承揽合同”计税贴花，对委托方提供的主要材料或原料金额不计税贴花

经典题解

【例题 10 · 单选题】 某学校委托服装加工企业定做一批校服，合同载明原材料金额 80 万元由服装加工企业提供，学校另支付加工费 40 万元。服装加工企业的该项业务应缴纳印花税（　　）元。

A. 240　　B. 360　　C. 120　　D. 600

【解析】该企业应缴纳印花税 = 800000×0.3‰+400000×0.3‰ = 360（元）。

【答案】B

【例题 11 · 单选题】某公司受托加工制作广告牌，双方签订的承揽合同中分别注明加工费 40000 元、委托方提供价值 60000 元的主要材料、受托方提供价值 2000 元的辅助材料。该公司此项合同应缴纳印花税（　　）元。

A. 12　　B. 12.6　　C. 18.6　　D. 30.6

【解析】该公司此项合同应缴纳印花税 = （40000+2000）×0.3‰ = 12.6（元）。

【答案】B

5. 建设工程合同的计税依据为合同约定的价款。施工单位将自己承包的建设项目分包或转包给其他施工单位的，所签订的分包、转包合同还要计税贴花。

经典题解

【例题 12 · 单选题】某建筑公司与甲企业签订一份建筑承包合同，合同金额 6000 万元（含相关费用 50 万元）。施工期间，该建筑公司又将其中价值 800 万元的安装工程分包给乙企业，并签订分包合同。该建筑公司上述合同应缴纳印花税（　　）万元。

A. 1.85　　B. 1.80　　C. 2.03　　D. 2.04

【解析】该建筑公司上述合同应缴纳印花税 = （6000+800）×0.3‰ = 2.04（万元）。

【答案】D

6. 运输合同的计税依据为取得的运费收入，不包括所运货物的金额、装卸费和保险费等。

<table>
<tr><th colspan="2">运输形式</th><th>纳税人</th><th>计税依据</th></tr>
<tr><td rowspan="4">国内货物联运</td><td rowspan="2">起运地统一结算全程运费</td><td>托运方</td><td rowspan="2">全程运费</td></tr>
<tr><td>承运方</td></tr>
<tr><td rowspan="2">分程结算运费</td><td>托运方</td><td>全程运费</td></tr>
<tr><td>分程承运方</td><td>分程运费</td></tr>
<tr><td rowspan="4">国际货运</td><td rowspan="2">我国运输企业运输</td><td>托运方</td><td>全程运费</td></tr>
<tr><td>我国运输企业</td><td>本程运费</td></tr>
<tr><td rowspan="2">外国运输企业运输</td><td>托运方</td><td>全程运费</td></tr>
<tr><td>外国运输企业</td><td>免税</td></tr>
</table>

经典题解

【例题 13 · 单选题】甲企业与运输公司签订货物运输合同，记载货物价款 100 万元、装卸费 15 万元、运输费 30 万元，则甲企业按“运输合同”税目计算缴纳印花税的计税依据为（　　）万元。

A. 30　　B. 145　　C. 45　　D. 130

【解析】 运输合同计税依据为取得的运输费金额，但不包括所运货物的金额、装卸费用和保险费用等。

【答案】 A

【例题 14 · 单选题】 甲公司进口一批货物，由境外的乙公司负责承运，双方签订的运输合同注明所运输货物价值 1000 万元、运输费用 25 万元和装卸费 5000 元。下列关于印花税的税务处理，正确的是（　　）。（2017 年考题改编）

A. 甲公司应缴纳印花税 75 元　　B. 乙公司应缴纳印花税 75 元

C. 甲公司应缴纳印花税 76.5 元　　D. 甲公司和乙公司免征印花税

【解析】 运输合同的计税依据为取得的运输费金额（运费收入），不包括所运货物的金额、装卸费和保险费等。国际货运，托运方按全程运费计税。承运方为我国运输企业的按本程运费计算贴花，承运方为外国运输企业的免征印花税。甲公司应缴纳印花税 = 25×0.3‰×10000 = 75（元）。乙公司免征印花税。

【答案】 A

7. 技术合同的计税依据为合同所载的价款、报酬、使用费。

为了鼓励技术研究开发，对技术开发合同只就合同所载的报酬金额计税，研究开发经费不作为计税依据。但对合同约定按研究开发经费一定比例作为报酬的，应按一定比例的报酬金额贴花。

经典题解

【例题 15 · 单选题】 某企业受托研发一项专利技术，合同约定研发费用 1000 万元，按研发费用 10%结算劳务报酬。该企业应缴纳印花税（　　）元。（2021 年）

A. 5　　B. 3000　　C. 300　　D. 305

【解析】 对技术开发合同只就合同所载的报酬金额计税，研究开发经费不作为计税依据。但对合同约定按研究开发经费一定比例作为报酬的，应按一定比例的报酬金额贴花。应缴纳的印花税 = 10000000×10%×0.3‰ = 300（元）。

【答案】 C

8. 租赁合同的计税依据为租金收入。

9. 保管合同的计税依据为收取（支付）的保管费。

10. 仓储合同的计税依据为收取的仓储费。

11. 财产保险合同的计税依据为支付（收取）的保险费，不包括所保财产金额。

12. 产权转移书据的计税依据，为产权转移书据所列的金额，不包括列明的增值税税款。

13. 应税营业账簿，以账簿记载的“实收资本”与“资本公积”两项合计金额为计税依据。

已缴纳印花税的营业账簿，以后年度记载的实收资本（股本）、资本公积合计金额比已缴纳印花税的实收资本（股本）、资本公积合计金额增加的，按照增加部分计算应纳税额。

经典题解

【例题 16 · 单选题】 某企业以其持有的一套房产对子公司增资，该房产原值 500 万元，增资合同与产权转移书据注明该房产作价 1000 万元，子公司于增资合同签署当天调增了资金账簿记录。子公司该增资事项应缴纳印花税（　　）万元。（2021 年）

A. 1.00　　　　B. 0.75

C. 0.50　　　　D. 0.25

【解析】 应缴纳的印花税 = 1000×0.5‰+1000×0.25‰ = 0.75（万元）。

【答案】 B

14. 证券交易的计税依据为成交金额。

证券交易无转让价格的，按照办理过户登记手续时该证券前一个交易日收盘价计算确定计税依据；无收盘价的，按照证券面值计算确定计税依据。

（三）计税依据的特殊规定

1. 同一应税凭证载有两个以上税目事项并分别列明金额的，按照各自适用的税目税率分别计算应纳税额；未分别列明金额的，从高适用税率。

经典题解

【例题 17 · 单选题】 某运输公司与某商贸公司签订一份运输保管合同，合同载明的金额为 200000 元（运输费和保管费未分别记载）。该项合同双方各应缴纳的印花税额为（　　）元。

A. 60　　　　B. 100

C. 160　　　　D. 200

【解析】 双方各应缴纳印花税 = 200000×1‰ = 200（元）。

【答案】 D

2. 同一应税凭证由两方以上当事人书立的，按照各自涉及的金额分别计算应纳税额。

3. 应税合同、产权转移书据未列明金额的，印花税的计税依据按照实际结算的金额确定。计税依据按照上述规定仍不能确定的，按照书立合同、产权转移书据时的市场价格确定；依法应当执行政府定价或者政府指导价的，按照国家有关规定确定。

4. 应税凭证所载金额为外国货币的，应按照凭证书立当日国家外汇管理局公布的外汇牌价折合成人民币，然后计算应纳税额。

5. 应纳税额不足 1 角的，免纳印花税；1 角以上的，其税额尾数不满 5 分的不计，满 5 分的按 1 角计算。租赁合同经计算，税额不足 1 元的，按 1 元贴花。

6. 在签订时无法确定计税金额的某些合同，可在签订时先按定额5 元贴花，以后结算时再按实际金额计税，补贴印花。

7. 应税合同在签订时纳税义务即已产生，应计算应纳税额并贴花。所以，不论合同是否兑现或是否按期兑现，均应贴花。

对已履行并贴花的合同，所载金额与合同履行后实际结算金额不一致的，只要双方未修改合同金额，一般不再办理完税手续。

经典题解

【例题 18 · 单选题】依据印花税征税范围的规定，下列合同或账簿应缴纳印花税的是（ ）。（2020 年考题改编）

A. 未按期兑现合同　　B. 银行同业拆借合同

C. 无息贷款合同　　D. 现金日记账

【解析】选项 A：未按期兑现合同亦应贴花。选项 B：借款合同，包括银行业金融机构、经国务院银行业监督管理机构批准设立的其他金融机构和借款人（不包括银行同业拆借）所签订的借款合同。选项 C：无息贷款合同免征印花税。选项 D：除记载资金账簿以外的其他营业账簿不征收印花税。

【答案】A

07 印花税的缴纳方法（★★）

<table>
<tr><th>项目</th><th colspan="2">具体要求</th></tr>
<tr><td>一般纳税方法</td><td colspan="2">（1）印花税通常由纳税人根据规定自行计算应纳税额，购买并一次贴足印花税票，完纳税款
（2）纳税人将印花税票粘贴在应税凭证后，应即行注销，注销标记应与骑缝处相交。所谓骑缝处，是指粘贴的印花税票与凭证之间的交接处
（3）对国家政策性银行记载资金的账簿，一次贴花数额较大、难以承担的，经当地税务机关核准，可在 3 年内分次贴足印花</td></tr>
<tr><td rowspan="3">简化纳税方法</td><td>以缴款书或完税证代替贴花（汇贴）</td><td>如果一份凭证的应纳税额数量较大，超过 500 元，贴用印花税票不方便的，可向当地税务机关申请填写缴款书或者完税证，将其中一联粘贴在凭证上或者由税务机关在凭证上加注完税标记，代替贴花</td></tr>
<tr><td>按期汇总缴纳印花税（汇总）</td><td>同一种类应纳税凭证需要频繁贴花的，纳税人可根据实际情况自行决定是否采用按期汇总缴纳印花税的方式。汇总缴纳的期限不得超过 1 个月。采用按期汇总申报缴纳方式的，一年内不得改变</td></tr>
<tr><td>代扣（代收）税款汇总缴纳</td><td>税务机关为了加强源泉控制管理，可以委托某些代理填开应税凭证的单位（如代办运输、联运的单位）对凭证的当事人应纳的印花税予以代扣（代收），并按期汇总缴纳</td></tr>
</table>

项目	具体要求
其他规定	（1）在应纳税凭证书立或领受时即行贴花完税，不得延至凭证生效日期贴花 （2）印花税票应粘贴在应纳税凭证上，并由纳税人在每枚税票的骑缝处盖戳注销或画销，严禁揭下重用 （3）已经贴花的凭证，凡修改后所载金额增加的部分，应补贴印花 （4）对已贴花的各类应纳税凭证，纳税人须按规定期限保管，不得私自销毁，以备纳税检查 （5）凡多贴印花税票的，不得申请退税或者抵扣

经典题解

【例题19·单选题】 同类应纳税凭证需要频繁贴花的，纳税人可根据实际情况自行决定是否采用按期汇总缴纳印花税，汇总申报缴纳的期限为（　　）个月。（2015年考题改编）

A. 1　　B. 5

C. 10　　D. 3

【答案】 A

08 印花税的税票（★）

印花税票为有价证券，其票面金额以人民币为单位，分为壹角、贰角、伍角、壹元、贰元、伍元、拾元、伍拾元、壹佰元9种。缴纳印花税时，按照规定的应纳税额，购贴相同金额的印花税票，凭以完税。

09 纳税义务发生时间、期限和纳税地点（★★）

项目	要求
纳税义务发生时间	（1）印花税的纳税义务发生时间为纳税人书立应税凭证或者完成证券交易的当日 （2）证券交易印花税扣缴义务发生时间为证券交易完成的当日
纳税期限	（1）印花税按季、按年或者按次计征 （2）实行按季、按年计征的，纳税人应当自季度、年度终了之日起15日内申报缴纳税款；实行按次计征的，纳税人应当自纳税义务发生之日起15日内申报缴纳税款 （3）证券交易印花税按周解缴，扣缴义务人应当自每周终了之日起5日内申报解缴税款以及银行结算的利息
纳税地点	（1）纳税人为单位的，应当向其机构所在地的主管税务机关申报缴纳印花税 （2）纳税人为个人的，应当向应税凭证书立地或者纳税人居住地的主管税务机关申报缴纳印花税 （3）不动产产权发生转移的，纳税人应当向不动产所在地的主管税务机关申报缴纳

项目	要求
源泉扣缴	（1）纳税人为境外单位或者个人，在境内有代理人的，以其境内代理人为扣缴义务人；在境内没有代理人的，由纳税人自行申报缴纳印花税，具体办法由国务院税务主管部门规定 （2）证券登记结算机构为证券交易印花税的扣缴义务人，应当向其机构所在地的主管税务机关申报解缴税款以及银行结算的利息

经典题解

【例题 20·单选题】根据印花税法律制度的规定，下列表述中，不正确的是（　　）。

A. 印花税的纳税义务发生时间为纳税人书立应税凭证或者完成证券交易的当日

B. 纳税人为个人的，应当向应税凭证书立地或者纳税人居住地的主管税务机关申报缴纳印花税

C. 纳税人为境外单位或者个人，在境内有代理人的，以其境内代理人为扣缴义务人

D. 纳税人为单位的，应当向应税凭证书立地的主管税务机关申报缴纳印花税

【解析】选项 D，纳税人为单位的，应当向其机构所在地的主管税务机关申报缴纳印花税。

【答案】D

10 印花税的核定征收（★）

纳税人有下列情形的，税务机关可以核定纳税人印花税计税依据：

1. 未按规定建立印花税应税凭证登记簿，或未如实登记和完整保存应税凭证的；

2. 拒不提供应税凭证或不如实提供应税凭证致使计税依据明显偏低的；

3. 采用按期汇总缴纳办法的，未按税务机关规定的期限报送汇总缴纳印花税情况报告，经税务机关责令限期报告，逾期仍不报告的，或者税务机关在检查中发现纳税人有未按规定汇总缴纳印花税情况的。

经典题解

【例题 21·多选题】税务机关可以核定纳税人印花税计税依据的情形有（　　）。（2017 年）

A. 未如实登记和完整保存应税凭证的

B. 未按规定建立印花税应税凭证登记簿的

C. 账册混乱难以查账的

D. 不如实提供应税凭证致使计税依据明显偏低的

E. 在检查中发现纳税人有未按规定汇总缴纳印花税情况的

【答案】ABDE

本章小结

用“会计云课堂”App扫码学习

您已成功完成“第四章”的学习，本章共10个考点，您都学会了吗?

为了让您对本章有更清晰的理解，加倍巩固。本书作者张泉春老师将通过“电台音频课”的方式，带您回顾重要考点。

名师点拨，高效提分。

※ 欢迎扫码免费学习。

同步强化练习题

使用“会计云课堂”App或“微信”扫码快速做题、对答案、看解析、掌握解题思路，开启轻松过关之旅。

一、单项选择题

1. 下列单位或个人，属于印花税纳税人的是（ ）。
   A. 商品买卖合同的担保人
   B. 在国外签订的技术合同，在国内使用的单位
   C. 签订土地承包经营权转让合同的农业合作社
   D. 与主管部门签订租赁承包合同的企业

2. 下列合同中，应按照“租赁合同”计算缴纳印花税的是（ ）。
   A. 企业与个体工商户签订的财产租赁合同
   B. 企业与主管部门签订的租赁承包合同
   C. 企业与金融机构签订的融资租赁合同
   D. 房地产管理部门与个人签订的生活居住用房租赁合同

3. 下列合同中，应当征收印花税的是（ ）。
   A. 会计咨询合同
   B. 技术咨询合同
   C. 法律咨询合同
   D. 审计咨询合同

4. 下列合同或凭证中，应缴纳印花税的是（ ）。
   A. 某企业和律师事务所签订的法律咨询合同
   B. 企业门市部设置的产品登记簿
   C. 营业执照
   D. 出版单位与发行单位之间订立的图书征订凭证

5. 甲制衣公司受托加工制作时尚服装，双方签订的承揽合同中分别注明加工费 50000 元，委托方提供价值 300000 元的主要材料，受托方提供价值 1000 元的辅助材料。同时甲公司受某学校的委托为其定做一批校服，合同载明原材料价值 800000 元由甲公司提供，学校另支付加工费 400000 元。为了生产高档服装，甲公司从南方购进一批高档毛料，委托某物流公司负责运输。双方签订了运输保管合同，合同中约定运输费 30000 元、保管费 10000 元。上述金额均不含增值税，则甲公司就上述业务应缴纳印花税（　　）元。（已知：买卖合同、承揽合同、运输合同印花税税率为 0.3‰，保管合同印花税税率为 1‰）

A. 420　　B. 419
C. 442　　D. 394.3

6. 甲建筑施工单位与某研究所签订一份建设工程合同，合同载明承包金额为 2000 万元，甲单位发生的支出为 300 万元。甲单位将该承包项目中的玻璃幕墙安装业务分包给乙建筑施工单位，分包合同载明金额为 500 万元。甲建筑施工单位应缴纳印花税（　　）元。（已知：上述金额均不含增值税，建设工程合同印花税税率为 0.3‰）

A. 5100　　B. 6000
C. 6600　　D. 7500

7. A 公司与 B 公司分别签订了两份合同：一是技术转让合同，A 公司支付报酬 100 万元给 B 公司，但因 B 公司原因合同未能兑现；二是以物易物合同，A 公司的货物价值 200 万元，B 公司的货物价值 200 万元。双方等价互换，均未进行现金结算。以上业务 A 公司应缴纳印花税（　　）元。（已知：上述金额均不含增值税，技术合同印花税税率为 0.3‰）

A. 1500　　B. 3000
C. 100　　D. 900

8. 阳光公司从大洋公司租入 10 台机器设备，双方签订的合同约定，10 台机器设备的总价值为 523 万元，租期 10 个月，不含增值税租金总额为 50 万元。则该项行为双方合计应缴纳印花税（　　）元。（已知：租赁合同印花税税率为 1‰）

A. 523　　B. 1000
C. 600　　D. 500

9. 某鞋厂与某物流公司签订一份运输保管合同，合同载明不含增值税的总费用为 500000 元（运费和保管费未分别记载）。该项合同双方各应缴纳的印花税税额为（　　）元。（已知：运输合同印花税税率为 0.3‰，保管合同印花税税率为 1‰）

A. 500　　B. 250
C. 375　　D. 1000

10. 甲企业 2022 年 7 月与乙公司签订一份车辆租赁合同，合同约定将乙公司五辆货车租给甲企业。每辆车的月租金为 1 万元，租期未定。在合同签订时双方各自应缴纳印花税（　　）元。（已知：租赁合同印花税税率为 1‰）

A. 5　　B. 8
C. 10　　D. 0

11. 甲公司 2022 年 7 月出租 A 车间给乙公司，当月签订的合同中约定 A 车间月租金 10 万元，租期 10 年；当月还出租 B 车间给丙公司，合同中约定月租金 5 万元，租期未定。则甲公司当月应纳印花税为（　　）元。（已知：上述金额均不含增值税，租赁合同印花税税率为 1‰）

A. 400　　B. 1205
C. 12600　　D. 12005

12. 甲企业由于经营不善，将本企业价值110万元的房产抵押给银行，从银行取得抵押贷款100万元，双方签订抵押贷款合同，但后期由于资金周转困难而无力偿还贷款本金，按合同约定将抵押房产的产权转移给银行，签订了产权转移书据，银行另支付给甲企业10万元的差价款。税务机关对以上经济行为应征收印花税（　　）元。（已知：上述金额均不含增值税，借款合同印花税税率为0.05‰，房屋所有权转让书据印花税税率为0.5‰）

A. 500　　B. 550

C. 600　　D. 1200

13. 2022年7月，甲企业将自己的房屋出租给乙某用于生产经营，双方签订房屋租赁合同，合同约定每月租金250元（不含增值税，下同），租期3个月，合同签订时，甲企业收到乙某一次性支付的总租金750元。甲企业应缴纳印花税（　　）元。（已知：租赁合同印花税税率为1‰）

A. 0.75　　B. 1

C. 2　　D. 12.5

14. 2022年7月，甲公司将闲置厂房出租给乙公司，合同约定每月租金2500元（不含增值税，下同），租期未定。签订合同时，预收租金5000元，双方已按定额贴花。11月底合同解除，甲公司收到乙公司补交租金7500元。甲公司2022年11月份应补缴印花税（　　）元。（已知：租赁合同印花税税率为1‰）

A. 7.5　　B. 8

C. 9.5　　D. 12.5

15. 下列合同或凭证应缴纳印花税的是（　　）。

A. 无息、贴息贷款合同

B. 企业记载实收资本和资本公积的明细账簿

C. 农民购买农业生产资料书立的买卖合同

D. 工商营业执照

16. 如果一份凭证应纳的印花税税额超过500元，纳税人可以向当地税务机关申请（　　）。

A. 免税

B. 按期汇总缴纳印花税

C. 填写缴款书或者完税证

D. 分期纳税

17. 下列说法符合印花税征收管理规定的是（　　）。

A. 一份凭证应纳税额超过500元的，可以向当地税务机关申请填写缴款书或完税证，将其中一联粘贴在凭证上或者由税务机关在凭证上加注完税标记代替贴花

B. 同一种类应税凭证，需要频繁贴花的，由税务机关决定是否采用按期汇总缴纳印花税的方式

C. 纳税人自行计算应纳税额、购买印花税票，并自行一次贴足税票的，即履行完印花税纳税义务

D. 对已经贴花的应税凭证，凡多贴印花税票的，可以申请退税或抵用

二、多项选择题

1. 下列合同或凭证，应计算缴纳印花税的有（　　）。

A. 专利申请转让合同

B. 专利证

C. 军事物资运输凭证
D. 商品房销售合同
E. 个人动产买卖合同

2. 下列凭证中，应按“技术合同”缴纳印花税的有（　　）。
A. 专利权转让所书立的合同
B. 著作权转让书立的合同
C. 专利申请转让所书立的合同
D. 非专利技术转让所书立的合同
E. 法律咨询合同

3. 下列合同中，应计算缴纳印花税的有（　　）。
A. 未按期兑现的合同
B. 企业与主管部门签订的租赁承包合同
C. 专有技术使用权转让书据
D. 农村集体经济组织销售农产品书立的买卖合同
E. 企业与会计师事务所签订的会计咨询合同

4. 下列合同中，免征印花税的有（　　）。
A. 贴息贷款合同
B. 保管合同
C. 已缴纳印花税的凭证副本或抄本
D. 建设工程合同
E. 抢险救灾物资运输凭证

5. 下列凭证免征印花税的有（　　）。
A. 银行与某生产企业之间签订的借款合同
B. 经批准改制的企业因改制签订的产权转移书据
C. 农牧业保险合同
D. 与高校学生签订的高校学生公寓租赁合同
E. 与商品储备管理公司书立买卖合同的其他当事人

6. 下列关于印花税的计税方法，错误的有（　　）。
A. 凡是一项信贷业务既签订借款合同，又一次或分次填开借据的，不仅要以借款合同所载金额为计税依据，还要以借据所载金额为计税依据计税贴花
B. 借贷双方签订的流动资金周转性借款合同，对这类合同只以其规定的最高限额为计税依据，在签订时贴花一次，在限额内随借随还不签订新合同的，不再另贴印花
C. 对银行及其他金融组织的融资租赁业务签订的融资租赁合同，应按合同所载租金总额计税
D. 财产保险合同的计税依据包括所保财产的金额
E. 对技术开发合同，不仅就合同所载的报酬金额计税，研究开发经费也作为计税依据

7. 纳税人贴花时，必须遵照以下（　　）规定办理纳税事宜。
A. 在应纳税凭证书立或领受时即自行贴花完税，不得延至凭证生效日期贴花
B. 印花税票应粘贴在应纳税凭证上，并由纳税人在每枚税票的骑缝处盖戳注销或画销，严禁揭下重用
C. 对已贴花的各类应纳税凭证，纳税人须按规定期限保管，不得私自销毁，以备纳税检查
D. 纳税人与税务机关对凭证的性质发生争议的，应检附该凭证报请同级税务机关核定
E. 纳税人对纳税凭证应妥善保存，未规定保存期限的凭证的保存期限为 1 年

8. 下列各项中，免征印花税的有（　　）。
A. 无息、贴息贷款合同
B. 房地产管理部门与个人订立的租房合同用于生产经营
C. 个人与电子商务经营者订立的电子订单

D. 财产所有权人将财产赠给政府、社会福利单位、学校所立的产权转移书据
E. 以电子形式签订的各类应税凭证

9. 甲公司于2021年5月与乙公司签订了数份以货易货合同，以共计600000元的钢材换取乙公司价值800000元的水泥，乙公司取得差价款200000元。下列各项中表述正确的有（　　）。（已知：上述金额均不含增值税，买卖合同印花税税率为0.3‰）
A. 甲公司只能采用自行贴花完税的办法
B. 甲公司5月份应缴纳的印花税为240元
C. 甲公司可对以货易货合同采用按期汇总缴纳的方式缴纳印花税
D. 甲公司可向税务机关申请对以货易货合同采用以填写缴款书或完税证代替贴花的方式缴纳印花税
E. 税务机关针对以货易货合同总计应征收的印花税为840元

10. 纳税人一般采用"三自"纳税方式缴纳印花税，这"三自"是指（　　）。
A. 自行申报应税行为
B. 自行计算应纳税额
C. 自行购买印花税票
D. 自行一次贴足印花税票并注销或画销
E. 自行汇缴印花税

11. 下列各项中，符合印花税有关规定的有（　　）。
A. 已贴用的印花税票，不得揭下重用
B. 凡多贴印花税票者，不得申请退税或者抵扣
C. 应税合同不论是否兑现或能否按期兑现，均应贴花
D. 对已贴花的各类应纳税凭证，纳税人可以私自销毁
E. 修改合同并增加合同所载金额的，应补贴印花

三、计算题

（一）

某综合性企业2022年度发生如下业务：
（1）7月与A公司签订一份易货合同，约定用本企业市场价格为120万元的库存商品换取A公司市场价格为140万元的原材料，支付A公司差价款20万元。
（2）8月与B公司签订一份承揽合同，受托为其加工一批特殊商品，原材料由该综合性企业提供，合同记载原材料金额300万元，另外收取加工费120万元。
（3）9月与C公司签订一份建筑工程总承包合同，金额2500万元，施工期间C公司将价值600万元的安装水电工程分包给其他施工单位，并签订了分包合同。由于施工单位安装水电工程的质量未达到C公司的要求，C公司实际仅支付其分包金额500万元。
（4）2021年度拥有房产原值6000万元，其中90%为企业自用（当地政府规定计算房产余值的扣除比例为20%），其余10%于2022年1月1日起对外出租，租期为一年，租赁合同记载全年应收取租金80万元。
已知：买卖合同、承揽合同、建设工程合同印花税税率为0.3‰，租赁合同印花税税率为1‰。上述金额均不含增值税。

要求：根据上述资料，回答下列问题。

1. 该综合性企业与A公司签订的易货合同，应缴纳印花税（　　）元。

A. 360　　B. 420
C. 780　　D. 840

2. 该综合性企业与B公司签订的承揽合同，应缴纳印花税（　　）元。
A. 600　　B. 1260
C. 1500　　D. 2100

3. C公司签订的建筑工程总承包合同及分包合同共计应缴纳印花税（　　）元。
A. 1800　　B. 7500
C. 9000　　D. 9300

4. 该综合性企业2022年自用与出租房产应缴纳的房产税和印花税共计（　　）万元。
A. 51.84　　B. 61.44
C. 61.48　　D. 61.52

（二）

甲企业2022年7月发生以下业务：
(1) 销售自制服装，签订买卖合同，合同注明销售额为400000元；
(2) 签订受托加工合同，为乙企业加工工作服。根据合同约定，由乙企业提供面料和主要材料800000元，本企业代垫辅料20000元并收取加工费30000元，该合同本月签订但当月未执行；
(3) 购买一项土地使用权，签订土地使用权转让合同，合同注明价款为60万元；
(4) 出租设备一台，签订财产租赁合同，合同约定年租金18万元，租赁期两年。
已知：买卖合同印花税税率为0.3‰，承揽合同印花税税率为0.3‰，土地使用权转让书据印花税税率为0.5‰，租赁合同印花税税率为1‰。上述金额均不含增值税。

要求：根据上述资料，回答下列问题。

1. 甲企业签订服装销售合同应缴纳印花税（　　）元。
A. 102.56　　B. 170.94
C. 120　　D. 200

2. 甲企业签订承揽合同应缴纳印花税（　　）元。
A. 25　　B. 15
C. 265　　D. 425

3. 甲企业签订土地使用权转让合同应缴纳印花税（　　）元。
A. 5　　B. 180
C. 300　　D. 600

4. 甲企业签订租赁合同应缴纳印花税（　　）元。
A. 5　　B. 90
C. 180　　D. 360

同步强化练习题参考答案及解析

使用“会计云课堂”App 或“微信”扫码对答案、看解析、掌握解题思路，开启轻松过关之旅。

一、单项选择题

1. B　【解析】选项 A：印花税的纳税人不包括合同的担保人、证人、鉴定人；选项 B：在中华人民共和国境外书立在境内使用的应税凭证的单位和个人，属于印花税纳税人；选项 C：土地使用权、房屋等建筑物和构筑物所有权转让书据，不包括土地承包经营权和土地经营权转移所签订的书据；选项 D：企业与主管部门签订的租赁承包合同不征收印花税。

2. A　【解析】选项 B：企业与主管部门签订的租赁承包合同不属于租赁合同的征税范围，不缴纳印花税；选项 C：属于“融资租赁合同”；选项 D：房地产管理部门与个人订立的租房合同，凡房屋属于用于生活居住的，免征印花税。

3. B　【解析】一般的法律、会计、审计等方面的咨询不属于技术咨询，其所立合同不贴印花。

4. D　【解析】选项 A：一般的法律、会计、审计等方面的咨询不属于技术咨询，其所立合同不贴印花；选项 B：对资金账簿反映生产经营单位“实收资本”和“资本公积”的合计金额征收印花税，对其他营业账簿不征收印花税；选项 C：营业执照不再属于印花税的征税范围；选项 D：出版单位与发行单位之间订立的图书、报刊、音像征订凭证要按照买卖合同贴花。

5. D　【解析】甲公司上述业务应缴纳印花税 =（50000+1000）×0.3‰+800000×0.3‰+400000×0.3‰+30000×0.3‰+10000×1‰=394.3（元）。

6. D　【解析】甲建筑施工单位应缴纳印花税 =（2000+500）×0.3‰×10000=7500（元）。建设工程合同的计税依据为承包金额，不得剔除任何费用。如果施工单位将自己承包的建筑项目再分包或转包给其他施工单位，其所签订的分包或转包合同，仍应按所载金额另行贴花。

7. A　【解析】未按期兑现合同亦应贴花；以物易物合同，按合同所载购、销金额合计数计税贴花。A 公司应缴纳印花税 =（100+200+200）×10000×0.3‰=1500（元）。

8. B　【解析】合同双方当事人均应缴纳印花税，所以该项行为双方合计应缴纳印花税 = 50×10000×1‰×2 = 1000（元）。

9. A　【解析】同一凭证因载有两个或两个以上经济事项而适用不同税率，未分别记载金额的，按税率高的计税贴花。双方各自应缴纳印花税 = 500000×1‰ = 500（元）。

10. A　【解析】有些合同在签订时无法确定计税金额，可在签订时先按定额 5 元贴花，以后结算时再按实际金额计税，补贴印花。

11. D　【解析】租赁合同的计税依据为租赁金额，即租金收入总额；对于在签订时无法确定计税依据的合同，可在签订时先按 5 元贴花。甲公司当月应纳印花税 = 10×10×12×10000×1‰+5 = 12005（元）。

12. D　【解析】对抵押贷款合同，应按借款合同计税贴花；在借款方无力偿还借款而将抵押财产转移给贷款方时，应再就双方书立的产权转移书据，按产权转移书据的有关规定计税贴花。税务机关就以上经济行为应征收印花税 =（100×10000×0.05‰+110×10000×0.5‰）×2 = 1200（元）。

13. B　【解析】甲企业应缴纳印花税 = 750×1‰ = 0.75（元），租赁合同应纳印花税税额不足 1 元的，按 1 元贴花。

14. A　【解析】有些合同在签订时无法确定计税金额，可在签订时先按 5 元贴花，以后结算时再按实际金额计税，补缴印花税。甲公司 11 月应补缴印花税 =（5000+7500）×1‰−5 = 7.5（元）。

15. B　【解析】选项 AC：无息、贴息贷款合同，农民、家庭农场、农民专业合作社、农村集体经济组织、村民委员会购买农业生产资料或者销售农产品书立的买卖合同和农业保险合同，免征印花税；选项 D：工商营业执照不再属于印花税的征税范围。

16. C　【解析】如果一份凭证的应纳税额较大，超过 500 元，贴用印花税票不方便的，纳税人可向当地税务机关申请填写缴款书或者完税证，将其中一联粘贴在凭证上或者由税务机关在凭证上加注完税标记，代替贴花。

17. A　【解析】选项 B：同一种类应税凭证，需要频繁贴花的，纳税人可以根据实际情况自行决定是否采用按期汇总缴纳印花税的方式；选项 C：纳税人自行计算应纳税额、购买印花税票，自行一次贴足税票并加以注销或画销的，印花税纳税义务才算全部履行完毕；选项 D：对已经贴花的应税凭证，凡多贴印花税票的，不得申请退税或抵用。

二、多项选择题

1. AD 【解析】选项B：不再属于印花税征税范围；选项C：军事物资运输凭证，免纳印花税；选项E：个人动产买卖合同不征印花税。

2. CD 【解析】选项AB：专利权转让、著作权转让所书立的合同，应按“产权转移书据”缴纳印花税；选项E：一般的法律、会计、审计等方面的咨询不属于技术咨询，其所立合同不贴印花。

3. AC 【解析】企业与主管部门签订的租赁承包合同不征收印花税，选项B不符合题意；农民、家庭农场、农民专业合作社、农村集体经济组织、村民委员会购买农业生产资料或者销售农产品书立的买卖合同和农业保险合同，属于免税合同，选项D不符合题意；会计、审计咨询合同不属于印花税征税范围，选项E不符合题意。

4. ACE 【解析】选项BD：没有免税规定。

5. BCD 【解析】选项A：银行与某生产企业之间签订的借款合同应缴纳印花税。选项E：对商品储备管理公司及其直属库资金账簿免征印花税；对其承担商品储备业务过程中书立的买卖合同免征印花税，对合同其他各方当事人应缴纳的印花税照章征收。

6. ADE 【解析】选项A：凡是一项信贷业务既签订借款合同，又一次或分次填开借据的，只以借款合同所载金额为计税依据计税贴花；选项D：财产保险合同的计税依据为支付（收取）的保险费金额，不包括所保财产的金额；选项E：技术合同的计税依据为合同所载的价款、报酬或使用费。为了鼓励技术研究开发，对技术开发合同，只就合同所载的报酬金额计税，研究开发经费不作为计税依据。但对合同约定按研究开发经费一定比例作为报酬的，应按一定比例的报酬金额贴花。

7. ABCE 【解析】选项D：纳税人与税务机关对凭证的性质发生争议的，应检附该凭证报请上一级税务机关核定。

8. ACD 【解析】选项B：若用于生活居住的免税；选项E：除另有规定外，对纳税人以电子形式签订的各类应税凭证按规定征收印花税。

9. CE 【解析】甲公司5月应缴纳的印花税＝（600000＋800000）×0.3‰＝420（元），双方总计应纳印花税＝420×2＝840（元）。同一种类应纳税凭证，需频繁贴花的，纳税人可根据实际情况自行决定是否采用申请按期汇总缴纳印花税的方式贴花，汇总缴纳的期限不得超过1个月。

10. BCD

11. ABCE　【解析】选项 D：对已贴花的各类应纳税凭证，纳税人须按规定期限保管，不得私自销毁，以备纳税检查。

三、计算题

（一）

1. C　【解析】以货易货形式的商品交易合同，应按合同所载的购、销合计金额贴花。该企业应缴纳印花税 =（120+140）×10000×0.3‰ = 780（元）。

2. B　【解析】由受托方提供原材料的承揽合同，凡在合同中分别记载加工费金额和原材料金额的，应分别按承揽合同和买卖合同计算缴纳印花税。该企业应缴纳印花税 =（300×0.3‰+120×0.3‰）×10000 = 1260（元）。

3. D　【解析】建设工程合同的计税依据为合同约定的价款，不得剔除任何费用。如果施工单位将自己承包的项目分包给其他施工单位，所签订的分包合同应按所载金额另行贴花。C 公司签订的总承包合同和分包合同共计应缴纳印花税 =（2500+600）×0.3‰×10000 = 9300（元）。

4. D　【解析】该企业 2022 年应缴纳房产税 = 6000×90%×（1−20%）×1.2%+80×12% = 61.44（万元）；签订房产租赁合同应缴纳印花税 = 80×1‰ = 0.08（万元）；该企业 2022 年自用与出租房产应缴纳房产税和印花税共计 = 61.44+0.08 = 61.52（万元）。

（二）

1. C　【解析】甲企业签订服装买卖合同应缴纳印花税 = 400000×0.3‰ = 120（元）。

2. B　【解析】甲企业签订承揽合同应缴纳印花税 =（20000+30000）×0.3‰ = 15（元）。

3. C　【解析】甲企业签订土地使用权转让合同应缴纳印花税 = 60×10000×0.5‰ = 300（元）。

4. D　【解析】甲企业签订租赁合同应缴纳印花税 = 18×2×10000×1‰ = 360（元）。

第五章　房产税

本章学习指南

一、考情概况

房产税是税法（Ⅱ）考试中比较重要的小税种，历年考试分值在9分左右，主要考查单项选择题和多项选择题，也可以命制计算题和综合分析题。房产税可以在企业所得税税前扣除，考生需关注房产税与企业所得税、契税、印花税的组合出题。考生在复习时需要重点关注房产税的纳税人、计税依据、应纳税额的计算和税收优惠。

二、2022年教材主要变化

1. 新增部分税收优惠。
2. 延长部分已到期的税收优惠享受期限。

三、基本结构框架

本章核心考点精讲

查看本章视频，快速 GET 知识点，使用“会计云课堂”App 或“微信”扫码。

01 概述

（一）房产税的特点（★）

1. 房产税属于财产税中的个别财产税；
2. 限于征税范围内的经营性房屋；
3. 区别房屋的经营使用方式规定不同的计税依据。

（二）房产税的立法原则（★）

1. 筹集地方财政收入；
2. 调节财富分配；
3. 有利于加强房产管理，配合城市住房制度改革。

02 征税范围、纳税人、计税方法和税率

（一）房产税的征税范围（★★）

项目	具体规定
结构范围	（1）征收房产税的房产，是以房屋形态表现的财产。房屋则是指有屋面和围护结构（有墙或两边有柱），能够遮风避雨，可供人们在其中生产、工作、学习、娱乐、居住或储藏物资的场所 （2）独立于房屋之外的建筑物，如围墙、烟囱、水塔、变电塔、油池油柜、酒窖菜窖、酒精池、糖蜜池、室外游泳池、玻璃暖房、砖瓦石灰窑以及各种油气罐等，不属于房产
用途范围	房地产开发企业建造的商品房，在出售前，不征收房产税；但对出售前房地产开发企业已使用或出租、出借的商品房应按规定征收房产税
地域范围	城市、县城、建制镇和工矿区，不包括农村

考点提示

房产税征税范围注意房产的结构、用途和地域范围。

经典题解

【例题1·单选题】下列各项中，属于房产税的征税范围的是（　　）。

A. 围墙　　B. 水塔　　C. 室外游泳池　　D. 办公楼

【解析】对于独立于房屋之外的建筑物，如围墙、烟囱、水塔、变电塔、油池油柜、酒窖菜窖、酒精池、糖蜜池、室外游泳池、玻璃暖房、砖瓦石灰窑以及各种油气罐等，不属于房产，不属于房产税的征税范围。

【答案】D

（二）房产税的纳税人（★★）

房产税以在征税范围内的房屋产权所有人为纳税人。

1. 产权属国家所有的，由经营管理单位纳税；产权属集体和个人所有的，由集体单位和个人纳税。

2. 产权出典的，由承典人纳税。

【解释】产权出典，是指产权所有人将房屋、生产资料等的产权，在一定期限内典当给他人使用，而取得资金的一种融资业务。由于在房屋出典期间，产权所有人已无权支配房屋，因此，税法规定由对房屋具有支配权的承典人为纳税人。

3. 产权所有人、承典人不在房屋所在地的，由房产代管人或者使用人纳税。

4. 产权未确定及租典纠纷未解决的，由房产代管人或者使用人纳税。

经典题解

【例题2·多选题】下列关于房产税纳税人的说法中，正确的有（　　）。

A. 产权属于国家所有的，由经营管理单位纳税

B. 产权属于集体和个人所有的，由经营管理单位纳税

C. 产权出典的，由出典人纳税

D. 产权未确定及租典纠纷未解决的，由房产代管人或者使用人纳税

E. 产权所有人、承典人不在房屋所在地的，由房产代管人或者使用人纳税

【解析】选项B：产权属于集体和个人所有的，由集体单位和个人纳税；选项C：产权出典的，由承典人纳税。

【答案】ADE

（三）房产税的计税方法和税率（★★★）

计税方法	计税依据	税率	计算公式
从价计征	房产计税余值	1.2%	应纳税额＝房产原值×（1－扣除比例）×1.2% 【考点提示1】房产原值×（1－扣除比例）即为房产计税余值 【考点提示2】扣除比例由当地省、自治区、直辖市人民政府确定

计税方法	计税依据	税率	计算公式
从租计征	房产租金收入	12%（或4%）	应纳税额=不含增值税租金收入×12%（或4%）

考点提示

1. 从2008年3月1日起，对个人出租住房，不区分实际用途，均按4%的税率征收房产税。

2. 对企事业单位、社会团体以及其他组织向个人、专业化规模化住房租赁企业出租住房的，减按4%的税率征收房产税。

经典题解

【例题3·单选题】下列出租住房的行为，不分用途一律减按4%的税率征收房产税的是（　　）。（2017年）

A. 企业出租在农村的住房　　B. 个人出租在城市的住房

C. 事业单位出租在县城的住房　　D. 社会团体出租在工矿区的住房

【解析】选项B：个人出租住房，不分用途，按4%的税率征收房产税。选项A：房产税征税范围不包括农村。选项CD：需要限定条件，对企事业单位、社会团体以及其他组织向个人、专业化规模化住房租赁企业出租住房的，按4%的税率计征房产税，否则按12%计税。

【答案】B

03 减免税优惠（★★★）

项目	内容
基本规定	（1）国家机关、人民团体、军队自用的房产，免征房产税 （2）国家财政部门拨付事业经费单位自用的房产，免征房产税 【考点提示】实行差额预算管理的事业单位，也属于由国家财政部门拨付事业经费的单位，对其本身自用的房产免征房产税 （3）宗教寺庙、公园、名胜古迹自用的房产，免征房产税 【考点提示】公园、名胜古迹中附设的营业单位，如影剧院、饮食部、茶社、照相馆等所使用的房产及出租的房产，应征收房产税 （4）个人拥有的非营业用的房产，免征房产税 【考点提示】对个人所有的营业用房或出租等非自用的房产，应按照规定征收房产税
特殊规定	（1）企业办的各类学校、托儿所、幼儿园自用的房产，免征房产税 （2）经有关部门鉴定，对毁损不堪居住的房屋和危险房屋，在停止使用后，可免征房产税 （3）自2004年8月1日起，对军队空余房产租赁收入暂免征收房产税；此前已征税款不予退还，未征税款不再补征

项目	内容
特殊规定	(4) 凡是在基建工地为基建工地服务的各种工棚、材料棚、休息棚和办公室、食堂、茶炉房、汽车房等临时性房屋，不论是施工企业自行建造还是由基建单位出资建造交施工企业使用的，在施工期间，一律免征房产税 【考点提示】如果在基建工程结束以后，施工企业将这种临时性房屋交还或者估价转让给基建单位的，应当从基建单位接收的次月起，依照规定征收房产税 (5) 自2004年7月1日起，纳税人因房屋大修导致连续停用半年以上的，在房屋大修期间免征房产税 (6) 纳税单位与免税单位共同使用的房屋，按各自使用的部分划分，分别征收或免征房产税 (7) 老年服务机构自用的房产暂免征收房产税 (8) 自2001年1月1日起，对按政府规定价格出租的公有住房和廉租住房，包括企业和自收自支事业单位向职工出租的单位自有住房、房管部门向居民出租的公有住房、落实私房政策中带户发还产权并以政府规定租金标准向居民出租的私有住房等，暂免征收房产税 (9) 对房地产开发企业建造的商品房，在出售前不征收房产税 【考点提示】对出售前房地产开发企业已使用或出租、出借的商品房应按规定征收房产税 (10) 铁道部（现为中国铁路总公司）所属铁路运输企业自用的房产，继续免征房产税。地方铁路运输企业自用的房产，应缴纳的房产税比照铁道部（现为中国铁路总公司）所属铁路运输企业的政策执行 (11) 为继续支持公共租赁住房（公租房）建设和运营，对公租房免征房产税 【考点提示】公租房经营管理单位应单独核算公租房租金收入，未单独核算的，不得享受免征房产税优惠政策 (12) 自2019年1月1日至2023年12月31日，对为高校学生提供住宿服务，按照国家规定的收费标准收取住宿费的高校学生公寓免征房产税 (13) 自2019年1月1日至2023年12月31日，对农产品批发市场、农贸市场（包括自有和承租）专门用于经营农产品的房产，暂免征收房产税。对同时经营其他产品的农产品批发市场和农贸市场使用的房产，按其他产品与农产品交易场地面积的比例确定征免房产税 (14) 自2019年1月1日至2023年供暖期结束，对向居民供热收取采暖费的“三北”地区供热企业，为居民供热所使用的厂房免征房产税；对供热企业其他厂房，应当按照规定征收房产税 【考点提示1】对专业供热企业，按其向居民供热取得的采暖费收入占全部采暖费收入的比例，计算免征的房产税。对兼营供热企业，视其供热所使用的厂房与其他生产经营活动所使用的厂房是否可以区分，按照不同方法计算免征的房产税。可以区分的，对其供热所使用厂房，按向居民供热取得的采暖费收入占全部采暖费收入的比例，计算免征的房产税。难以区分的，对其全部厂房，按向居民供热取得的采暖费收入占其营业收入的比例，计算免征的房产税 【考点提示2】对自供热单位，按向居民供热建筑面积占总供热建筑面积的比例，计算免征供热所使用的厂房的房产税

项目	内容
特殊规定	(15) 为推进国有经营性文化事业单位转企改制，对经营性文化事业单位由财政部门拨付事业经费的文化单位转制为企业，自转制注册之日起5年内对其自用房产免征房产税。2018年12月31日之前已完成转制的企业，自2019年1月1日起，对其自用房产可继续免征5年房产税 (16) 自2019年1月1日至2024年12月31日，由省、自治区、直辖市人民政府根据本地区实际情况，以及宏观调控需要确定，对增值税小规模纳税人可以在50%的税额幅度内减征房产税 (17) 自2019年1月1日至2023年12月31日，对商品储备管理公司及其直属库自用的承担商品储备业务的房产免征房产税 【考点提示】商品储备管理公司及其直属库，是指接受县级以上政府有关部门委托，承担粮（含大豆）、食用油、棉、糖、肉5种商品储备任务，取得财政储备经费或者补贴的商品储备企业 (18) 自2019年6月1日至2025年12月31日，为社区提供养老、托育、家政等服务的机构自有或其通过承租、无偿使用等方式取得并用于提供社区养老、托育、家政服务的房产，免征房产税 (19) 自2018年1月1日至2023年12月31日，对纳税人及其全资子公司从事大型民用客机发动机、中大功率民用涡轴涡桨发动机研制项目自用的科研、生产、办公房产，免征房产税 (20) 自2019年1月1日至2023年12月31日，对纳税人及其全资子公司从事大型客机研制项目自用的科研、生产、办公房产免征房产税 (21) 为支持农村饮水安全工程（以下简称“饮水工程”）巩固提升，自2019年1月1日至2023年12月31日，对饮水工程运营管理单位自用的生产、办公用房产，免征房产税 【考点提示】对于既向城镇居民供水，又向农村居民供水的饮水工程运营管理单位，依据向农村居民供水量占总供水量的比例免征房产税。无法提供具体比例或所提供数据不实的，不得享受优惠政策 (22) 对被撤销金融机构清算期间自有的或从债务方接收的房地产，免征房产税 (23) 对东方资产管理公司接收港澳国际（集团）有限公司的房地产，免征应缴纳的房产税 (24) 对青藏铁路公司及其所属单位自用的房产，免征房产税；对非自用的房产，照章征收房产税 (25) 自2022年1月1日至2024年12月31日，由省、自治区、直辖市人民政府根据本地区实际情况，依据“六税两费”优惠政策相关规定，对增值税小规模纳税人、小型微利企业和个体工商户可以在50%的税额幅度内减征房产税

经典题解

【例题4·单选题】下列房产，免征房产税的是（　　）。(2020年)

A. 宗教寺庙中宗教人员的生活用房产

B. 房地产开发企业出售前已出租的房产

C. 继续使用的危险房产

D. 公园中的影剧院房产

【解析】选项B：对房地产开发企业建造的商品房，在出售前不征收房产税；但对出售前房地产开发企业已使用或出租、出借的商品房应按规定征收房产税。选项C：经有关部门鉴定，对毁损不堪居住的房屋和危险房屋，在停止使用后，可免征房产税。选项D：公园、名胜古迹中附设的营业单位，如影剧院、饮食部、茶社、照相馆等所使用的房产及出租的房产，应征收房产税。

【答案】A

【例题5·多选题】下列房产，免征房产税的有（　　）。（2020年）

A. 企业所办托儿所自用的房产

B. 个人所有的生活自用房产

C. 企业闲置未用的房产

D. 老年服务机构自用的房产

E. 人民团体自用的房产

【解析】选项C：应照章征税。

【答案】ABDE

【例题6·多选题】根据房产税相关规定，下列房产可免征房产税的有（　　）。（2018年）

A. 按政府规定价格出租的公有住房

B. 市文工团的办公用房

C. 公园内的照相馆用房

D. 施工期间为基建工地服务的临时性办公用房

E. 饮水工程运营管理单位自用的生产用房

【解析】选项C：公园内附设的营业单位，应征收房产税。

【答案】ABDE

【例题7·多选题】下列关于房产税免税的说法中，正确的有（　　）。（2017年）

A. 中国铁路总公司所属铁路运输企业自用房产免征房产税

B. 企业办的技术培训学校自用的房产免征房产税

C. 非营利性老年服务机构自用房产暂免征房产税

D. 外商投资企业的自用房产免征房产税

E. 按规定标准收费的高校学生公寓免征房产税

【解析】选项A：中国铁路总公司所属铁路运输企业自用的房产，免征房产税。选项B：企业办的各类学校、托儿所、幼儿园自用的房产免税。选项C：老年服务机构自用的房产暂免征收房产税。选项E：按规定标准收费的高校学生公寓免征房产税。

【答案】ABCE

04 计税依据和应纳税额的计算

（一）房产税从价计征的计税依据（★★★）

对经营自用的房屋，以房产的计税余值作为计税依据。计税余值，是指依照税法规定按房产原值一次减除10%～30%的损耗价值以后的余额。其计算公式为：

房产的计税余值=应税房产原值×（1-扣除比例）

扣除比例由当地省、自治区、直辖市人民政府确定。

1. 房产原值是指纳税人按照会计制度规定，在账簿“固定资产”科目中记载的房屋原价。因此，凡按会计制度规定在账簿中记载有房屋原价的，应以房屋原价按规定减除一定比例后的房产余值计征房产税；没有记载房屋原价的，按照上述原则，并参照同类房屋，确定房产原值，按规定计征房产税。

考点提示

如果纳税人未按会计制度规定记载原值，在计征房产税时，应按规定调整房产原值；对房产原值明显不合理的，应重新予以评估；对没有房产原值的，应由房屋所在地的税务机关参考同类房屋的价值核定。在原值确定后，再根据当地所适用的扣除比例，计算确定房产余值。

2. 对按照房产原值计税的房产，无论会计上如何核算，房产原值均应包含地价，包括为取得土地使用权支付的价款、开发土地发生的成本费用等。容积率低于0.5的，按房产建筑面积的2倍计算土地面积并据此确定计入房产原值的地价。

【解释】容积率$=\frac{\text{地上建筑面积}}{\text{建筑用地面积}}\times100\%$

考点提示

（1）计入房产计税原值的地价应当区分以下两种情形确定：第一，宗地容积率≥0.5的，地价应当全部计入房产原值；第二，宗地容积率<0.5的，按照房产建筑面积的2倍计算土地面积并据此确定计入房产原值的地价。

（2）若考题并未提示建筑面积、用地面积，则无须考虑容积率，将地价款直接计入房屋原值计征房产税；若考题提示了建筑面积、用地面积，则需要考虑容积率的问题，按要求计算地价款计入房屋原值计征房产税。

【案例精析】某企业2021年年初购置一幢办公楼，会计固定资产账面记录房产金额3000万元，在无形资产账面记载了购买该幢楼支付的土地使用权金额1000万元，当地规定计算房产余值的减除比例为30%，则该企业当年应纳房产税=（3000+1000）×（1-30%）×1.2%=33.6（万元）。

经典题解

【例题8·单选题】某企业购置一宗面积3000平方米的土地建造厂房，支付土地使用权价款 900 万元，厂房建筑面积 1200 平方米，2020 年年底建造完成，固定资产科目账面记录房产造价 2000 万元（不含地价），当地省政府规定计算房产余值的减除比例为 20%，则该企业 2021 年应缴纳房产税（　　）万元。

A. 19.2　　B. 22.67　　C. 26.11　　D. 27.84

【解析】 对按照房产原值计税的房产，无论会计上如何核算，房产原值均应包括地价，包括为取得土地使用权支付的价款、开发土地发生的成本费用等。宗地容积率低于 0.5 的，按照房产建筑面积的 2 倍计算土地面积并据此确定计入房产原值的地价。该企业厂房宗地容积率 = 1200÷3000 = 0.4，低于 0.5，按照房产建筑面积的 2 倍计算计入房产原值的地价。该企业 2021 年应缴纳的房产税 = $(2000+\frac{900}{3000}\times1200\times2)\times(1-20\%)\times1.2\%=26.11$（万元）。

【答案】 C

3. 房产原值应包括与房屋不可分割的各种附属设备或一般不单独计算价值的配套设施。主要有：暖气、卫生、通风、照明、煤气等设备；各种管线，如蒸汽、压缩空气、石油、给水排水等管道及电力、电讯、电缆导线；电梯、升降机、过道、晒台等。属于房屋附属设备的水管、下水道、暖气管、煤气管等应从最近的探视井或三通管起，计算原值；电灯网、照明线从进线盒联接管起，计算原值。

4. 为了维持和增加房屋的使用功能或使房屋满足设计要求，凡以房屋为载体，不可随意移动的附属设备和配套设施，如给排水、采暖、消防、中央空调、电气及智能化楼宇设备等，无论在会计核算中是否单独记账与核算，都应计入房产原值，计征房产税。

5. 对于更换房屋附属设备和配套设施的，在将其价值计入房产原值时，可扣减原来相应设备和设施的价值；对附属设备和配套设施中易损坏、需要经常更换的零配件，更新后不再计入房产原值，原零配件的原值也不扣除。

6. 纳税人对原有房屋进行改建、扩建的，要相应增加房屋的原值。

【总结】

情形	处理原则
对原有房屋进行改建、扩建	要相应增加房屋的原值
更换配套设施和附属设备	凡以房屋为载体，不可随意移动的附属设备和配套设施，更换时将其价值计入房产原值，同时可扣减原来相应设备和设施的价值
	对附属设备和配套设施中易损坏、需要经常更换的零配件，更新后不再计入房产原值，原零配件的原值也不扣除

经典题解

【例题 9 · 单选题】 下列关于房产税房产原值的说法，正确的是（　　）。（2019 年）

A. 计征房产税的房产原值不包括电梯、升降梯

B. 计征房产税的房产原值包括电力、电讯、电缆导线

C. 改建原有房屋的支出不影响计征房产税的房产原值

D. 计征房产税的房产原值不包括会计上单独核算的中央空调

【解析】选项 AB：房产原值包括与房屋不可分割的各种附属设备或一般不单独计算价值的配套设施。主要有电力、电讯、电缆导线；电梯、升降机、过道、晒台等。选项 C：对原有房屋进行改建、扩建的，要相应增加房屋的原值。选项 D：凡以房屋为载体，不可随意移动的附属设备和配套设施，如给排水、采暖、消防、中央空调等，无论在会计核算中是否单独记账与核算，都应计入房产原值，计征房产税。

【答案】B

【例题 10 · 单选题】某上市公司 2020 年以 5000 万元购得一处高档会所，然后加以改建，支出 500 万元在后院新建一处露天泳池，支出 500 万元新增中央空调系统，拆除 200 万元的照明设施，再支付 500 万元安装智能照明和楼宇声控系统，会所于 2020 年年底改建完毕并对外营业。当地规定计算房产余值的扣除比例为 30%，2021 年该会所应缴纳房产税（　　）万元。

A. 42　　B. 48.72　　C. 50.4　　D. 54.6

【解析】露天泳池不属于房产税的征税对象；纳税人对原有房屋进行改建、扩建的，要相应增加房屋的原值，支出 500 万元新增中央空调系统需要计入房产原值缴纳房产税；对更换房屋附属设备和配套设施的，在将其价值计入房产原值时，可扣减原来相应设备和设施的价值，因此支付 500 万元安装智能照明和楼宇声控系统在计入房产原值的同时，可扣减拆除 200 万元的照明设施的价值。2021 年该会所应缴纳房产税 = （5000+500-200+500）×（1-30%）×1.2% = 48.72（万元）。

【答案】B

7. 产权出典的房产，由承典人依照房产余值缴纳房产税。

8. 对投资联营的房产，在计征房产税时应予以区别对待：

（1）对于以房产投资联营，投资者参与投资利润分红，共担风险的，按房产余值作为计税依据计征房产税。（纳税人为被投资方）

（2）对于以房产投资，收取固定收入，不承担联营风险的，实际是以联营名义取得房产租金，应根据《房产税暂行条例》的有关规定由出租方按租金收入计缴房产税。（纳税人为投资方）

【总结】关于投资联营房产税的计税规则

联营类型	纳税人	计税方法	计税依据
投资者参与投资利润分红，共担风险	被投资方	从价计征	房产余值
只收取固定收入，不承担联营风险	投资方	从租计征	固定收入视同租金收入

9. 融资租赁的房产，由承租人自融资租赁合同约定开始日的次月起依照房产余值缴纳房产税。合同未约定开始日的，由承租人自合同签订的次月起依照房产余值缴纳房产税。

考点提示

关注融资租赁房产的房产税纳税人（承租人）、计税方法（从价计征）、纳税义务发生时间（合同约定开始日的次月起→合同签订的次月起）。

经典题解

【例题 11·多选题】 下列关于房产税计税依据的表述中，正确的有（　　）。

A. 经营租赁的房产，以租金收入为计税依据缴纳房产税

B. 融资租赁的房产，以租金收入为计税依据缴纳房产税

C. 产权出典的房产，以房产余值为计税依据缴纳房产税

D. 投资联营的房产，投资者参与投资利润分红、共担风险的，以房产余值为计税依据缴纳房产税

E. 投资联营的房产，投资者收取固定收入，不承担联营风险的，以房产余值为计税依据缴纳房产税

【解析】 选项 B：融资租赁的房产，由承租人依照房产余值缴纳房产税；选项 E：以房产投资，收取固定收入，不承担联营风险的，实际是以联营名义取得房产租金，应由出租方按照租金收入计算缴纳房产税。

【答案】 ACD

10. 凡在房产税征收范围内的具备房屋功能的地下建筑，包括与地上房屋相连的地下建筑以及完全建在地面以下的建筑、地下人防设施等，均应当依照有关规定征收房产税：

（1）独立地下建筑物为工业用途房产，以房屋原价的 50%~60%作为应税房产的原值；

（2）独立地下建筑物为商业和其他用途房产，以房屋原价的 70%~80%作为应税房产的原值；

应纳税额＝应税房屋原价×折算比例×（1－原值减除比例）×1.2%

（3）对于与地上房屋相连的地下建筑，如房屋的地下室、地下停车场、商场的地下部分等，应将地下部分与地上房屋视为一个整体，按照地上房屋建筑的有关规定计算征收房产税。

经典题解

【例题 12·单选题】 某工业企业 2021 年 2 月自建的厂房竣工并投入使用。该厂房的原值为 8000 万元，其中用于储存物资的独立地下室为 800 万元。假设厂房原值减除比例为 30%，地下室应税房产原值为房屋原价的 60%。该企业 2021 年应缴纳房产税（　　）万元。

A. 56　　　　B. 59.14

C. 61.60　　　　D. 53.76

【解析】 应纳房产税额＝（8000－800）×（1－30%）×1.2%×10/12＋800×60%×（1－30%）×1.2%×10/12＝53.76（万元）。

【答案】 D

（二）房产税从租计征的计税依据（★★★）

1. 对于出租的房屋，以租金收入（不含增值税）为计税依据。

2. 房屋的租金收入，是房屋产权所有人出租房屋使用权所取得的报酬，包括货币收入和实物收入。对以劳务或其他形式作为报酬抵付房租收入的，应根据当地同类房屋的租金水平，确定租金标准，依率计征。

3. 对居民住宅区内业主共有的经营性房产，由实际经营（包括自营和出租）的代管人或使用人缴纳房产税。其中自营的，依照房产原值减除 10%~30%后的余值计征，没有房产

原值或不能将业主共有房产与其他房产的原值准确划分开的，由房产所在地税务机关参照同类房产核定房产原值；出租的，依照租金计征。

4. 对出租房产，租赁双方签订的租赁合同约定有免收租金期限的，免收租金期间由产权所有人按照房产余值缴纳房产税。

经典题解

【例题 13·单选题】下列情形中，应该从租计征房产税的是（　　）。

A. 融资租赁租出房产的

B. 以居民住宅区内业主共有的经营性房产进行自营的

C. 接受劳务抵付房租的

D. 具有房屋功能的地下建筑自用的

【解析】选项 ABD 均从价计征房产税。

【答案】C

【例题 14·单选题】关于房产税计税依据，下列说法正确的是（　　）。（2021 年）

A. 房屋租赁合同约定有免租期的，以免租期间的租金为计税依据

B. 房屋出典的，以出典人取得的出典收入为计税依据

C. 以房产投资联营共担风险的，以房产的计税余值为计税依据

D. 对原有房屋进行扩建的，以新增的房产价值为计税依据

【解析】选项 A：对出租房产，租赁双方签订的租赁合同约定有免收租金期限的，免收租金期间由产权所有人按照房产余值缴纳房产税。选项 B：房屋产权出典的，由承典人按照房产余值缴纳房产税。选项 D：对原有房屋进行改建、扩建的，要相应“增加”房屋的原值，而不仅以新增的房产价值为计税依据。

【答案】C

（三）房产税应纳税额的计算（★★★）

项目	计算要求
从价计征	（1）地上建筑（自用） 应纳税额＝房产原值×（1－扣除比例）×1.2% （2）独立地下建筑（自用） 应纳税额＝地下房屋原价×折算比例×（1－扣除比例）×1.2% （3）地下建筑与地上建筑相连（自用） 应纳税额＝（地上房产原值＋地下房产原值）×（1－扣除比例）×1.2%
从租计征	应纳税额＝不含税租金收入×12%（或 4%） 【考点提示 1】从 2008 年 3 月 1 日起，对个人出租住房，不区分实际用途，均按 4%的税率征收房产税 【考点提示 2】对企事业单位、社会团体以及其他组织向个人、专业化规模化住房租赁企业出租住房的，减按 4%的税率征收房产税

考点提示

房产税按年计征，在考试时通常考查“分摊型”房产税的计算，包括“原值分摊”和“时间分摊”。

【案例精析】某企业2021年拥有原值5000万元的办公楼一幢，当地政府规定计算房产余值的扣除比例为20%：

情形	计算分析
若2021年全年自用	全年房产税应纳税额＝5000×（1－20%）×1.2%＝48（万元）
若2021年1月1日起，将一半的办公楼对外出租，租期1年，每月收取不含税租金10万元	（1）一半办公楼对外出租，应从租计征房产税，这一部分的应纳税额＝10×12%×12＝14.4（万元） （2）另一半办公楼未出租，应从价计征房产税，假定自用房产原值为全部原值的50%，这一部分的应纳税额＝5000×50%×（1－20%）×1.2%＝24（万元） （3）全年房产税应纳税额两部分合计＝14.4+24＝38.4（万元）
若2021年6月1日起，将一半的办公楼对外出租，租期1年，每月收取不含税租金10万元	（1）1～5月办公楼未出租，应该从价计征房产税，这一部分的应纳税额＝5000×（1－20%）×1.2%×5/12＝20（万元） （2）6月起一半办公楼对外出租，从6月起应从租计征，这一部分的应纳税额＝10×12%×7＝8.4（万元） （3）6月起另一半办公楼未出租，6月起继续从价计征，假定自用房产原值为全部原值的50%，这一部分的应纳税额＝5000×50%×（1－20%）×1.2%×7/12＝14（万元） （4）全年房产税应纳税额三部分合计＝20+8.4+14＝42.4（万元）

经典题解

【例题15·单选题】2021年5月1日起，甲公司以原值500万元、已计提折旧200万元的房产对乙公司投资，甲公司每月收取固定利润1.5万元（不含增值税），甲公司不承担风险。甲公司所在地政府规定计算房产余值的扣除比例为20%，2021年甲公司该房产应缴纳房产税（　　）万元。

A. 2.34　　B. 2.58　　C. 2.82　　D. 3.04

【解析】2021年甲公司该房产应纳房产税＝500×（1－20%）×1.2%×4/12+1.5×8×12%＝3.04（万元）。

【答案】D

【例题16·单选题】某公司2020年购进一处房产，2021年5月1日用于投资联营（收取固定收入，不承担联营风险），投资期3年，当年取得不含税固定收入160万元。该房产原值3000万元，当地政府规定计算房产余值的减除比例为30%，该公司2021年应缴纳的房产税为（　　）万元。

A. 18　　B. 27.6　　C. 29.7　　D. 44.4

【解析】用房产投资联营取得固定收入，不承担联营风险的，按租金收入计征房产税，则该公司应纳房产税为未联营期间按房产余值计算房产税与参与对外联营取得固定收入比照租金收入计征房产税的两项之和：应纳房产税额 = 3000×（1－30%）×1.2%×4/12＋160×12% = 8.4＋19.2 = 27.6（万元）。

【答案】B

【例题 17·单选题】2021 年 1 月 1 日，某高校以市场价格将自建的一栋住宅楼出租给教工居住，每月取得不含税租金 60 万元，租期 2 年。该高校 2021 年应缴纳房产税（　　）万元。（2020 年考题改编）

A. 86.40　　B. 8.64

C. 28.80　　D. 17.28

【解析】对企事业单位、社会团体以及其他组织向个人、专业化规模化住房租赁企业出租住房的，减按 4%的税率征收房产税。该高校 2021 年应缴纳房产税 = 60×4%×12 = 28.80（万元）。

【答案】C

【例题 18·单选题】赵某 2021 年 1 月 31 日将自有住房出租，当月交付使用，租期 1 年，每月收取不含税租金 5000 元。赵某 2021 年应缴纳房产税（　　）元。

A. 2200　　B. 2400

C. 7200　　D. 6600

【解析】自 2008 年 3 月 1 日起，对个人出租住房，不区分用途，均按 4%的税率征收房产税；出租、出借房产，自交付出租、出借房产之次月起计征房产税。赵某 2021 年应缴纳房产税 = 5000×4%×11 = 2200（元）。

【答案】A

05 征收管理（★★）

项目	具体规定
纳税义务发生时间	（1）纳税人将原有房产用于生产经营，从生产经营之月起缴纳房产税 （2）纳税人自行新建房屋用于生产经营，从建成之日的次月起缴纳房产税 （3）纳税人委托施工企业建设的房屋，从办理验收手续之日的次月起缴纳房产税 （4）纳税人购置新建商品房，自房屋交付使用之次月起缴纳房产税 （5）纳税人购置存量房，自办理房屋权属转移、变更登记手续，房地产权属登记机关签发房屋权属证书之次月起，缴纳房产税 （6）纳税人出租、出借房产，自交付出租、出借房产之次月起，缴纳房产税 （7）房地产开发企业自用、出租、出借本企业建造的商品房，自房屋使用或交付之次月起，缴纳房产税 【考点提示】只有将“原有的房产”用于“生产经营”，是从“当月”起缴纳房产税；其余情形都是从“次月”起缴纳房产税

项目	具体规定
纳税期限	房产税实行按年征收，分期缴纳。纳税期限由省、自治区、直辖市人民政府规定。各地一般按季或半年征收
纳税地点	（1）房产税在房产所在地缴纳 （2）房产不在同一地方的纳税人，应按房产的坐落地点分别向房产所在地的税务机关缴纳

经典题解

【例题 19 · 多选题】 下列关于房产税纳税义务发生时间的说法中，正确的有（　　）。

A. 将原有房产用于生产经营的，从生产经营次月起计征房产税

B. 自建的房屋用于生产经营的，从建成之日的次月起计征房产税

C. 购置新建商品房，自房屋交付使用之月起计征房产税

D. 出租的房产，自交付出租房产之次月起计征房产税

E. 房地产开发企业自用本企业建造的商品房，自房屋使用之次月起计征房产税

【解析】 选项 A：将原有房产用于生产经营的，从生产经营之月起计征房产税；选项 C：购置新建商品房，自房屋交付使用之次月起计征房产税。

【答案】 BDE

本章小结

用“会计云课堂”App 扫码学习

您已成功完成“第五章”的学习，本章共 5 个考点，您都学会了吗？

为了让您对本章有更清晰的理解，加倍巩固。本书作者张泉春老师将通过“电台音频课”的方式，带您回顾重要考点。

名师点拨，高效提分。

※ 欢迎扫码免费学习。

同步强化练习题

使用“会计云课堂”App 或“微信”扫码快速做题、对答案、看解析、掌握解题思路，开启轻松过关之旅。

一、单项选择题

1. 下列各项中，符合房产税纳税义务人规定的是（　　）。
   A. 房屋产权出典的，由出典人纳税
   B. 房屋产权未确定的，暂不缴纳房产税
   C. 房屋产权属于国家所有的，不需要缴纳房产税
   D. 产权所有人不在房屋所在地的，由房产代管人或使用人纳税

2. 下列各项中，符合房产税纳税人规定的是（　　）。
   A. 房屋出典的，由出典人纳税
   B. 房屋出租的，由承租人纳税
   C. 免收租金期间的，由产权所有人纳税
   D. 投资联营的房产，不承担风险的，由被投资方纳税

3. 下列属于房产税征税对象的是（　　）。
   A. 烟囱　　B. 菜窖
   C. 室内游泳池　　D. 水塔

4. 下列房产中，（暂）免征房产税的是（　　）。
   A. 个人所有的营业用房
   B. 公园内照相馆使用的房产
   C. 房管部门按政府规定价格向居民出租的公有住房
   D. 企业尚在使用的毁损不堪居住的房屋和危险房屋

5. 企业向个人出租用于居住的住房，在计算房产税时适用的税率为（　　）。
   A. 12%　　B. 1.2%
   C. 4%　　D. 3%

6. 下列房产应计算缴纳房产税的是（　　）。
   A. 人民法院的办公用房
   B. 国有企业自用的生产用房
   C. 个人在市区拥有的自住用房
   D. 农民在农村的小超市用房

7. 下列选项中，对于计入房产原值计征房产税的说法，错误的是（　　）。
   A. 暖气管从三通管起计算原值
   B. 电灯网从进线盒联接管起计算原值
   C. 消防设备在会计核算中单独记账与核算，应计入房产原值
   D. 中央空调在会计核算中单独记账与核算，不应计入房产原值

8. 2021年年初某企业拥有房屋15栋。其中10栋用于生产经营，房产原值共计12000万元；1栋（原值400万元）用作幼儿园和职工学校；1栋（原值600万元）自2021年1月1日起出租给其他企业，年租金80万元；1栋（原值400万元）自2021年1月1日起用于对外投资，不承担投资风险，投资期为3年，当年取得固定利润分红20万元；1栋（原值400万元）自

2021 年 1 月 1 日起按市场价格出租给居民个人用于居住，当年取得租金 5 万元；1 栋原值 1000 万元自用房屋自 2021 年 4 月 1 日起出租给某连锁商店，月租金 5 万元。已知当地省政府规定计算房产计税余值扣除比例为 20%。该企业 2021 年应缴纳房产税（　　）万元。（上述金额均不含增值税）

A. 135.8　　B. 135.2

C. 124.8　　D. 124.2

9. 甲企业 2021 年年初委托施工企业建造仓库一幢，8 月 20 日完工，9 月末办理验收手续，仓库入账原值 500 万元（其中原值 100 万元的房屋完工当月即投入使用）；9 月 20 日将原值 300 万元的旧车间对外投资联营，当年收取固定利润 10 万元（不含增值税）。甲企业 2021 年 8 月签订权属转移协议，购入原值 1000 万元的厂库一栋，10 月 20 日取得房屋产权证。当地规定房产计税余值扣除比例为 30%。2021 年度甲企业上述房产应缴纳房产税（　　）万元。

A. 3.60　　B. 5.68

C. 4.14　　D. 6.25

10. 某企业 2021 年有一处独立地下建筑物，为商业用途房产（房产原价 80 万元），10 月底将其出售。当地规定计算房产余值的减除比例为 30%，商业用途独立地下建筑房产以原价的 70% 作为应税房产原值。2021 年该企业上述房产应缴纳房产税（　　）元。

A. 3920　　B. 4312

C. 4704　　D. 4820

11. 甲公司 2021 年年初房产原值为 8000 万元，3 月与乙公司签订租赁合同，约定自 2021 年 4 月起将原值 500 万元的房产租赁给乙公司，租期 3 年，月租金 2 万元（不含增值税），2021 年 4 月至 6 月为免租使用期间。甲公司所在地计算房产余值减除比例为 30%，甲公司 2021 年度应缴纳的房产税为（　　）万元。

A. 65.49　　B. 66.21

C. 66.54　　D. 67.26

12. 2020 年某企业支付 8000 万元取得 10 万平方米的土地使用权，新建厂房建筑面积 6 万平方米，工程成本 2000 万元，2021 年年底竣工验收，对该企业征收房产税的房产原值是（　　）万元。

A. 2000　　B. 6400

C. 8000　　D. 10000

13. 2020 年某企业支付 8000 万元取得 10 万平方米的土地使用权，新建厂房建筑面积 4 万平方米，工程成本 2000 万元，2021 年年底竣工验收，对该企业征收房产税的房产原值是（　　）万元。

A. 2000　　B. 6400

C. 8000　　D. 8400

14. 某企业 2021 年拥有房产原值共计 9000 万元，其中该企业所属的幼儿园和子弟学校用房原值分别为 300 万元、800 万元，当地政府规定计算房产余值的扣除比例为 25%，该企业 2021 年应缴纳房产税（　　）万元。

A. 71.1　　B. 73.8

C. 78.3　　D. 81

15. 某企业 2021 年年初拥有原值为 2000 万元的房产，2021 年 1 月 1 日将其中的 50% 用于对外投资联营，投资期为 5 年，每年收取固定利润分红 50 万元（不含增值税），不承担投资联营风险。已知当地政府规定计算房产余值的扣除比例为 30%，该企业 2021 年度应纳房产税（　　）万元。

A. 20　　B. 14.4

C. 30　　D. 16.8

16. 某企业 2021 年 2 月委托一施工单位新建厂房，9 月对建成的厂房办理验收手续，同时接管基建工地上价值 100 万元的材料棚，一并转入企业的固定资产，厂房和材料棚入账原值合计 1100 万元。该企业所在省规定计算房产余值的扣除比例为 30%。2021 年该企业上述房产应缴纳房产税（　　）万元。

A. 2.1　　B. 2.31

C. 2.8　　D. 3.08

17. 某工业企业（一般纳税人）2021 年 2 月自建的厂房竣工并投入使用。该厂房的原值为 6000 万元（包括与地上厂房相连的地下储藏室 600 万元）。当地规定房产原值的减除比例为 30%，工业用途地下建筑物应税原值为房产原值的 60%。该企业 2021 年应缴纳房产税（　　）万元。

A. 40.32　　B. 42

C. 44.35　　D. 46.20

18. 小王为偿还欠小李的 10000 元借款，把自己的房屋提供给小李免费住一年，当地同类房屋的租金水平为 15000 元（不含增值税），则下列说法正确的是（　　）。

A. 此行为免征房产税

B. 小王以 10000 元作为计税依据缴纳房产税

C. 小王应按房产余值缴纳房产税

D. 小王应按 15000 元作为计税依据缴纳房产税

19. 下列关于房产税申报和缴纳的说法错误的是（　　）。

A. 房产税实行按年征收，分期缴纳

B. 纳税期限由省、自治区、直辖市、计划单列市税务机关规定

C. 如果纳税人住址发生变更、产权发生转移等引起房产原值发生变化或租金收入变化的，都要按规定及时向税务机关办理变更登记

D. 房产不在同一地方的纳税人，应按房产的坐落地点分别向房产所在地的税务机关缴纳房产税

20. 某企业 2021 年年初拥有 A、B 两栋房产，A 栋自用，B 栋出租，每月收取租金 10 万元（不含增值税）。A、B 两栋房产的原值分别为 1200 万元和 1000 万元，2021 年 4 月底 B 栋房产租赁到期，自 2021 年 5 月 1 日起，该企业由 A 栋搬至 B 栋办公，同时对 A 栋房产开始进行停用大修至年底完工。已知当地政府规定按房产原值减除 20% 的余值计算缴纳房产税。该企业当年应缴纳房产税（　　）万元。

A. 15.04　　B. 16.32

C. 18.24　　D. 22.72

21. 某企业 2021 年年初拥有一原值为 2000 万元的店面，当年 6 月末，该企业决定将此店面出租给王某，与王某签订了租期为三年的租赁协议，协议约定第一年免收租金。当地省政府规定房产计税余值扣除比例为 30%。已知 6 月底该企业已将店面交付给王某，则下列关于该企业 2021 年涉及房产税的处理正确的是（　　）。

A. 该企业无须缴纳房产税

B. 该企业应按当地同类房产租金水平缴纳房产税

C. 该企业应缴纳房产税 16.8 万元

D. 该企业应缴纳房产税 8.4 万元

二、多项选择题

1. 下列关于房产税纳税义务发生时间的说法，正确的有（　　）。
   A. 购置存量房，自房地产权属登记机关签发房屋权属证书之次月起计征房产税
   B. 委托施工企业建设的房屋，从办理验收手续之日的次月起计征房产税
   C. 房地产开发企业自用本企业建造的商品房，自房屋使用之次月起计征房产税
   D. 将原有房产用于生产经营，从生产经营之次月起计征房产税
   E. 购置新建商品房，自房地产权属登记机关签发房屋权属证书之次月起计征房产税

2. 根据房产税纳税义务发生时间的规定，下列说法正确的有（　　）。
   A. 购置新建商品房，自房屋交付使用之次月起计征房产税
   B. 纳税人自行新建房屋用于生产经营，从建成之月起，缴纳房产税
   C. 纳税人将原有房产用于生产经营，从生产经营之次月起，缴纳房产税
   D. 房地产开发企业自用、出租、出借本企业建造的商品房，自房屋使用或交付之次月起计征房产税
   E. 购置存量房，自办理房屋权属转移、变更登记手续，房地产权属登记机关签发房屋权属证书之月起计征房产税

3. 关于融资租赁房产的房产税处理，下列说法正确的有（　　）。
   A. 由承租人在合同约定开始日的次月起，按照房产余值缴纳房产税
   B. 由出租人在合同约定开始日的次月起，按照房产余值缴纳房产税
   C. 合同未约定开始日的，由承租人在合同签订的次月起依照房产余值缴纳房产税
   D. 合同未约定开始日的，由出租人在合同签订的当月起依照房产余值缴纳房产税
   E. 合同未约定开始日的，由承租人在合同签订的当月起依照房产余值缴纳房产税

4. 下列关于房产税纳税人的说法中，正确的有（　　）。
   A. 产权属于国家所有的，由经营管理单位缴纳房产税
   B. 产权所有人不在房屋所在地的，由房产代管人或者使用人缴纳房产税
   C. 拥有应税房产的外商投资企业属于房产税的纳税人
   D. 产权属于集体所有的，不需要缴纳房产税
   E. 产权出典的，由出典人缴纳房产税

5. 下列情形中，应由房产代管人或者使用人缴纳房产税的有（　　）。
   A. 房屋产权未确定的
   B. 房屋租典纠纷未解决的
   C. 房屋承典人不在房屋所在地的
   D. 房屋产权所有人不在房屋所在地的
   E. 房屋产权归国家所有的

6. 下列房产中，暂免征收房产税的有（　　）。
   A. 房管部门按政府规定价格向居民出租的公有住房
   B. 文化体育单位出租的办公楼
   C. 企业按政府规定价格向职工出租的单位自有住房
   D. 个人对外出租的自有住房
   E. 个人在工矿区经营的旅店用房

7. 下列各项中，关于房产税的减免税优惠表述正确的有（　　）。
   A. 企业尚在使用的毁损不堪居住的房屋和危险房屋，免征房产税
   B. 军队空余房产租赁收入暂免征收房产税
   C. 名胜古迹自用的房产免征房产税
   D. 应税房产大修停用的，在大修期间一律免征房产税
   E. 按政府规定价格出租的公有住房和廉租住房，暂免征收房产税

8. 下列各项中，符合房产税纳税义务发生时间规定的有（　　）。
   A. 购置新建商品房，自房屋交付使用之次月起计征房产税
   B. 自建房屋用于生产经营，自建成之月起计征房产税
   C. 委托施工企业建设的房屋，从办理验收手续之月起计征房产税
   D. 将原有房产用于生产经营，从生产经营之月起计征房产税
   E. 出租、出借房产，自交付出租、出借房产之次月起计征房产税

9. 下列各项中，符合房产税纳税义务人规定的有（　　）。
   A. 产权属于集体和个人所有的，由集体单位和个人缴纳房产税
   B. 房屋产权出典的，由出典人缴纳房产税
   C. 房屋租典纠纷未解决的，由房产代管人或使用人缴纳房产税
   D. 房屋产权属于国家所有的，不缴纳房产税
   E. 居民住宅区内业主共有的经营性房产，由实际经营的代管人或使用人缴纳房产税

10. 下列房产中，在计算房产税时，适用4%税率的有（　　）。
   A. 个人经营自用的房屋
   B. 个人按市价出租给其他居民个人的住房
   C. 企业按市价出租给个人的住房
   D. 个人按市价出租给企业的住房
   E. 企业按市价出租的商铺

11. 下列房产中，应当免征或暂免征收房产税的有（　　）。
   A. 企业承典的房产
   B. 房管部门按政府规定价格向居民出租的公有住房
   C. 城市居民所有的自住用房
   D. 养老院自用的房产
   E. 企业办的幼儿园用房

12. 下列房产中，不征或免征房产税的有（　　）。
   A. 城市居民出租的房产
   B. 城市居民对外投资联营的房产
   C. 城市居民所有的自住用房
   D. 城市居民拥有的营业用房
   E. 个人在农村拥有的住房

13. 下列关于房产税现行税收优惠的表述中，正确的有（　　）。
   A. 对农产品批发市场专门用于经营农产品的房产，免征房产税
   B. 为社区提供养老服务的房产，免征房产税
   C. 从事大型客机研制项目自用的办公房产，免征房产税
   D. “三北”地区供热企业为居民供热所使用的厂房，免征房产税
   E. 饮水工程运营管理单位对外出租的房产，免征房产税

14. 甲企业有两处经营性房产A和B，每栋的房产原值均为1000万元，2021年7月1日起将A栋房屋对外出租给乙企业，租期为5年，年租金100万元（不

含增值税，下同），但合同约定前6个月为免收租金期间。2021年7月1日起将B栋房屋对外出租给丙企业，租期5年，年租金100万元。当地政府规定计算房产余值的扣除比例为30%。2021年各企业应缴纳房产税说法正确的有（　　）。

A. 甲企业出租A栋房屋，2021年下半年的房产税纳税人是甲企业

B. 甲企业出租A栋房屋，2021年下半年的房产税纳税人是乙企业

C. 甲企业2021年B栋房屋应纳房产税10.2万元

D. 丙企业2021年应纳房产税10.2万元

E. 甲企业出租B栋房屋，纳税人是丙企业

15. 某市A公司用于出租的库房有三栋，其房产原值总计为1600万元，2020年1月1日开始用于出租，租赁合同中注明年租金收入为300万元（不含增值税）。年底合同到期，公司派代表与客户进行友好协商，2021年继续利用其中两个库房为客户存放商品，但将租赁合同改为仓储合同，提供仓储服务的收入为200万元，另一个库房自用，已知该省政府规定计算房产余值的扣除比例为30%。则下列说法正确的有（　　）。

A. 2020年A公司出租库房应缴纳房产税36万元

B. 2020年A公司出租库房应缴纳房产税13.44万元

C. 2021年A公司应纳房产税49.44万元

D. 2021年A公司应纳房产税13.44万元

E. 两年合同A公司共缴纳印花税0.5万元

16. 下列关于房产税纳税义务发生时间的说法，正确的有（　　）。

A. 自建的房屋用于生产经营的，自建成之日当月起计征房产税

B. 出租、出借房产，自交付出租、出借房产当月起计征房产税

C. 购置新建商品房，自房屋交付使用之次月起计征房产税

D. 对于在办理验收手续前已使用的新建房屋，从使用当月起计征房产税

E. 房地产开发企业自用本企业建造的商品房，自房屋使用之次月起计征房产税

三、计算题

2021年年初甲企业自有房产14栋，原值共计13500万元，具体使用情况如下：

（1）3栋房产在2020年年初已经被有关部门认定为危险房屋，2021年4月1日起停止使用，房产原值共计2000万元。

（2）8栋房产用于企业生产经营活动，房产原值共计10000万元。

（3）1栋房产用于职工学校和托儿所，房产原值500万元。

（4）2栋原值均为500万元的房产自2021年1月1日起用于对外投资，不承担联营风险，每栋按月收取固定收入10万元（不含增值税）。由于特殊情况，2021年5月1日收回1栋进行大修理，大修理时间为7个月。大修理后该房产原值由500万元上升为1000万元，12月1日作为厂房投入本企业使用。

（5）2021年6月20日签订合同以融资租赁的方式租入一栋房产，原值1000万元，租赁期15年，租入当月投入使用。

（其他相关资料：当地政府规定计算房产余值的扣除比例为20%）

要求：根据上述资料，回答下列问题。

1. 2021年甲企业3栋危房应缴纳房产税（　　）万元。

A. 3.6　　B. 4.8

C. 9.6　　D. 19.2

2. 2021年甲企业第（4）笔业务中2栋房产共计应缴纳房产税（　　）万元。

A. 14.4　　B. 19.2

C. 20　　D. 20.4

3. 2021年甲企业融资租入的房产应缴纳房产税（　　）万元。

A. 4.8　　B. 5.6

C. 7.2　　D. 8.4

4. 2021年甲企业共计应缴纳房产税（　　）万元。

A. 125.6　　B. 130.4

C. 128.4　　D. 133.2

同步强化练习题参考答案及解析

使用“会计云课堂”App或“微信”扫码对答案、看解析、掌握解题思路，开启轻松过关之旅。

一、单项选择题

1. D　【解析】选项A：房屋产权出典的，由承典人缴纳房产税；选项B：房屋产权未确定的，由代管人或使用人缴纳房产税；选项C：房屋产权属于国家所有的，由经营管理单位缴纳房产税。

2. C　【解析】选项A：房屋产权出典的，由承典人纳税；选项B：房屋出租的，由出租人纳税；选项D：对以房产投资，收取固定收入，不承担联营风险的，由出租方（投资方）按租金收入计算缴纳房产税。

3. C　【解析】独立于房屋之外的建筑物，如围墙、烟囱、水塔、变电塔、油池油柜、酒窖菜窖、酒精池、糖蜜池、室外游泳池、玻璃暖房、砖瓦石灰窑以及各种油气罐等，不属于房产税的征税对象。

4. C　【解析】选项A：对个人所有的非营业用房给予免税；选项B：公园内附设的营业单位所使用的房产，应缴纳房产税；选项D：毁损不堪居住的房屋和危险房屋，经有关部门鉴定，在停止使用后，才免征房产税。

5. C　【解析】对企事业单位、社会团体以及其他组织向个人、专业化规模化住房租赁企业出租住房的，减按4%的税率征收房产税。

6. B　【解析】选项 A：人民法院的办公用房属于免税房产；选项 C：个人在市区拥有的自己居住用房免征房产税；选项 D：房产税在城市、县城、建制镇、工矿区范围内征收，不包括农村。

7. D　【解析】为了维持和增加房屋的使用功能或使房屋满足设计要求，凡以房屋为载体，不可随意移动的附属设备和配套设施，无论在会计核算中是否单独记账与核算，都应计入房产原值，计征房产税。

8. B　【解析】该企业 2021 年应缴纳房产税＝80×12%＋12000×（1－20%）×1.2%＋20×12%＋5×4%＋1000×（1－20%）×1.2%÷12×3＋5×9×12%＝135.2（万元）。

9. B　【解析】委托施工企业建设的房屋，从办理验收手续之次月起，计征房产税；办理验收手续前已使用的，从使用当月起计征房产税。以房产投资联营，收取固定收入，不承担联营风险的，实际是以联营名义取得房产租金，由出租方按租金收入计算缴纳房产税。2021 年该企业应缴纳房产税＝（500－100）×（1－30%）×1.2%×3÷12＋100×（1－30%）×1.2%×5÷12＋300×（1－30%）×1.2%×9÷12＋10×12%＋1000×（1－30%）×1.2%×2÷12＝5.68（万元）。

情形	纳税义务发生时间
委托施工企业建设的房屋	从办理验收手续之日的次月起（办理验收手续前已使用或出租、出借的新建房屋，应从使用或出租、出借的当月起）
购置新建商品房	自房屋交付使用之次月起
购置存量房	自办理房屋权属转移、变更登记手续，房地产权属登记机关签发房屋权属证书之次月起

10. A　【解析】该企业上述房产应缴纳房产税＝80×70%×（1－30%）×1.2%×10000×10/12＝3920（元）。

11. C　【解析】对出租房产，租赁双方签订的租赁合同约定有免收租金期限的，免收租金期间由产权所有人按照房产余值缴纳房产税。

从价计征房产税＝8000×（1－30%）×1.2%×1/2＋（8000－500）×（1－30%）×1.2%×1/2＝33.6＋31.5＝65.1（万元）。

从租计征房产税＝2×6×12%＝1.44（万元）。

甲公司 2021 年度应缴纳的房产税＝65.1＋1.44＝66.54（万元）。

12. D　【解析】根据规定，宗地容积率低于 0.5 的，即“大地小房”，按房产建筑面积的 2 倍计算土地面积并据此确定计入房产原值的地价。对宗地容积率大于 0.5 的，无论会计上如何核算，房产原值均应包含地价，即将全部地价计入房产原值。该题容积率＝60000/100000＝0.6>0.5。房产原值包括地价款和开发土地发生的成本费用。该企业征收房产税的房产原值＝8000+2000＝10000（万元）。

13. D 【解析】容积率=40000÷100000=0.4<0.5，应按房产建筑面积的2倍计算土地面积并据此确定计入房产原值的地价。该企业征收房产税的房产原值=8000/10×4×2+2000=8400（万元）。

14. A 【解析】该企业2021年应缴纳的房产税=（9000-300-800）×（1-25%）×1.2%=71.1（万元）。

15. B 【解析】该企业2021年应缴纳房产税=2000×50%×（1-30%）×1.2%+50×12%=14.4（万元）。

16. B 【解析】2021年该企业应缴纳房产税=1100×（1-30%）×1.2%×3÷12=2.31（万元）。

17. B 【解析】对于与地上房屋相连的地下建筑，应将地下部分与地上房屋视为一个整体，按照地上房屋建筑的有关规定计算征收房产税。应缴纳的房产税=6000×（1-30%）×1.2%/12×10=42（万元）。

18. D 【解析】对以劳务或其他形式作为报酬抵付房租收入的，应根据当地同类房屋的租金水平，确定租金标准，依率计征房产税，所以选项D正确。

19. B 【解析】纳税期限由省、自治区、直辖市人民政府规定。

20. A 【解析】该企业当年应纳的房产税=1200×（1-20%）×1.2%×4÷12+1000×（1-20%）×1.2%×8÷12+10×12%×4=15.04（万元）。

21. C 【解析】对于出租房产，租赁双方签订的租赁合同约定有免收租金期限的，免收租金期间的房产税应该由产权所有人按照房产余值缴纳。该企业2021年应缴纳房产税=2000×（1-30%）×1.2%=16.8（万元）。

二、多项选择题

1. ABC 【解析】选项D：将原有房产用于生产经营，从生产经营“之月”起，计征房产税；选项E：购置新建商品房，自房屋交付使用之次月起计征房产税。

2. AD 【解析】选项B：纳税人自行新建房屋用于生产经营，自建成之日的次月起，计征房产税；选项C：纳税人将原有房产用于生产经营，从生产经营之月起，缴纳房产税；选项E：购置存量房，自办理房屋权属转移、变更登记手续，房地产权属登记机关签发房屋权属证书之次月起计征房产税。

3. AC 【解析】判断性题目。其中选项A和选项B是冲突性选项，选项C和选项D、选项E三项也是冲突性选项，所以只能有两个正确答案。融资租赁的房产，由承租人自融资租赁合同约定开始日的次月起依照房产余值缴纳房产税；合同未约定开始日的，由承租人自合同签订的次月起依照房产余值缴纳房产税。

4. ABC　【解析】选项A：产权属于国家所有的，由经营管理单位缴纳房产税；选项B：产权所有人不在房屋所在地的，由房产代管人或使用人缴纳房产税；选项C：外商投资企业、外国企业和组织以及外籍个人，依照《中华人民共和国房产税暂行条例》缴纳房产税；选项D：产权属于集体所有的，由集体单位缴纳房产税；选项E：产权出典的，由承典人缴纳房产税。

5. ABCD　【解析】产权所有人、承典人不在房屋所在地的，或者产权未确定及租典纠纷未解决的，由房产代管人或使用人纳税。产权属于国家所有的，由经营管理单位纳税。

6. AC　【解析】选项BDE均属于应征收房产税的房产。

7. BCE　【解析】选项A：经有关部门鉴定毁损不堪居住的房屋和危险房屋，在停止使用后，免征房产税；选项D：应税房产因大修连续停用半年以上的，在大修期间免征房产税。

8. ADE　【解析】选项B：自建房屋用于生产经营，应自建成之日的次月起计征房产税。选项C：委托施工企业建设的房屋，应从办理验收手续之次月起计征房产税；对于在办理验收手续前已使用或出租、出借的新建房屋，应从使用或出租、出借的当月起按规定计征房产税。

9. ACE　【解析】选项B：房屋产权出典的，由承典人缴纳房产税；选项D：房屋产权属于国家所有的，由经营管理单位缴纳房产税。

10. BCD　【解析】选项A：个人经营自用的房屋适用税率为1.2%。选项BD：个人出租的住房，无论是民用还是商用目的，房产税的税率都是4%。选项CE：对企事业单位、社会团体以及其他组织向个人、专业化规模化住房租赁企业出租住房的，房产税的税率是4%；企业出租的商铺，适用正常从租计征的税率12%。

11. BCDE　【解析】选项A：房屋产权出典的，由承典人缴纳房产税。

12. CE　【解析】选项ACD：个人拥有的居住用房免税，营业用房或出租等非自用的房产要缴纳房产税。选项B：城市居民对外投资联营的房产，属于经营性用房，投资者参与投资利润分红、共担风险的，由被投资方缴纳房产税；投资方不承担经营风险，只收取固定收入的，由投资方缴纳房产税。选项E：农村的房屋不属于房产税的征税范围。

13. ABCD　【解析】选项E：为支持农村饮水安全工程（简称“饮水工程”）巩固提升，自2019年1月1日至2023年12月31日，对饮水工程运营管理单位自用的生产、办公用房产，免征房产税。对外出租的房产具有经营性质，不享受免税优惠。

14. AC　【解析】对出租房产，租赁双方签订的租赁合同约定有免收租金期限的，免收租金期间由产权所有人按照房产余值缴纳房产税。A栋房屋出租，虽然7

月至 12 月为免租期，但仍需纳税，纳税人是甲企业，免收租金期间从价计征房产税，1 月至 6 月也是从价计征，那 1 月至 12 月全年是按从价来计算缴纳房产税，2021 年该企业 A 栋房屋应缴纳房产税 = 1000×（1-30%）×1.2% = 8.4（万元）。B 栋房屋，1 月至 6 月从价计征房产税，2021 年甲企业 B 栋房屋从价计征房产税 = 1000×（1-30%）×1.2%÷2 = 4.2（万元）；7 月至 12 月从租计征房产税，应该由出租方甲企业计算缴纳房产税，2021 年甲企业 B 栋房屋从租计征房产税 = 100×12%÷2 = 6（万元）。2021 年甲企业 B 栋房屋应缴纳房产税 = 4.2+6 = 10.2（万元）。

15. ADE | 【解析】出租房产应从租计征房产税，2020 年 A 公司应纳房产税 = 300×12% = 36（万元）；仓储库房、经营自用的房产从价计征房产税，2021 年 A 公司应纳房产税 = 1600×（1-30%）×1.2% = 13.44（万元）。仓储合同和租赁合同的印花税税率都是 1‰，两年合同 A 公司共计缴纳印花税 = 300×1‰+200×1‰ = 0.5（万元）。

16. CDE | 【解析】选项 A：纳税人自行新建房屋用于生产经营，从建成之次月起缴纳房产税。选项 B：纳税人出租、出借房产，自交付出租、出借房产之次月起，缴纳房产税。

三、计算题

1. B | 【解析】2021 年甲企业 3 栋危房应缴纳的房产税 = 2000×（1-20%）×1.2%×3÷12 = 4.8（万元）。

2. C | 【解析】2021 年甲企业第（4）笔业务中 2 栋房产共计应缴纳的房产税 =（10×12+10×4）×12%+1000×（1-20%）×1.2%÷12 = 20（万元）。

3. A | 【解析】2021 年甲企业融资租入的房产应缴纳的房产税 = 1000×（1-20%）×1.2%×6÷12 = 4.8（万元）。

4. A | 【解析】2021 年甲企业共计应缴纳的房产税 = 4.8 + 10000×（1 - 20%）×1.2%+20+4.8 = 125.6（万元）。

第六章　车船税

本章学习指南

一、考情概况

本章属于税法（Ⅱ）非重点章节。根据历年考试情况，以单项选择题、多项选择题考核的形式为主，高频考点主要集中在税收优惠和应纳税额的计算上。本章可以和房产税、城镇土地使用税、印花税结合考查计算题，也可以与企业所得税结合出综合分析题。2022 年本章分值预计为 5 分左右。

二、2022 年教材主要变化

本章今年无实质性变化。

三、基本结构框架

- 第六章 车船税
  - 概述
    - 车船税概念和立法原则 ★
  - 征税范围、纳税人和适用税率
    - 车船税的征税范围 ★★
    - 车船税的纳税人 ★★
    - 车船税税目、税率 ★★★
  - 减免税优惠
    - 减免税的基本规定 ★★
    - 减免税的特殊规定 ★★
    - 节能、新能源车船的优惠 ★★★
  - 应纳税额的计算与代收代缴
    - 车船税应纳税额的计算方法 ★★★
    - 保险机构的代收代缴 ★
    - 交通运输部门海事管理机构代为征收船舶车船税规定 ★
  - 征收管理
    - 车船税的纳税期限 ★★
    - 车船税的纳税地点 ★★
    - 车船税的税源管理 ★★
    - 车船税的申报缴纳 ★★
    - 其他管理规定 ★★

本章核心考点精讲

查看本章视频，快速 GET 知识点，使用“会计云课堂”App 或“微信”扫码。

01 概述

（一）车船税的概念（★）

车船税是对在中华人民共和国境内属于《中华人民共和国车船税法》中《车船税税目税额表》所规定的车辆、船舶（简称“车船”）的所有人或者管理人征收的一种税。

（二）车船税的立法原则（★）

1. 筹集地方财政资金，支持交通运输事业发展。
2. 加强对车船使用的管理，促进车船的合理配置。
3. 调节财富分配，体现社会公平。

02 征税范围、纳税人和适用税额

（一）征税对象及范围（★★）

1. 车船税的征税范围是指在中华人民共和国境内属于《车船税法》所附《车船税税目税额表》规定的车辆、船舶。车辆、船舶，是指：

（1）依法应当在车船登记管理部门登记的机动车辆和船舶；

（2）依法不需要在车船登记管理部门登记的在单位内部场所行驶或者作业的机动车辆和船舶。

2. 境内单位和个人租入外国籍船舶的，不征收车船税。境内单位和个人将船舶出租到境外的，应依法征收车船税。

（二）纳税人（★★）

在中华人民共和国境内属于《车船税法》所附《车船税税目税额表》规定的车辆、船舶的所有人或者管理人，为车船税的纳税人，应当依照《车船税法》缴纳车船税。

【解释】所称“管理人”是指对车船具有管理权或者使用权，不具有所有权的单位和个人。

考点提示

从事机动车第三者责任强制保险业务的保险机构为机动车车船税的扣缴义务人，应当在收取保险费时依法代收车船税，并出具代收税款凭证。

（三）税目、税额（★★★）

车船税税目税额表

税目		计税单位	年基准税额（元）	备注
乘用车［按发动机汽缸容量（排气量）分档］	1.0 升（含）以下的	每辆	60~360	核定载客人数 9 人（含）以下
	1.0 升以上至 1.6 升（含）的		300~540	
	1.6 升以上至 2.0 升（含）的		360~660	
	2.0 升以上至 2.5 升（含）的		660~1200	
	2.5 升以上至 3.0 升（含）的		1200~2400	
	3.0 升以上至 4.0 升（含）的		2400~3600	
	4.0 升以上的		3600~5400	
商用车	客车	每辆	480~1440	核定载客人数 9 人以上（包括电车）
	货车	整备质量每吨	16~120	包括半挂牵引车、三轮汽车和低速载货汽车等
挂车		整备质量每吨	——	按照货车税额的 50% 计算
其他车辆	专用作业车	整备质量每吨	16~120	不包括拖拉机
	轮式专用机械车	整备质量每吨	16~120	
摩托车		每辆	36~180	——
船舶	机动船舶	净吨位每吨	3~6	拖船、非机动驳船分别按照机动船舶税额的 50% 计算
	游艇	艇身长度每米	600~2000	

1. 车船税计税单位包括“每辆”“整备质量每吨”“净吨位每吨”“艇身长度每米”。

2. 拖船按照发动机功率每 1 千瓦折合净吨位 0.67 吨计算征收车船税。

3.《车船税法》及其实施条例涉及的整备质量、净吨位、艇身长度等计税单位，有尾数的一律按照含尾数的计税单位据实计算车船税应纳税额。计算得出的应纳税额小数点后超过两位的可四舍五入保留两位小数。

4.《车船税法》及其实施条例所涉及的排气量、整备质量、核定载客人数、净吨位、千瓦、艇身长度，以车船管理部门核发的车船登记证书或者行驶证所载数据为准。

经典题解

【例题 1·单选题】下列关于车船税的说法，正确的是（　　）。（2017 年）

A. 拖船按机动船舶税额的 70%计算车船税

B. 挂车按照货车税额的 50%计算车船税

C. 非机动驳船按照机动船舶税额的 60%计算车船税

D. 车辆整备质量尾数在 0.5 吨以下的不计算车船税

【解析】选项 AC：拖船、非机动驳船分别按照机动船舶税额的 50%计算车船税。选项 D：《车船税法》及其实施条例涉及的整备质量、净吨位、艇身长度等计税单位，有尾数的一律按照含尾数的计税单位据实计算车船税应纳税额。

【答案】B

【例题 2·单选题】下列关于车船税计税单位确认的表述中，正确的是（　　）。

A. 摩托车按“排气量”作为计税单位

B. 游艇按“净吨位每吨”作为计税单位

C. 专用作业车按“整备质量每吨”作为计税单位

D. 商用货车按“每辆”作为计税单位

【解析】选项 A：摩托车按照“每辆”作为计税单位；选项 B：游艇按照“艇身长度每米”作为计税单位；选项 D：商用货车按照“整备质量每吨”作为计税单位。

【答案】C

【例题 3·多选题】下列应税车辆中，以“整备质量每吨”作为车船税计税单位的有（　　）。（2019 年）

A. 挂车

B. 商用货车

C. 商用客车

D. 乘用车

E. 专用作业车

【解析】选项 CD：以“每辆”作为车船税计税单位。

【答案】ABE

【例题 4·多选题】下列应税车辆中，以“每辆”作为计税单位的有（　　）。

A. 小轿车

B. 摩托车

C. 微型商用客车

D. 半挂牵引车

E. 挂车

【解析】选项 DE：半挂牵引车、挂车均按照“整备质量每吨”作为计税单位。

【答案】ABC

【例题 5·多选题】下列应税车辆中，应以“整备质量每吨”作为计税单位的有（　　）。

A. 载客电车

B. 摩托车

C. 三轮汽车

D. 挂车

E. 载客汽车

【解析】在车船税税目中，货车（包括半挂牵引车、三轮汽车和低速载货汽车等）、挂车、专用作业车、轮式专用机械车是以“整备质量每吨”作为计税单位的。

【答案】CD

03 税收优惠

（一）减免税基本规定（★★）

1. 捕捞、养殖渔船免征车船税。

2. 军队、武装警察部队专用的车船免征车船税。

3. 警用车船免征车船税。

4. 悬挂应急救援专用号牌的国家综合性消防救援车辆和国家综合性消防救援专用船舶免征车船税。

5. 对依照法律规定应当予以免税的外国驻华使领馆、国际组织驻华代表机构及其有关人员的车船免征车船税。

6. 对节约能源、使用新能源的车船可以减征或者免征车船税。

7. 对受严重自然灾害影响纳税困难以及有其他特殊原因确需减税、免税的，可以减征或者免征车船税。

8. 省、自治区、直辖市人民政府根据当地实际情况，可以对公共交通车船，农村居民拥有并主要在农村地区使用的摩托车、三轮汽车和低速载货汽车定期减征或者免征车船税。

经典题解

【例题6·单选题】下列车辆，应缴纳车船税的是（　　）。（2018年）

A. 挂车

B. 插电式混合动力汽车

C. 国际组织驻华代表机构使用的车辆

D. 武装警察部队专用的车辆

【解析】选项A：挂车按照货车税额的50%计算车船税；选项BCD：免征车船税。

【答案】A

【例题7·多选题】省级人民政府可根据当地实际情况给予定期减征或者免征车船税的车船有（　　）。（2014年考题改编）

A. 捕捞渔船　　B. 公共交通车船

C. 摩托车　　D. 军队专用的车船

E. 农村居民拥有并主要在农村使用的三轮汽车

【解析】省、自治区、直辖市人民政府根据当地实际情况，可以对公共交通车船，农村居民拥有并主要在农村地区使用的摩托车、三轮汽车和低速载货汽车定期减征或免征车船税。

【答案】BE

（二）减免税特殊规定（★★）

1. 经批准临时入境的外国车船和香港特别行政区、澳门特别行政区、台湾地区的车船，不征收车船税。

2. 按照规定缴纳船舶吨税的机动船舶，自《车船税法》实施之日起5年内免征车船税。

3. 机场、港口内部行驶或作业的车船，自《车船税法》实施之日起5年内免征车船税。

4. 国家综合性消防救援车辆由部队号牌改挂应急救援专用号牌的，一次性免征改挂当年车船税。

（三）节能、新能源车船减免（★★★）

优惠项目	标准要求
对节能汽车，减半征收车船税	（1）减半征收车船税的节能乘用车应同时符合以下标准： ①获得许可在中国境内销售的排量为1.6升以下（含1.6升）的燃用汽油、柴油的乘用车（含非插电式混合动力、双燃料和两用燃料乘用车） ②综合工况燃料消耗量应符合标准 （2）减半征收车船税的节能商用车应同时符合以下标准： ①获得许可在中国境内销售的燃用天然气、汽油、柴油的轻型和重型商用车（含非插电式混合动力、双燃料和两用燃料轻型和重型商用车） ②燃用汽油、柴油的轻型和重型商用车综合工况燃料消耗量应符合标准
对新能源车船，免征车船税	（1）免征车船税的新能源汽车是指纯电动商用车、插电式（含增程式）混合动力汽车、燃料电池商用车 【考点提示】纯电动乘用车和燃料电池乘用车不属于车船税征税范围，对其不征车船税 （2）免征车船税的新能源汽车应同时符合以下标准： ①获得许可在中国境内销售的纯电动商用车、插电式（含增程式）混合动力汽车、燃料电池商用车 ②符合新能源汽车产品技术标准 ③通过新能源汽车专项检测，符合新能源汽车标准 ④新能源汽车生产企业或进口新能源汽车经销商在产品质量保证、产品一致性、售后服务、安全监测、动力电池回收利用等方面符合相关要求 （3）免征车船税的新能源船舶应符合以下标准： 船舶的主推进动力装置为纯天然气发动机。发动机采用微量柴油引燃方式且引燃油热值占全部燃料总热值的比例不超过5%的，视同纯天然气发动机

经典题解

【例题8·单选题】下列车辆中，可免征车船税的是（　　）。（2019年）

A. 电车　　B. 客货两用车

C. 半挂牵引车　　D. 纯电动商用车

【解析】免征车船税的新能源汽车是指纯电动商用车（选项 D）、插电式（含增程式）混合动力汽车、燃料电池商用车。

【答案】D

【例题 9 · 单选题】下列说法中，不符合车船税相关规定的是（　　）。（2013 年）

A. 捕捞渔船免征车船税　　B. 警用车船免征车船税

C. 插电式混合动力汽车减半征收车船税　　D. 国际组织驻华代表机构车辆免征车船税

【解析】对纯电动商用车、插电式（含增程式）混合动力汽车、燃料电池商用车免征车船税。

【答案】C

【例题 10 · 单选题】免征车船税的新能源船舶，应符合的标准是（　　）。（2020 年）

A. 船舶的主推进动力装置为燃料电池装置

B. 船舶的主推进动力装置为纯电力发动机

C. 船舶的主推进动力装置为混合动力装置

D. 船舶的主推进动力装置为纯天然气发动机

【答案】D

【例题 11 · 多选题】下列车船，免征车船税的有（　　）。（2016 年）

A. 警用车辆　　B. 纯电动商用车

C. 救护车　　D. 捕捞、养殖渔船

E. 财政拨款事业单位的办公用车

【答案】ABD

【例题 12 · 多选题】下列车辆，免征车船税的有（　　）。（2020 年）

A. 燃用汽油乘用车　　B. 插电式混合动力汽车

C. 燃料电池商用车　　D. 燃用柴油重型商务车

E. 纯电动商用车

【答案】BCE

04 应纳税额的计算与代收代缴

（一）应纳税额的计算（★★★）

1. 购置新车船的税额计算

购置的新车船，购置当年的应纳税额自纳税义务发生的当月起按月计算。计算公式为：

$$应纳税额=年应纳税额\times\frac{应纳税月份数}{12}$$

经典题解

【例题 13 · 单选题】某运输企业 2021 年年初拥有小轿车 5 辆，2021 年 3 月外购货车 12

辆（整备质量为 10 吨/辆）并于当月办理登记手续。假设货车年税额为整备质量每吨 50 元，小轿车年税额为每辆 500 元，该运输企业 2021 年应缴纳车船税（　　）元。（2018 年）

A. 2500　　　　B. 7000

C. 8500　　　　D. 7500

【解析】 该运输企业 2021 年应缴纳车船税 = 5×500+12×10×50÷12×10 = 7500（元）。

【答案】 D

【例题 14 · 单选题】 某公司 2021 年有如下车辆：货车 5 辆，每辆整备质量 10 吨；7 月份购入挂车 2 辆，每辆整备质量 5 吨，公司所在地政府规定货车年税额 96 元/吨。2021 年该公司应缴纳车船税（　　）元。（2016 年）

A. 4800　　　　B. 5040

C. 5280　　　　D. 5760

【解析】 2021 年该公司应缴纳车船税 = 5×10×96+2×5×96×50%×6/12 = 5040（元）。

【答案】 B

【例题 15 · 单选题】 某运输公司 2021 年有如下运输工具：运输卡车 10 辆，整备质量 12.4 吨/辆；4 月购入乘用车 12 辆，当月办理登记取得车辆行驶证。当地政府规定的乘用车车船税年税额 1000 元/辆，运输卡车车船税年税额 80 元/吨。2021 年度该运输公司应缴纳车船税（　　）元。（2013 年）

A. 18920　　　　B. 19000

C. 21920　　　　D. 22000

【解析】《车船税法》及其实施条例涉及的整备质量、净吨位、艇身长度等计税单位，有尾数的一律按照含尾数的计税单位据实计算车船税应纳税额。2021 年度该运输公司应缴纳的车船税 = 12.4×10×80+12×1000×9/12 = 18920（元）。

【答案】 A

【例题 16 · 单选题】 2021 年年初某船运公司拥有机动船 3 艘，每艘净吨位 2000 吨；拖船 2 艘，发动机功率均为 1000 千瓦。机动船舶车船税年税额为：净吨位超过 200 吨但不超过 2000 吨的，每吨 4 元；净吨位超过 2000 吨但不超过 10000 吨的，每吨 5 元。该船运公司 2021 年应缴纳车船税（　　）元。

A. 26680　　　　B. 27000

C. 28000　　　　D. 32000

【解析】 拖船按照发动机功率每 1 千瓦折合净吨位 0.67 吨计算征收车船税，拖船按照机动船舶税额的 50%计算车船税；机动船应纳车船税 = 3×2000×4 = 24000（元）；拖船应纳车船税 = 1000×0.67×4×50%×2 = 2680（元）。该船运公司 2021 年应缴纳车船税 = 24000+2680 = 26680（元）。

【答案】 A

【例题 17 · 单选题】 2021 年年初某渔业公司拥有捕捞渔船 5 艘，每艘净吨位 190 吨，渔业加工船舶 5 艘，每艘净吨位 400 吨。2021 年 9 月 10 日购置游艇 2 艘，每艘长 22 米；购置养殖渔船 1 艘，净吨位 2000 吨。相关新购船舶当月均得到车船登记管理部门核发的登记证书。机动船舶车船税计税标准为净吨位不超过200吨的，每吨3元；净吨位超过200吨但不超过2000吨的，每吨4元；游艇车船税计税标准为艇身长度超过18米但不超过30米，每米1300元。2021年该渔业公司应缴纳车船税（　　）元。

A. 27066.67　　B. 9600

C. 10400　　D. 90400

【解析】捕捞、养殖渔船免税；购置的新车船，购置当年的应纳税额自纳税义务发生的当月起按月计算。该渔业公司2021年应缴纳车船税 = 5×400×4+2×1300×22×4÷12 = 27066.67（元）。

【答案】A

2. 被盗抢车船的税额计算

（1）在一个纳税年度内，已完税的车船被盗抢、报废、灭失的，纳税人可以凭有关管理机关出具的证明和完税凭证，向纳税所在地的主管税务机关申请退还自被盗抢、报废、灭失月份起至该纳税年度终了期间的税款。

（2）已办理退税的被盗抢车船失而复得的，纳税人应当从公安机关出具相关证明的当月起计算缴纳车船税。

考点提示

当年使用几个月，就缴纳几个月的车船税。

经典题解

【例题18·单选题】某公司2021年2月1日购入一辆载货商用车，当月办理机动车辆权属证书，并办理车船税完税手续。此车整备质量为10吨，每吨年税额96元。该车于6月1日被盗，经公安机关确认后，该公司遂向税务局申请退税，但在办理退税手续后，此车又于9月1日被追回并取得公安机关证明。则该公司就该车2021年实际应缴纳的车船税为（　　）元。

A. 240　　B. 480

C. 640　　D. 880

【解析】购置的新车船，购置当年的应纳税额自纳税义务发生的当月起按月计算；在一个纳税年度内，已完税的车船被盗抢、报废、灭失的，纳税人可以凭有关管理机关出具的证明和完税证明，向纳税所在地的主管税务机关申请退还自被盗抢、报废、灭失月份起至该纳税年度终了期间的税款；已办理退税的被盗抢车船失而复得的，纳税人应当从公安机关出具相关证明的当月起计算缴纳车船税。该公司就该车2021年实际应缴纳的车船税 = 10×96÷12×（4+4）= 640（元）。

【答案】C

3. 已缴纳车船税的车船在同一纳税年度内办理转让过户的，不另纳税，也不退税。

4. 已经缴纳车船税的车船，因质量原因，车船被退回生产企业或者经销商的，纳税人可以向纳税所在地的主管税务机关申请退还自退货月份起至该纳税年度终了期间的税款。退货月份以退货发票所载日期的当月为准。

经典题解

【例题 19·单选题】2021 年 1 月某客运公司购进客车 20 辆，购买当月即投入使用，并取得了购货发票，缴纳了全年车船税，5 月 3 辆客车因质量问题退回厂家，6 月取得退货发票，当地政府规定该型号客车的车船税年税额为 1200 元/辆。该客运公司退货应获得车船税退税（　　）元。（2014 年）

A. 2100　　B. 2400

C. 3000　　D. 3300

【解析】该客运公司应获得车船税退税额 = 3×1200×7÷12 = 2100（元）。

【答案】A

（二）保险机构代收代缴（★）

项目	内容
扣缴义务人	从事机动车第三者责任强制保险业务的保险机构
代收凭证	保险机构在代收车船税时，应当在“交强险”的保险单以及保费发票上注明已收税款的信息，作为代收税款凭证
拒收处理	不能提供完税凭证或者减免税证明，且拒绝扣缴义务人代收代缴车船税的纳税人，扣缴义务人不得出具保单、保险标志和保费发票等，同时报告主管税务机关处理
发票开具	保险机构作为车船税扣缴义务人，代收车船税并开具增值税发票时，应在增值税发票备注栏中注明代收车船税税款信息。具体包括：保险单号、税款所属期（详细至月）、代收车船税金额、滞纳金金额、金额合计等。该增值税发票可作为纳税人缴纳车船税及滞纳金的会计核算原始凭证
其他	（1）纳税人在购买机动车“交强险”时，由扣缴义务人代收代缴车船税的，凭注明已收税款信息的“交强险”保险单，车辆登记地的主管税务机关不再征收该纳税年度的车船税。再次征收的，车辆登记地主管税务机关应予退还 （2）车船税扣缴义务人代收代缴欠缴税款的滞纳金，从各省、自治区、直辖市人民政府规定的申报纳税期限截止日期的次日起计算

（三）委托交通运输部门海事管理机构代为征收船舶车船税（★）

项目	内容
代征范围	在交通运输部直属海事管理机构（简称“海事管理机构”）登记的应税船舶，其车船税由船籍港所在地的税务机关委托当地海事管理机构代征
代征环节	海事管理机构受税务机关委托，在办理船舶登记手续或受理年度船舶登记信息报告时代征船舶车船税

项目	内容
计算方法	（1）船舶按一个年度计算车船税。计算公式为： 年应纳税额=计税单位×年基准税额 （2）购置的新船舶，购置当年的应纳税额自纳税义务发生时间起至该年度终了按月计算。计算公式为： $应纳税额=年应纳税额\times\frac{应纳税月份数}{12}$ 其中，纳税义务发生时间为纳税人取得船舶所有权或管理权的当月，以购买船舶的发票或者其他证明文件所载日期的当月为准
减免管理	税务机关出具减免税证明和完税凭证的船舶，海事管理机构对免税和完税船舶不代征车船税，对减税船舶根据减免税证明规定的实际年应纳税额代征车船税。海事管理机构应记录上述凭证的凭证号和出具该凭证的单位名称，并将上述凭证的复印件存档备查
欠税追缴	对于以前年度未依照《车船税法》及其实施条例的规定缴纳船舶车船税的，海事管理机构应代征欠缴税款，并按规定代加收滞纳金
完税凭证	海事管理机构在代征税款时，应向纳税人开具税务机关提供的完税凭证。完税凭证的管理应当遵守税务机关的相关规定

经典题解

【例题20·单选题】某远洋运输公司2022年4月购进一艘净吨位为10000吨的机动船舶，造船厂开具了销货发票，当月船舶运抵运输公司港口。5月购入一艘净吨位为2000吨的非机动驳船，造船厂开具了销货发票，机动船舶和非机动驳船都在5月投入使用。机动船舶具体适用税额标准：净吨位超过200吨但不超过2000吨的，每吨4元；净吨位超过2000吨但不超过10000吨的，每吨5元。则海事管理机构应代征车船税（　　）元。

A. 26000　　B. 29000　　C. 40166.67　　D. 33333.33

【解析】对于购买的船舶，以购买船舶的发票或者其他证明文件所载日期的当月为纳税义务发生时间。拖船、非机动驳船分别按照机动船舶税额的50%计算车船税。应代征车船税=10000×5×9÷12+2000×4×50%×8÷12=37500+2666.67=40166.67（元）。

【答案】C

05 征收管理

（一）纳税期限（★★）

车船税纳税义务发生时间为取得车船所有权或者管理权的当月，即购买车船的发票或者其他证明文件所载日期的当月。对于在国内购买的机动车，购买日期以《机动车销售统一发票》所载日期为准；对于进口机动车，购买日期以《海关关税专用缴款书》所载日期为准；对于购买的船舶，以购买船舶的发票或者其他证明文件所载日期的当月为准。

（二）纳税地点（★★）

1. 车船税的纳税地点为车船的登记地或者车船税扣缴义务人所在地。

2. 依法不需要办理登记的车船，车船税的纳税地点为车船的所有人或者管理人所在地。

经典题解

【例题 21·单选题】依法需要办理登记的应税车辆，纳税人自行申报缴纳车船税的地点是（　　）。（2019 年）

A. 车辆登记地　　B. 车辆购置地

C. 单位的机构所在地　　D. 个人的经常居住地

【答案】A

（三）税源管理（★★）

1. 税务机关应当按照车船税统一申报表数据指标建立车船税税源数据库。

2. 税务机关、保险机构和代征单位应当在受理纳税人申报或者代收代征车船税时，根据相关法律法规及委托代征协议要求，整理《车船税纳税申报表》《车船税代收代缴报告表》的涉税信息，并及时共享。

3. 税务机关应当积极同相关部门建立联席会议、合作框架等制度，采集以下第三方信息：

（1）保险机构代收车船税车辆的涉税信息；

（2）公安交通管理部门车辆登记信息；

（3）海事部门船舶登记信息；

（4）公共交通管理部门车辆登记信息；

（5）渔业船舶登记管理部门船舶登记信息；

（6）其他相关部门车船涉税信息。

（四）风险管理（★★）

1. 将申报已缴纳车船税车船的排量、整备质量、载客人数、吨位、艇身长度等信息与税源数据库中对应的信息进行比对，防范少征、错征税款风险。

2. 将保险机构、代征单位申报解缴税款与实际入库税款进行比对，防范少征、漏征风险。

3. 将车船税联网征收系统车辆完税信息与本地区车辆完税信息进行比对，防范少征、漏征、重复征税风险等。

（五）申报缴纳（★★）

车船税按年申报，分月计算，一次性缴纳。纳税年度为公历 1 月 1 日至 12 月 31 日。车船税按年申报缴纳。具体申报纳税期限由省、自治区、直辖市人民政府规定。

经典题解

【例题 22 · 多选题】 下列关于车船税征收管理的说法，正确的有（　　）。

A. 依法不需要办理登记的车船，车船税的纳税地点为车船所有人或管理人的所在地

B. 税务机关可以在车船管理部门集中办理车船税征收事宜

C. 购买的船舶，纳税义务发生时间为购买发票或其他证明文件所载日期的当月

D. 车船税按年申报，分月缴纳，纳税年度为公历 1 月 1 日至 12 月 31 日

E. 依法需要办理登记的车船，车船税的纳税地点为车船的登记地或者车船税扣缴义务人所在地

【解析】 选项 D：车船税按年申报，分月计算，一次性缴纳。纳税年度为公历 1 月 1 日至 12 月 31 日。

【答案】 ABCE

【例题 23 · 多选题】 下列关于车船税的税务处理方法，符合车船税法规定的有（　　）。（2014 年）

A. 医院救护车免征车船税

B. 境内单位租入外国籍船舶的，免征车船税

C. 客货两用车依照货车的计税单位和年基准税额计征车船税

D. 依法不需要办理登记的车船，车船税的纳税地点为车船的所有人或管理人所在地

E. 节约能源车辆及新能源车辆，均可以免征车船税

【解析】 选项 A：医院救护车，没有免税优惠；选项 B：境内单位租入外国籍船舶的，不征收车船税；选项 E：对节能汽车减半征收车船税，对新能源汽车免征车船税。

【答案】 CD

本章小结

用“会计云课堂”App 扫码学习

您已成功完成“第六章”的学习，本章共 5 个考点，您都学会了吗？

为了让您对本章有更清晰的理解，加倍巩固。本书作者张泉春老师将通过“电台音频课”的方式，带您回顾重要考点。

名师点拨，高效提分。

※ 欢迎扫码免费学习。

同步强化练习题

使用“会计云课堂”App 或“微信”扫码快速做题、对答案、看解析、掌握解题思路，开启轻松过关之旅。

一、单项选择题

1. 某船舶公司 2021 年年初拥有非机动驳船 4 艘，每艘净吨位 3000 吨；拖船 2 艘，每艘发动机功率 4000 千瓦。机动船舶的车船税计税标准为：净吨位超过 2000 吨但不超过 10000 吨的，年税额为 5 元/吨。该船舶公司 2021 年应缴纳车船税（　　）元。
   A. 10500　　B. 40500
   C. 43400　　D. 70500

2. 关于车船税的纳税期限，下列说法错误的是（　　）。
   A. 车船税纳税义务发生时间为取得车船所有权或者管理权的当月
   B. 对于在国内购买的机动车，购买日期以《机动车销售统一发票》所载日期为准
   C. 对于购买的船舶，以购买船舶的发票或者其他证明文件所载日期的次月为准
   D. 对于进口机动车，购买日期以《海关关税专用缴款书》所载日期为准

3. 某企业拥有的下列车辆中，不属于车船税征税范围中专用作业车的是（　　）。
   A. 消防车　　B. 救护车
   C. 洒水车　　D. 汽车起重机

4. 某交通运输企业 2021 年年初拥有整备质量为 5 吨的载货汽车 20 辆，整备质量为 4 吨的挂车 10 辆，整备质量为 2.5 吨的货车 5 辆，该企业所在地载货汽车车船税年税额为整备质量每吨 20 元。该交通运输企业当年应缴纳车船税（　　）元。
   A. 2650　　B. 3460
   C. 3550　　D. 3700

5. 纳税人新购置应税车辆使用的，其车船税的纳税义务发生时间为（　　）。
   A. 取得车辆所有权的当月
   B. 取得车辆所有权的次月
   C. 取得车辆所有权的当年
   D. 取得车辆所有权的次年

6. 某船运公司 2021 年年初拥有净吨位 4000 吨的机动船 15 艘，净吨位 1600 吨的机动船 5 艘；折合净吨位为 1600 吨的拖船 6 艘；净吨位 200 吨的非机动驳船 5 艘。已知：机动船舶净吨位不超过 200 吨的，每吨 3 元；净吨位超过 200 吨但不超过 2000 吨的，每吨 4 元；净吨位超过 2000 吨但不超过 10000 吨的，每吨 5 元。则该船运公司当年应缴纳车船税（　　）元。
   A. 352700　　B. 373400
   C. 371900　　D. 356840

7. 某港务公司 2021 年拥有排气量 1.6 升乘用车 6 辆（其中纯电动乘用车 2 辆），发动机功率为 2000 千瓦的拖船 4 艘。当地规定排气量 1.6 升汽车的年税额为 360

元/辆；机动船舶净吨位超过200吨但不超过2000吨的，年税额4元/吨。该公司2021年应缴车船税（　　）元。

A. 12160　　B. 23600
C. 18160　　D. 22880

8. 下列车船中，应计算缴纳车船税的是（　　）。
A. 军队专用车辆
B. 企业接送职工的班车
C. 武装警察部队专用车船
D. 电动自行车

9. 下列各项中，属于车船税免税项目的是（　　）。
A. 批准临时入境的台湾地区的车船
B. 外商投资企业使用的汽车
C. 公安机关警用汽车
D. 政府机关办公用车辆

二、多项选择题

1. 下列在用车船中，一定可以免征车船税的有（　　）。
A. 公安机关办案专用的车辆
B. 军队用于出租的富余小汽车
C. 公共交通车辆
D. 在渔业船舶登记管理部门登记的净吨位1.5吨的捕捞渔船
E. 邮政快递车

2. 下列车船属于免税的有（　　）。
A. 学校的专用校车
B. 军用车船
C. 非插电式混合动力汽车
D. 养殖渔船
E. 非机动驳船

3. 车船税的计税单位有（　　）。
A. 每艘　　B. 每辆
C. 净吨位每吨　　D. 整备质量每吨
E. 艇身长度每米

4. 关于车船税的相关规定，下列说法正确的有（　　）。
A. 客货两用车依照客车的计税单位和年基准税额计征车船税
B. 《车船税法》及其实施条例涉及的整备质量、净吨位、艇身长度等计税单位，有尾数的一律按照含尾数的计税单位据实计算车船税应纳税额，计算得出的应纳税额小数点后超过两位的可四舍五入保留两位小数
C. 车船因质量问题发生退货时，退货月份以退货发票所载日期的当月为准
D. 扣缴义务人代收代缴车船税后，车辆登记地主管税务机关不再征收该纳税年度的车船税
E. 境内单位和个人将船舶出租到境外的，不征收车船税

5. 下列关于车船税的表述中，正确的有（　　）。
A. 境内应税车船的所有人或管理人为车船税的纳税义务人
B. 车船税的征税范围包括依法不需要在车辆登记管理部门登记的机动车辆
C. 从事机动车第三者责任强制保险业务的保险机构为机动车车船税的扣缴义务人
D. 机动车车船税的扣缴义务人，应当在收取保险费时依法代收车船税，并出具代收税款凭证
E. 依法不需要在车辆登记管理部门登记的机动车辆不需要缴纳车船税

6. 下列各项中，符合车船税有关规定的有（　　）。
   A. 乘用车，以“每辆”为计税单位
   B. 载货汽车，以“整备质量每吨”为计税单位
   C. 机动船舶，以“每艘”为计税单位
   D. 游艇，以“净吨位每吨”为计税单位
   E. 挂车，以“每辆”为计税单位

7. 根据车船税的有关规定，下列表述正确的有（　　）。
   A. 用于出租的汽车照章纳税
   B. 拖船按机动船舶税额全额计算车船税
   C. 捕捞渔船免税
   D. 汽车起重机属于车船税征税范围中的专用作业车
   E. 车辆整备质量尾数超过 0.5 吨的按 0.5 吨计算车船税

8. 根据车船税相关规定，下列说法正确的有（　　）。
   A. 车船税属于财产税
   B. 车船税应在纳税人实际使用应税车船时征收
   C. 扣缴义务人代收代缴车船税的，纳税地点为扣缴义务人所在地
   D. 车船税具有调节财富分配的作用
   E. 车船税采用定额幅度税率

9. 下列关于车船税的说法，正确的有（　　）。
   A. 已缴纳车船税的车船在同一纳税年度内办理转让过户的，需要重新纳税
   B. 车船因质量问题发生退货时，可申请退还车船税
   C. 拖船按照机动船舶税额的 60% 计算应纳税额
   D. 经批准临时入境的香港特别行政区、澳门特别行政区的车船，不征收车船税
   E. 依法需要办理登记的车船，车船税纳税地点为车船的登记地或扣缴义务人所在地

同步强化练习题参考答案及解析

使用“会计云课堂”App 或“微信”扫码对答案、看解析、掌握解题思路，开启轻松过关之旅。

一、单项选择题

1. C　　【解析】拖船和非机动驳船分别按照机动船舶税额的50%计算车船税。拖船按照发动机功率每 1 千瓦折合净吨位 0.67 吨计算车船税。该船舶公司 2021 年应缴纳车船税 = 3000×4×5×50% + 4000×0.67×2×5×50% = 43400（元）。

2. C　　【解析】对于购买的船舶，以购买船舶的发票或者其他证明文件所载日期的当月为准。

3. B　【解析】《车船税税目税额表》中的专用作业车，是指在设计和技术特性上用于特殊工作，并装置有专用设备或器具的汽车，如汽车起重机、消防车、混凝土泵车、清障车、高空作业车、洒水车、扫路车等。以载运人员或货物为主要目的的专用汽车，如救护车，不属于专用作业车。

4. A　【解析】整备质量 5 吨的载货汽车应纳税额 = 20×5×20 = 2000（元）；挂车按货车税额的50%征税，应纳税额 = 10×4×20×50% = 400（元）；整备质量 2.5 吨的货车应纳税额 = 2.5×20×5 = 250（元），该交通运输企业当年应缴纳车船税 = 2000+400+250 = 2650（元）。

5. A　【解析】纳税人新购置车船使用的，取得车船所有权或管理权的当月为车船税的纳税义务发生时间。

6. A　【解析】拖船和非机动驳船分别按照机动船舶税额的 50%计算车船税。应缴纳车船税 = 4000×15×5+1600×5×4+1600×6×4×50%+200×5×3×50% = 300000+32000+19200+1500 = 352700（元）。

7. A　【解析】纯电动乘用车和燃料电池乘用车不属于车船税征税范围，对其不征车船税；拖船按照发动机功率每 1 千瓦折合净吨位 0.67 吨计算征收车船税，拖船按照机动船舶税额的 50%计算车船税；该公司应缴纳车船税 = （6-2）×360+2000×0.67×4×4×50% = 12160（元）。

8. B　【解析】选项 AC：属于车船税免税范围；选项 B：照章征收车船税；选项 D：不属于车船税征税范围。

9. C

二、多项选择题

1. AD

2. BD　【解析】选项 A：不享受免税优惠；选项 C：符合条件的，享受减半征税优惠；选项 E：非机动驳船按照机动船舶税额的 50%征税。

3. BCDE

4. BCD　【解析】选项 A：客货两用车依照货车的计税单位和年基准税额计征车船税。选项 E：境内单位和个人租入外国籍船舶的，不征收车船税；境内单位和个人将船舶出租到境外的，应依法征收车船税。

5. ABCD　【解析】选项 E：依法不需要在车船登记管理部门登记的在单位内部场所行驶或者作业的机动车辆和船舶，属于车船税的征税范围，应按规定缴纳车船税。

6. AB　【解析】车船税的计税单位，分别确定为“每辆、净吨位每吨、整备质量每吨、艇身长度每米”四种。选项 C：机动船舶以“净吨位每吨”为计税单位；选项 D：游艇以“艇身长度每米”为计税单位；选项 E：挂车以“整备质量每吨”为计税单位。

7. ACD　【解析】选项 B：拖船按照机动船舶税额的 50%计算车船税；选项 E：应税车辆整备质量有尾数的一律按照含尾数的计税单位据实计算车船税应纳税额。

8. ACDE　【解析】选项 B：车船税的纳税义务发生时间为取得车船所有权或者管理权的当月，在保有环节征收。

9. BDE　【解析】选项 A：已缴纳车船税的车船在同一纳税年度内办理转让过户的，不另纳税，也不退税。选项 C：拖船按照机动船舶税额的 50%计算车船税应纳税额。

第七章　契　税

本章学习指南

一、考情概况

本章是税法（Ⅱ）考试的次重点章节。根据历年考试情况，预计 2022 年本章分值为 5 分左右，主要以单项选择题、多项选择题为主。本章可以和房产税、城镇土地使用税、印花税等结合考查计算题。房地产的交易、交换等经济行为涉及契税、增值税、城市维护建设税、教育费附加、地方教育附加、土地增值税、印花税以及所得税等税费。正确认识契税在其中的地位，是至关重要的。同时，这些税费的关系也是组合出题的思路。注意，由于契税计入了土地成本或房产的原值，所以与企业所得税并无直接关系。

二、2022 年教材主要变化

1. 依据财政部 税务总局公告 2021 年第 23 号和国家税务总局公告 2021 年第 25 号，对契税的征税范围、计税依据、免税的具体情形进行了修订。

2. 新增企事业单位改制重组的契税政策及其他多条税收优惠政策。

3. 新增部分契税征收管理的相关规定。

4. 删除过时政策。

三、基本结构框架

- 第七章 契税
  - 概述
    - 契税的概念、特点和立法原则 ★
  - 征税范围、纳税人和税率
    - 契税的征税范围 ★★★
    - 契税的纳税人 ★★
    - 契税的税率 ★★
  - 减免税优惠
    - 契税减免的基本规定 ★★
    - 契税减免的特殊规定 ★★
  - 计税依据和应纳税额的计算
    - 契税的计税依据 ★★★
    - 契税应纳税额的计算方法 ★★★
  - 征收管理
    - 契税的纳税义务发生时间 ★★
    - 契税的纳税期限 ★
    - 契税的纳税地点 ★★
    - 契税的纳税申报 ★
    - 契税的退税 ★

本章核心考点精讲

查看本章视频，快速 GET 知识点，使用“会计云课堂”App 或“微信”扫码。

01 概述

契税是以所有权发生转移的不动产为征税对象，向产权承受人征收的一种财产税。

（一）契税的特点（★）

1. 契税属于财产转移税；
2. 契税由财产承受人缴纳。

（二）契税的立法原则（★）

1. 广辟财源，增加地方财政收入；
2. 保护合法产权，避免产权纠纷；
3. 调节财富分配，体现社会公平。

经典题解

【例题 1 · 多选题】 下列关于契税的特点及立法原则的说法，正确的有（　　）。

A. 契税有助于增加地方财政收入

B. 契税属于财产转移税

C. 契税由财产售卖人缴纳

D. 契税有利于通过法律形式确定产权关系

E. 契税有助于调节财富分配，体现社会公平

【解析】 选项 C：契税由财产承受人缴纳。

【答案】 ABDE

02 征税范围、纳税人和税率

（一）征税范围（★★★）

1. 契税的征税对象是境内发生土地使用权和房屋所有权权属转移的土地和房屋。征税范围具体包括：土地使用权的出让、转让及房屋的买卖、赠与、互换。

2. 转移土地、房屋权属，是指下列行为：

（1）土地使用权出让；

（2）土地使用权转让，包括出售、赠与、互换，不包括土地承包经营权和土地经营权的转移；

（3）房屋买卖、赠与、互换。

易错易混

对于转让房地产权属的行为，转让方和承受方的纳税情况：

- 房地产交易双方纳税义务（不考虑税收优惠）
  - 转让方
    - 增值税
    - 城建税、教育费附加、地方教育附加
    - 印花税
    - 土地增值税
    - 企业所得税（或个人所得税）
  - 受让方
    - 印花税
    - 契税

3. 征税范围的解释及具体要求：

征税范围	解释及具体要求
土地使用权的出让	是指国家将土地使用权在一定年限内让渡给土地使用者，并由土地使用者向国家支付出让金的行为 【考点提示】对承受土地使用权应支付的土地出让金，要征收契税。不得因减免出让金而减免契税
土地使用权的转让	是指土地使用者以出售、赠与、互换方式将土地使用权转移给其他单位和个人的行为 【考点提示】土地使用权的转让不包括土地承包经营权和土地经营权的转移
房屋买卖	（1）以房屋抵债或实物交换房屋，视同房屋买卖 （2）以房产作投资或作股权转让，这种交易业务属于房屋产权转移，应根据国家房地产管理的有关规定，办理房屋产权交易和产权变更登记手续，视同房屋买卖 【考点提示】以自有房产作股投入本人独资经营企业，因未发生权属变化，不需办理房产变更手续，故不缴纳契税 （3）买房拆料或翻建新房，买房者不论其购买目的是为了拆用材料还是为了得到旧房后翻建成新房，都要涉及办理产权变更手续，只要发生房屋权属变化，就要照章缴纳契税
房屋赠与	房屋的受赠人原则上要按规定缴纳契税 【考点提示】以获奖方式取得房屋产权的，其实质是接受赠与房产，应缴纳契税
房屋互换	指房屋所有者之间互换房屋的行为 土地使用权互换、房屋互换，互换价格相等的，互换双方计税依据为零；互换价格不相等的，以其差额为计税依据，由支付差额的一方缴纳契税

征税范围	解释及具体要求
其他	下列情形发生土地、房屋权属转移的，承受方应当依法缴纳契税：（新增） （1）因共有不动产份额变化的 （2）因共有人增加或者减少的 （3）因人民法院、仲裁委员会的生效法律文书或者监察机关出具的监察文书等因素，发生土地、房屋权属转移的

经典题解

【例题 2 · 多选题】 下列行为，属于契税征税范围的有（　　）。（2019 年）

A. 以抵债方式取得房屋产权

B. 为拆房取料而购买房屋

C. 受让土地使用权

D. 以获奖方式取得房屋产权

E. 将自有房产作股投入本人独资经营的企业

【解析】 选项 E：不缴纳契税。

【答案】 ABCD

【例题 3 · 多选题】 下列行为中，应缴纳契税的有（　　）。（2017 年考题改编）

A. 以获奖方式取得土地使用权

B. 法定继承人继承土地、房屋权属

C. 以出让方式承受土地权属

D. 以自有房产作价入股本人经营的独资企业

E. 以实物交换土地使用权

【解析】 选项 B：法定继承人通过继承承受土地、房屋权属，免征契税；选项 D：房产产权未发生变化，不缴纳契税。

【答案】 ACE

【例题 4 · 多选题】 下列取得土地、房屋权属的情形，应缴纳契税的有（　　）。（2021 年）

A. 承受偿还债务方式转移房屋的

B. 取得任职单位年终奖励房屋的

C. 受让土地经营权的

D. 受让土地承包经营权的

E. 竞得土地使用权的

【解析】 选项 CD：土地使用权的转让不包括土地承包经营权和土地经营权的转移。

【答案】 ABE

（二）纳税人（★★）

契税的纳税义务人是指在中华人民共和国境内转移土地、房屋权属，承受的单位和个人。

考点提示

契税的纳税义务人强调的是“谁获得产权谁纳税”，产权仅限土地使用权和房屋所有权。

经典题解

【例题 5 · 单选题】 单位和个人发生下列行为，应缴纳契税的是（　　）。（2018 年）

A. 转让土地使用权　　B. 转让不动产所有权

C. 承受不动产所有权　　D. 赠与不动产所有权

【解析】 契税的纳税人是房屋、土地权属的承受方。房屋、土地权属的转让方和赠与方无须缴纳契税。

【答案】 C

（三）税率（★★）

1. 契税实行 3%～5%的幅度比例税率。

2. 具体适用税率，由各省、自治区、直辖市人民政府在 3%～5%的幅度内提出，报同级人民代表大会常务委员会决定，并报全国人民代表大会常务委员会和国务院备案。

3. 省、自治区、直辖市可以依照规定的程序对不同主体、不同地区、不同类型的住房的权属转移确定差别税率。

03 减免税优惠

（一）减免税基本规定（★★）

1. 国家机关、事业单位、社会团体、军事单位承受土地、房屋权属用于办公、教学、医疗、科研、军事设施。

2. 非营利性的学校、医疗机构、社会福利机构承受土地、房屋权属用于办公、教学、医疗、科研、养老、救助。

3. 承受荒山、荒地、荒滩土地使用权用于农、林、牧、渔业生产。

4. 婚姻关系存续期间夫妻之间变更土地、房屋权属。

5. 法定继承人通过继承承受土地、房屋权属。

6. 依照法律规定应当予以免税的外国驻华使馆、领事馆和国际组织驻华代表机构承受土地、房屋权属。

7. 因土地、房屋被县级以上人民政府征收、征用，重新承受土地、房屋权属。

8. 因不可抗力灭失住房，重新承受住房权属。

考点提示

第 1 条～第 6 条免征契税。第 7 条、第 8 条免征或减征契税，免征或者减征契税的具体办法，由省、自治区、直辖市人民政府提出，报同级人民代表大会常务委员会决定，并报全国人民代表大会常务委员会和国务院备案。

（二）减免税特殊规定（★★）

1. 售后回租及相关事项的契税政策

（1）对金融租赁公司开展售后回租业务，承受承租人房屋、土地权属的，照章征税。对售后回租合同期满，承租人回购原房屋、土地权属的，免征契税。

（2）单位、个人以房屋、土地以外的资产增资，相应扩大其在被投资公司的股权持有比例，无论被投资公司是否变更工商登记，其房屋、土地权属不发生转移，不征收契税。

（3）个体工商户的经营者将其个人名下的房屋、土地权属转移至个体工商户名下，或个体工商户将其名下的房屋、土地权属转回原经营者个人名下，免征契税。

（4）合伙企业的合伙人将其名下的房屋、土地权属转移至合伙企业名下，或合伙企业将其名下的房屋、土地权属转回原合伙人名下，免征契税。

2. 对已缴纳契税的购房单位和个人，在未办理房屋权属变更登记前退房的，退还已纳契税；在办理房屋权属变更登记后退房的，不予退还已纳契税。

3. 对公租房经营管理单位购买住房作为公租房，免征契税。

4. 依据《财政部 国家税务总局关于棚户区改造有关税收政策的通知》（财税〔2013〕101 号），棚户区改造相关税收政策规定如下：

（1）对经营管理单位回购已分配的改造安置住房继续作为改造安置房源的，免征契税。对项目实施主体购买商品住房或者回购保障性住房作为安置住房房源的，免征契税。（新增）

（2）个人首次购买 90 平方米以下改造安置住房，按 1% 的税率计征契税；购买超过 90 平方米，但符合普通住房标准的改造安置住房，按法定税率减半计征契税。

（3）个人因房屋被征收而取得货币补偿并用于购买改造安置住房，或因房屋被征收而进行房屋产权调换并取得改造安置住房，按有关规定减免契税。

5. 自 2019 年 6 月 1 日至 2025 年 12 月 31 日，为社区提供养老、托育、家政等服务的机构，承受房屋、土地用于提供社区养老、托育、家政服务的，免征契税。

6. 自 2019 年 1 月 1 日至 2023 年 12 月 31 日，对饮水工程运营管理单位为建设饮水工程而承受土地使用权，免征契税。

7. 个人购买住房的契税相关规定：

住房类型		契税优惠税率	实施范围
个人购买家庭唯一住房	面积≤$90m^2$	1%	全国范围
	面积>$90m^2$	1.5%	
个人购买家庭第二套改善性住房	面积≤$90m^2$	1%	除北京、上海、广州、深圳外
	面积>$90m^2$	2%	

8. 军建离退休干部住房移交地方政府管理是军队离退休干部住房保障和管理方式的调整，是军队住房制度改革的重要措施之一。为配合国务院、中央军委决策的顺利实施，免征军建离退休干部住房及附属用房移交地方政府管理所涉及的契税。（新增）

9. 对信达、华融、长城和东方资产管理公司接受相关国有银行的不良债权，借款方以土

地使用权、房屋所有权抵充贷款本息的，免征承受土地使用权、房屋所有权应缴纳的契税。（新增）

10. 对被撤销的金融机构在清算过程中催收债权时，接收债务方土地使用权、房屋所有权所发生的权属转移免征契税。（新增）

11. 对东方资产管理公司接收港澳国际（集团）有限公司的房地产以抵偿债务的，免征东方资产管理公司承受房屋所有权、土地使用权应缴纳的契税。（新增）

12. 对港澳国际（集团）内地公司在清算期间催收债权时，免征接收房屋所有权、土地使用权应缴纳的契税。（新增）

13. 对港澳国际（集团）香港公司清算期间在中国境内催收债权时，免征接收房屋所有权、土地使用权应缴纳的契税。（新增）

14. 对青藏铁路公司及其所属单位承受土地、房屋权属用于办公及运输主业的，免征契税；对于因其他用途承受的土地、房屋权属，应照章征收契税。（新增）

15. 城镇职工按规定第一次购买公有住房的，免征契税。（新增）

16. 对个人购买经济适用住房，在法定税率基础上减半征收契税。（新增）

17. 对进行股份合作制改革后的农村集体经济组织承受原集体经济组织的土地、房屋权属，免征契税。对农村集体经济组织以及代行集体经济组织职能的村民委员会、村民小组进行清产核资收回集体资产而承受土地、房屋权属，免征契税。（新增）

18. 对易地扶贫搬迁贫困人口按规定取得的安置住房，免征契税。（新增）

19. 夫妻因离婚分割共同财产发生土地、房屋权属变更的，免征契税。（新增）

20. 外国银行分行按照《中华人民共和国外资银行管理条例》等相关规定改制为外商独资银行（或其分行），改制后的外商独资银行（或其分行）承受原外国银行分行的房屋权属的，免征契税。（新增）

21. 企、事业单位改制重组的契税政策（新增）

自 2021 年 1 月 1 日起至 2023 年 12 月 31 日，企业、事业单位在改制重组过程中，符合以下规定但已缴纳契税的，可申请退税；涉及的契税尚未处理且符合规定的，可按下列执行：

改制重组情形		政策
企业改制	企业按照有关规定整体改制，包括非公司制企业改制为有限责任公司或股份有限公司，有限责任公司变更为股份有限公司，股份有限公司变更为有限责任公司，原企业投资主体存续并在改制（变更）后的公司中所持股权（股份）比例超过 75%，且改制（变更）后公司承继原企业权利、义务的，对改制（变更）后公司承受原企业土地、房屋权属	免税
事业单位改制	事业单位按照国家有关规定改制为企业，原投资主体存续并在改制后企业中出资（股权、股份）比例超过 50% 的，对改制后企业承受原事业单位土地、房屋权属	免税
公司合并	两个或两个以上的公司，依照法律规定、合同约定，合并为一个公司，且原投资主体存续的，对合并后公司承受原合并各方土地、房屋权属	免税

改制重组情形		政策
公司分立	公司依照法律规定、合同约定分立为两个或两个以上与原公司投资主体相同的公司，对分立后公司承受原公司土地、房屋权属	免税
企业破产	债权人（包括破产企业职工）承受破产企业抵偿债务的土地、房屋权属	免税
	非债权人承受破产企业土地、房屋权属，凡按照国家有关法律法规政策妥善安置原企业职工，与原企业全部职工签订服务年限不少于 3 年的劳动用工合同的，对其承受所购企业土地、房屋权属	免税
	非债权人承受破产企业土地、房屋权属，凡按照国家有关法律法规政策妥善安置原企业职工，与原企业超过 30% 的职工签订服务年限不少于 3 年的劳动用工合同的，对其承受所购企业土地、房屋权属	减半征收
资产划转	对承受县级以上人民政府或国有资产管理部门按规定进行行政性调整、划转国有土地、房屋权属的单位	免税
	同一投资主体内部所属企业之间土地、房屋权属的划转，包括母公司与其全资子公司之间，同一公司所属全资子公司之间，同一自然人与其设立的个人独资企业、一人有限公司之间土地、房屋权属的划转	免税
	母公司以土地、房屋权属向其全资子公司增资，视同划转	免税
债转股	经国务院批准实施债权转股权的企业，对债权转股权后新设立的公司承受原企业的土地、房屋权属	免税
划拨用地出让或作价出资	以出让方式或国家作价出资（入股）方式承受原改制重组企业、事业单位划拨用地的，不属规定的免税范围	征税
公司股权（股份）转让	在股权（股份）转让中，单位、个人承受公司股权（股份），公司土地、房屋权属不发生转移	不征税

经典题解

【例题 6 · 单选题】 下列各项业务中，应征收契税的是（　　）。（2008 年考题改编）

A. 企业承受荒山土地使用权用于林业生产

B. 法定继承人通过继承承受房屋权属

C. 承包者获得土地承包经营权

D. 运动员因成绩突出获得国家奖励的住房

【解析】 选项 AB：免征契税；选项 C：土地使用权的转让不包括土地承包经营权和土地经营权的转移。

【答案】 D

【例题 7 · 单选题】 下列关于契税减免税优惠的说法，正确的是（　　）。（2016 年考题改编）

A. 婚姻关系存续期间夫妻之间变更土地、房屋权属，免征契税

B. 金融租赁公司通过售后回租承受承租人房屋、土地权属的，免征契税

C. 单位承受荒滩用于仓储设施开发的，免征契税

D. 军事单位承受土地、房屋对外经营的，免征契税

【解析】选项B：对金融租赁公司开展售后回租业务，承受承租人房屋、土地权属的，照章征税；对售后回租合同期满，承租人回购原房屋、土地权属的，免征契税。选项C：承受荒山、荒地、荒滩土地使用权，并用于农、林、牧、渔业生产的，免征契税。选项D：照章征税。

【答案】A

【例题8·多选题】下列情形中，免征契税的有（ ）。（2018年）

A. 军事单位承受土地、房屋用于军事设施

B. 国家机关承受土地、房屋用于办公

C. 企业承受土地、房屋用于办公

D. 与金融租赁公司签订的售后回租合同期满，承租人回购原土地、房屋权属

E. 合伙企业将其名下的土地、房屋权属转移回原合伙人名下

【解析】选项C：照章缴纳契税。

【答案】ABDE

【例题9·单选题】依据契税的相关规定，下列各项应征收契税的是（ ）。（2013年）

A. 以获奖方式取得房屋产权

B. 将自有房产作股投入本人独资经营企业

C. 房屋产权相互交换，交换价值相等

D. 承受荒山土地使用权用于林业生产

【解析】选项A：以获奖方式取得房屋产权的，其实质是接受赠与房产，应照章缴纳契税；选项B：以自有房产作股投入本人独资经营企业，不缴纳契税；选项C：房屋产权互换，双方互换价值相等，计税依据为零，不缴纳契税；选项D：承受荒山、荒地、荒滩土地使用权，用于农、林、牧、渔业生产的，免征契税。

【答案】A

【例题10·多选题】下列情形中，免征契税的有（ ）。（2010年考题改编）

A. 承受荒山加以利用的

B. 夫妻因离婚分割共同财产发生土地、房屋权属变更的

C. 公租房经营管理单位购买住房作为公租房的

D. 城镇职工按规定第一次购买公有住房的

E. 为社区提供养老服务的机构承受房屋、土地用于提供社区养老服务的

【解析】选项A：承受荒山、荒地、荒滩土地使用权，并用于农、林、牧、渔业生产的，免征契税。

【答案】BCDE

04 计税依据和应纳税额的计算（★★★）

1. 计税公式

应纳税额=计税依据×税率

2. 计税依据

（1）基本规定

征税对象	纳税人	计税依据
土地使用权出让	承受人	权属转移合同确定的成交价格
土地使用权出售	买方	
房屋买卖		
土地使用权赠与、房屋赠与	受赠方	参照市场价核定
房屋互换、土地使用权互换	差价支付方	等价互换，计税依据为零；不等价互换，计税依据为差额（调整）

考点提示

①计征契税的计税依据不含增值税。

②纳税人申报的成交价格、互换价格差额明显偏低且无正当理由的，由税务机关依照《中华人民共和国税收征收管理法》的规定核定。

（2）具体规定（调整）

情形		计税依据
划拨方式取得土地使用权后	以划拨方式取得的土地使用权，经批准改为出让方式重新取得该土地使用权的	由该土地使用权人以补缴的土地出让价款为计税依据缴纳契税
	先以划拨方式取得土地使用权，后经批准转让房地产，划拨土地性质改为出让的	承受方应分别以补缴的土地出让价款和房地产权属转移合同确定的成交价格为计税依据缴纳契税
	先以划拨方式取得土地使用权，后经批准转让房地产，划拨土地性质未发生改变的	承受方应以房地产权属转移合同确定的成交价格为计税依据缴纳契税
土地使用权出让的		计税依据包括土地出让金、土地补偿费、安置补助费、地上附着物和青苗补偿费、征收补偿费、城市基础设施配套费、实物配建房屋等应交付的货币以及实物、其他经济利益对应的价款
土地使用权及所附建筑物、构筑物等（包括在建的房屋、其他建筑物、构筑物和其他附着物）转让的		计税依据为承受方应交付的总价款

情形		计税依据
房屋附属设施（包括停车位、机动车库、非机动车库、顶层阁楼、储藏室及其他房屋附属设施）	与房屋为同一不动产单元的	计税依据为承受方应交付的总价款，并适用与房屋相同的税率
	与房屋为不同不动产单元的	计税依据为转移合同确定的成交价格，并按当地确定的适用税率计税

经典题解

【例题 11 · 单选题】 下列关于契税计税依据的说法，正确的是（ ）。（2016 年考题改编）

A. 契税的计税依据不含增值税

B. 先以划拨方式取得土地使用权，后经批准转让房地产，划拨土地性质未发生改变的，承受方应以补缴的土地出让价款为契税计税依据

C. 承受土地使用权，契税计税依据可以扣减政府减免的土地出让金

D. 房屋互换价格差额明显偏低且无正当理由的，由税务机关参照成本价格核定

【解析】 选项 B：先以划拨方式取得土地使用权，后经批准转让房地产，划拨土地性质未发生改变的，承受方应以房地产权属转移合同确定的成交价格为契税计税依据；选项 C：不得因减免土地出让金而减免契税；选项 D：所互换的土地使用权、房屋的价格差额明显偏低且无正当理由的，由税务机关依照征管法的规定核定。

【答案】 A

【例题 12 · 单选题】 根据契税相关规定，房屋赠与时契税的计税依据是（ ）。（2011 年考题改编）

A. 协议成交价格

B. 所在地省级人民政府公示的基准价格

C. 不同地段的房屋转让的成交价格的平均价

D. 税务机关参照房屋买卖的市场价格核定的价格

【解析】 土地使用权赠与、房屋赠与，其契税计税依据由税务机关参照土地使用权出售、房屋买卖的市场价格核定。

【答案】 D

【例题 13 · 多选题】 出让土地使用权的，契税的计税依据一般包括（ ）。

A. 土地出让金　　B. 土地补偿费

C. 征收补偿费　　D. 城市基础设施配套费

E. 相关手续费

【解析】 出让土地使用权的，其契税计税依据包括土地出让金、土地补偿费、安置补助费、地上附着物和青苗补偿费、征收补偿费、城市基础设施配套费、实物配建房屋等应交付的货币以及实物、其他经济利益对应的价款。

【答案】 ABCD

【例题 14 · 单选题】 下列关于契税计税依据的说法，错误的是（ ）。

A. 出让土地使用权的，计税依据应包括城市基础设施配套费

B. 房屋附属设施与房屋为同一不动产单元的，计税依据应扣除附属设施的实际价值或者估计价值

C. 契税的计税依据不包含增值税

D. 房屋不等价互换的，以互换房屋价格的差额为计税依据

【解析】 选项 B：房屋附属设施与房屋为同一不动产单元的，计税依据为承受方应交付的总价款。

【答案】 B

【例题 15 · 单选题】 某房地产开发公司以协议方式受让一宗土地使用权，支付土地出让金 8500 万元、土地补偿费 3000 万元、安置补助费 2000 万元、城市基础设施配套费 1800 万元，假定当地适用契税税率为 4%，该房地产开发公司取得该宗土地使用权应缴纳契税（ ）万元。（2014 年考题改编）

A. 340　　B. 460

C. 540　　D. 612

【解析】 土地使用权出让的，计税依据包括土地出让金、土地补偿费、安置补助费、地上附着物和青苗补偿费、征收补偿费、城市基础设施配套费、实物配建房屋等应交付的货币以及实物、其他经济利益对应的价款。该公司取得该宗土地使用权应缴纳契税 =（8500+3000+2000+1800）×4% = 612（万元）。

【答案】 D

【例题 16 · 单选题】 某企业 2021 年 9 月 1 日以协议方式取得一块地的使用权，支付土地出让金 3000 万元，征收补偿费 1000 万元，10 月 20 日缴纳城市基础设施配套费 500 万元。当地契税税率为 4%。该企业应缴纳契税（ ）万元。（2013 年考题改编）

A. 120　　B. 140

C. 160　　D. 180

【解析】 该企业应缴纳契税 =（3000+1000+500）×4% = 180（万元）。

【答案】 D

【例题 17 · 单选题】 某公司 2022 年 1 月以 1200 万元（不含增值税）购入一幢旧写字楼作为办公用房，该写字楼原值 2000 万元，已计提折旧 800 万元。当地适用契税税率 3%，该公司购入写字楼应缴纳契税（ ）万元。（2017 年）

A. 30　　B. 36

C. 24　　D. 60

【解析】 契税的计税依据不含增值税。土地使用权出售、房屋买卖，其计税依据为权属转移合同确定的成交价格。应纳契税税额 = 1200×3% = 36（万元）。

【答案】 B

【例题 18 · 单选题】 居民甲将一套价值为 100 万元的一居室住房与居民乙互换成一套两居室住房，支付给乙换房差价款 50 万元，当地契税税率为 4%。则甲应缴纳的契税

为（　　）万元。（上述金额均不含增值税）

A. 0　　B. 6　　C. 4　　D. 2

【解析】甲应纳契税税额＝50×4%＝2（万元）。

【答案】D

【例题19·单选题】甲某是个人独资企业业主，2022年1月将价值60万元的自有房产作股投入独资企业作为经营场所；3月以200万元的价格购入一处房产；5月将价值200万元的自有仓库与另一企业价值160万元的仓库互换，甲某收取差价40万元。甲某以上交易应缴纳契税（　　）万元。（契税税率为4%，上述金额均不含增值税）（2011年考题改编）

A. 8.00　　B. 8.40　　C. 9.60　　D. 16.00

【解析】以自有房产作股投入本人独资经营企业，不缴纳契税；房产互换，甲某收取差价，甲某不用缴纳契税，由对方以支付的差价作为计税依据缴纳契税。甲某以上交易应缴纳契税＝200×4%＝8（万元）。

【答案】A

【例题20·单选题】2022年4月中国公民肖某首次购买普通住房一套（属于家庭唯一住房），面积85平方米，合同总价格54.4万元，金额不含增值税。肖某购买该住房应缴纳契税（　　）元。（当地规定契税税率为4%）（2009年考题改编）

A. 4600　　B. 5440　　C. 6900　　D. 21760

【解析】对个人购买90平方米及以下且属于家庭唯一住房的，减按1%税率征收契税。肖某购买该住房应缴纳契税＝544000×1%＝5440（元）。

【答案】B

05 征收管理（★★）

要点	具体规定	
纳税义务发生时间	一般情况	签订土地、房屋权属转移合同的当天，或者取得其他具有土地、房屋权属转移合同性质凭证的当天
	特殊情况（新增）	（1）因人民法院、仲裁委员会的生效法律文书或者监察机关出具的监察文书等发生土地、房屋权属转移的，纳税义务发生时间为法律文书等生效当日 （2）因改变土地、房屋用途等情形应当缴纳已经减征、免征契税的，纳税义务发生时间为改变有关土地、房屋用途等情形的当日 （3）因改变土地性质、容积率等土地使用条件需补缴土地出让价款，应当缴纳契税的，纳税义务发生时间为改变土地使用条件当日 【考点提示】发生上述情形，按规定不再需要办理土地、房屋权属登记的，纳税人应自纳税义务发生之日起90日内申报缴纳契税
纳税期限	纳税人应当在依法办理土地、房屋权属登记手续前申报缴纳契税	
纳税地点	土地、房屋所在地	

要点	具体规定
纳税申报 （新增）	契税纳税人依法纳税申报时，应填报《财产和行为税税源明细表》（《契税税源明细表》部分），并根据具体情形提交下列资料： （1）纳税人身份证件 （2）土地、房屋权属转移合同或其他具有土地、房屋权属转移合同性质的凭证 （3）交付经济利益方式转移土地、房屋权属的，提交土地、房屋权属转移相关价款支付凭证，其中，土地使用权出让为财政票据，土地使用权出售、互换和房屋买卖、互换为增值税发票 （4）因人民法院、仲裁委员会的生效法律文书或者监察机关出具的监察文书等因素发生土地、房屋权属转移的，提交生效法律文书或监察文书等 【考点提示】符合减免税条件的，应按规定附送有关资料或将资料留存备查
契税退税 （新增）	纳税人缴纳契税后发生下列情形，可依照有关法律法规申请退税： （1）因人民法院判决或者仲裁委员会裁决导致土地、房屋权属转移行为无效、被撤销或者被解除，且土地、房屋权属变更至原权利人的 （2）在出让土地使用权交付时，因容积率调整或实际交付面积小于合同约定面积需退还土地出让价款的 （3）在新建商品房交付时，因实际交付面积小于合同约定面积需返还房价款的

经典题解

【例题 21 · 单选题】下列说法中，符合契税纳税义务发生时间规定的是（　　）。（2018 年）

A. 纳税人接收土地、房屋的当天

B. 纳税人支付土地、房屋款项的当天

C. 纳税人签订土地、房屋权属转移合同的当天

D. 纳税人办理土地、房屋权属证书的当天

【答案】C

本章小结

用“会计云课堂”App 扫码学习

您已成功完成“第七章”的学习，本章共 5 个考点，您都学会了吗？

为了让您对本章有更清晰的理解，加倍巩固。本书作者张泉春老师将通过“电台音频课”的方式，带您回顾重要考点。

名师点拨，高效提分。

※ 欢迎扫码免费学习。

同步强化练习题

使用“会计云课堂”App 或“微信”扫码快速做题、对答案、看解析、掌握解题思路，开启轻松过关之旅。

一、单项选择题

1. 发生下列行为的单位和个人，应缴纳契税的是（　　）。
   A. 张先生购买古朴小屋用于拆料
   B. 某企业将房屋赠与养老院
   C. 李先生将自有房产作股投入本人独资经营企业
   D. 韩先生将房屋用于抵偿债务

2. 嘉兴公司将土地使用权有偿转让给宜兴公司，下列说法正确的是（　　）。
   A. 嘉兴公司缴纳土地增值税和契税
   B. 宜兴公司缴纳土地增值税和契税
   C. 嘉兴公司缴纳土地增值税，宜兴公司缴纳契税
   D. 嘉兴公司缴纳契税，宜兴公司缴纳土地增值税

3. 依据契税的相关规定，下列行为不属于契税征税范围的是（　　）。
   A. 受赠得到的房屋
   B. 出让方式取得土地使用权
   C. 转让方式取得土地使用权
   D. 融资租赁期间的房屋

4. 关于契税的计税依据，下列说法不正确的是（　　）。
   A. 以实物交换房屋权属，实物与房屋公允价格相等的，计税依据为零
   B. 以奖励方式转移土地、房屋权属的，计税依据为税务机关参照土地使用权出售、房屋买卖的市场价格依法核定的价格
   C. 房屋附属设施与房屋为不同不动产单元的，计税依据为转移合同确定的成交价格
   D. 以划拨方式取得的土地使用权，经批准改为出让方式重新取得该土地使用权的，应由该土地使用权人以补缴的土地出让价款为计税依据

5. 先以划拨方式取得土地使用权，后经批准转让房地产，划拨土地性质改为出让的，土地承受方应依法补缴契税，其计税依据为（　　）。
   A. 应补缴的土地出让价款和房地产权属转移合同确定的成交价格
   B. 应补缴的土地出让金扣除其他出让费用
   C. 应补缴的土地出让价款的 50%
   D. 房地产权属转移合同确定的含增值税成交价格

6. 居民甲某有五套住房，将其中一套市场价值 100 万元的别墅抵偿了乙某 100 万元的债务；用价值 80 万元的一套住房，换取丁某价值 70 万元的房屋，同时丁某免除了甲某所欠的债务 10 万元；用市场价值共 70 万元的两套两室住房与丙某一套价值 58 万元的四室住房互换，另取得丙某赠送的价值 12 万元的小轿车一辆；将

市场价值 50 万元的公寓房折成股份投入本人独资经营的企业。当地确定的契税税率为 3%，上述金额均不含增值税，下列关于甲、乙、丙、丁缴纳契税的情况，说法正确的是（　　）。

A. 甲 3000 元，乙 30000 元，丙 3600 元，丁不纳税

B. 甲 3600 元，乙 30000 元，丙不纳税，丁 3000 元

C. 甲不纳税，乙 30000 元，丙 3600 元，丁 3000 元

D. 甲 15000 元，乙 36000 元，丙不纳税，丁 3600 元

7. 居民甲 2021 年购置了一套价值 100 万元的新住房，同时对原有两套住房的处理如下：将一套出售给居民乙，成交价格 50 万元；将另一套市场价格 80 万元的住房与居民丙的住房进行等价互换。假定当地规定的契税税率为 4%，上述金额均不含增值税，则居民甲 2021 年应缴纳的契税为（　　）万元。

A. 4　　B. 6

C. 7.2　　D. 9.2

8. 某公司 2021 年发生两笔互换房产业务，并已办理了相关手续。第一笔业务换出的房产价值 500 万元，换进的房产价值 800 万元，并支付 300 万元的差价款；第二笔业务换出的房产价值 600 万元，换进的房产价值 300 万元，并取得 300 万元的差价款。已知当地规定的契税税率为 3%，上述金额均不含增值税，该公司应缴纳契税（　　）万元。

A. 0　　B. 9

C. 18　　D. 33

9. 某公司 2022 年 1 月以 3500 万元购入一幢旧写字楼作为办公用房，该写字楼原值 6000 万元，已提折旧 2000 万元。当地适用的契税税率为 3%，上述金额均不含增值税，该公司应缴纳契税（　　）万元。

A. 300　　B. 180

C. 105　　D. 100

10. 居民甲某共有三套房产，2022 年将第一套市价为 80 万元的房产与乙某进行房屋互换，并支付给乙某 15 万元差价款；将第二套市价为 50 万元的房产抵偿了丙某 50 万元的债务；将第三套市价为 30 万元的房产作股投入本人独资经营的企业。若当地确定的契税税率为 3%，上述金额均不含增值税，甲某应缴纳契税（　　）万元。

A. 0.45　　B. 1.95

C. 2.25　　D. 2.85

11. 孙某 2022 年 1 月初购买一幢 120 平方米的商品房，支付价款 130 万元，并以 20 万元购买单独计价的储藏室（与商品房为不同不动产单元），双方约定均采用分期付款方式，分 20 年支付，假定 2022 年支付 4 万元。根据规定，商品房的契税税率为 4%，储藏室的契税税率为 3%，孙某 2022 年应缴纳的契税为（　　）万元。（上述金额均不含增值税）

A. 4.5　　B. 6

C. 5.5　　D. 5.8

12. 下列情形中，属于《中华人民共和国契税法》直接规定免征契税的是（　　）。

A. 事业单位、社会团体承受土地、房屋权属用于办公、科研的

B. 营利性烹饪学校承受土地、房屋权属用于教学

C. 承受荒山、荒地、荒滩土地使用权，并用于工业园区建设

D. 非法定继承人通过赠与承受土地、房屋权属

13. 下列各项中，属于契税纳税地点的是（　　）。
A. 土地、房屋的所在地
B. 纳税人的居住地
C. 签订土地、房屋权属转移合同的所在地
D. 企业的登记地

二、多项选择题

1. 某生产企业从房地产开发企业购入一栋办公楼，双方签订了合同。针对此业务，该生产企业需要缴纳的税种有（　　）。
A. 增值税　　B. 土地增值税
C. 契税　　D. 印花税
E. 城市维护建设税

2. 依据契税的有关规定，下列关于契税的表述正确的有（　　）。
A. 非营利性的学校承受土地、房屋权属用于教学，免征契税
B. 纳税人应当在依法办理土地、房屋权属登记手续后申报缴纳契税
C. 土地使用权出让的，计税依据包括土地出让金、土地补偿费、安置补助费、地上附着物和青苗补偿费、征收补偿费、城市基础设施配套费、实物配建房屋等应交付的货币以及实物、其他经济利益对应的价款
D. 因人民法院、仲裁委员会的生效法律文书或者监察机关出具的监察文书等因素，发生土地、房屋权属转移，承受方免征契税
E. 夫妻因离婚分割共同财产发生土地、房屋权属变更的，免征契税

3. 纳税人发生的下列行为，以房屋或土地使用权的成交价格作为契税计税依据的有（　　）。
A. 购置土地使用权
B. 购置房屋
C. 接受土地使用权赠与
D. 接受房屋赠与
E. 等价互换房屋

4. 下列各项中，可以作为计征契税依据的有（　　）。
A. 房地产的成交价格
B. 房地产的租金
C. 由税务机关参照市场价格核定的价格
D. 房地产互换时的价格差额
E. 房地产的重置价格

5. 中信公司拟将一块价值4000万元的土地出售给东方公司，然后从东方公司购买其另外一块价值4000万元的土地。后经双方协议，签订土地使用权互换合同，约定以4000万元的价格等价互换双方土地。下列关于双方契税的处理中，正确的有（　　）。（当地确定的契税税率为3%，上述金额均不含增值税）
A. 中信公司应缴纳契税120万元
B. 东方公司应缴纳契税120万元
C. 中信公司不缴纳契税
D. 东方公司不缴纳契税
E. 东方公司不缴契税，中信公司缴纳契税120万元

6. 依据契税的有关规定，下列项目中一定免征契税的有（　　）。
A. 军事单位承受土地、房屋用于军事设施
B. 承受荒山、荒地、荒滩土地使用权，并用于农、林、牧、渔业生产
C. 婚姻关系存续期间夫妻之间变更土地、房屋权属

D. 因不可抗力灭失住房，重新承受住房权属

E. 法定继承人通过继承承受土地、房屋权属

7. 下列各项中，属于契税纳税义务发生时间的有（ ）。

A. 取得具有房地产权属转移合同性质凭证的当天

B. 签订房地产权属转移合同的当天

C. 办理房地产产权证书的当天

D. 支付房地产预付款的当天

E. 支付房地产全部款项的当天

8. 甲企业将其闲置的厂房出售给乙企业，双方签订房屋权属转移合同并按规定办理了房屋产权过户手续。根据契税的有关规定，下列表述正确的有（ ）。

A. 作为交易双方，甲企业和乙企业均负有契税的纳税义务

B. 契税的计税依据为房屋权属转移合同中确定的厂房成交价格

C. 纳税人在签订房屋权属转移合同的当天发生纳税义务

D. 纳税人应当在依法办理房屋权属登记手续前申报缴纳契税

E. 纳税人应在厂房所在地缴纳契税

9. 根据契税的相关规定，纳税人缴纳契税后发生下列情形，可申请退税的有（ ）。

A. 在办理房屋权属变更登记后契税税率降低的

B. 因人民法院判决导致土地、房屋权属转移行为无效且土地、房屋权属变更至原权利人的

C. 在出让土地使用权交付时，因容积率调整需退还土地出让价款的

D. 在新建商品房交付时，因实际交付面积小于合同约定面积需返还房价款的

E. 在办理房屋权属登记后再次转让房屋产权的

同步强化练习题参考答案及解析

使用“会计云课堂”App或“微信”扫码对答案、看解析、掌握解题思路，开启轻松过关之旅。

一、单项选择题

1. A 【解析】在中华人民共和国境内转移土地、房屋权属，承受的单位和个人为契税的纳税人。注意契税的纳税人是买方而不是卖方。此题中，选项BD：由养老院和接受抵债房屋的一方缴纳契税，而非由赠与方企业、韩先生缴纳契税；选项C：以自有房产作股投入本人独资经营的企业，不需要缴纳契税。

2. C 【解析】土地增值税是对转让方（卖方）征收的，而契税是对产权承受方（买方）征收的。

3. D　【解析】契税征税范围包括土地使用权出让；土地使用权转让（包括出售、赠与和互换）；房屋赠与、互换、买卖等。融资租赁期间，房屋所有权没有发生转移，不涉及契税。

4. A　【解析】选项A：以实物交换房屋权属的，参照房屋买卖确定计税依据。

5. A

6. C　【解析】乙应缴纳契税 = 100×3%×10000 = 30000（元）；丙应缴纳契税 = 12×3%×10000 = 3600（元）；丁应缴纳契税 = 10×3%×10000 = 3000（元）。

7. A　【解析】契税以土地使用权、房屋产权的受让方为纳税人，等价互换房屋的，计税依据为零，不缴纳契税。因此，居民甲2021年应缴纳的契税 = 100×4% = 4（万元）。

8. B　【解析】土地使用权互换、房屋互换，互换价格相等的，互换双方计税依据为零；互换价格不相等的，以其差额为计税依据，由支付差额的一方缴纳契税。该公司应缴纳契税 = 300×3% = 9（万元）。

9. C　【解析】房屋买卖的，以成交价格作为计税依据计算缴纳契税，该公司应缴纳契税 = 3500×3% = 105（万元）。

10. A　【解析】以自有房产作股投入本人独资经营的企业，不缴纳契税。以房抵债的，应由产权承受方缴纳契税。土地使用权互换、房屋互换，由支付差价的一方缴纳契税。甲某应缴纳契税 = 15×3% = 0.45（万元）。

11. D　【解析】房屋买卖计税依据为房屋权属转移合同确定的成交价格。房屋附属设施（包括停车位、机动车库、非机动车库、顶层阁楼、储藏室及其他房屋附属设施）与房屋为同一不动产单元的，计税依据为承受方应交付的总价款，并适用与房屋相同的税率；房屋附属设施与房屋为不同不动产单元的，计税依据为转移合同确定的成交价格，并按当地确定的适用税率计税。因此孙某2022年应缴纳契税 = 130×4% + 20×3% = 5.8（万元）。

12. A　【解析】选项B，营利性学校承受房屋、土地权属不能免征契税；选项C，承受荒山、荒地、荒滩土地使用权，并用于农、林、牧、渔业生产的，免征契税；选项D，法定继承人通过继承承受土地、房屋权属的，免征契税，但是非法定继承人通过赠与获得的，没有免税规定。

13. A　【解析】契税的纳税地点为土地、房屋所在地的税务机关。

二、多项选择题

1. CD　【解析】该生产企业作为产权承受方，需要缴纳契税、印花税，不需要缴纳增值税、土地增值税、城市维护建设税。

2. ACE　【解析】选项 B：纳税人应当在依法办理土地、房屋权属登记手续“前”申报缴纳契税。选项 D：因人民法院、仲裁委员会的生效法律文书或者监察机关出具的监察文书等因素，发生土地、房屋权属转移的，承受方应当依法缴纳契税。

3. AB　【解析】选项 AB，土地使用权出售、房屋买卖，其计税依据为权属转移合同确定的成交价格；选项 CD，土地使用权赠与、房屋赠与，其契税计税依据由税务机关参照土地使用权出售、房屋买卖的市场价格核定；选项 E，土地使用权互换、房屋互换，其契税计税依据是所互换的土地使用权、房屋的价格差额，等价互换的，计税依据为零，不缴纳契税。

4. ACD　【解析】房地产的租金和重置价格不是契税的计税依据。

5. CD　【解析】土地使用权互换、房屋互换，互换价格相等的，互换双方计税依据为零；互换价格不相等的，以其差额为计税依据，由支付差额的一方缴纳契税。

6. ABCE　【解析】选项 D，因不可抗力灭失住房，重新承受住房权属，由省、自治区、直辖市决定免征或者减征契税。

7. AB　【解析】契税的纳税义务发生时间一般为纳税人签订土地、房屋权属转移合同的当天，或者纳税人取得其他具有土地、房屋权属转移合同性质凭证的当天。

8. BCDE　【解析】选项 A：契税的纳税人是产权承受方，乙企业负有契税纳税义务。

9. BCD　【解析】纳税人缴纳契税后发生下列情形，可依照有关法律法规申请退税：（1）因人民法院判决或者仲裁委员会裁决导致土地、房屋权属转移行为无效、被撤销或者被解除，且土地、房屋权属变更至原权利人的；（2）在出让土地使用权交付时，因容积率调整或实际交付面积小于合同约定面积需退还土地出让价款的；（3）在新建商品房交付时，因实际交付面积小于合同约定面积需返还房价款的。

第八章　城镇土地使用税

本章学习指南

一、考情概况

本章属于税法（Ⅱ）非重点章节。在历年考题中重点考查城镇土地使用税的纳税人、应纳税额的计算和税收优惠，此外城镇土地使用税也可以与房产税、印花税、耕地占用税组合考查计算题。2022 年本章分值预计为 7 分左右。

二、2022 年教材主要变化

1. 新增城市公交站场等用地免税政策。
2. 延长部分已到期的税收优惠享受期限。
3. 将“在 50%的税额幅度内减征城镇土地使用税”的适用范围扩大到增值税小规模纳税人、小型微利企业和个体工商户。

三、基本结构框架

- 第八章 城镇土地使用税
  - 概述
    - 城镇土地使用税的概念、特点和立法原则 ★
  - 纳税人、征税范围和适用税额
    - 城镇土地使用税的纳税人 ★★
    - 城镇土地使用税的征税范围 ★★★
    - 城镇土地使用税的适用税额 ★★
  - 减免税优惠
    - 城镇土地使用税减免的基本规定 ★★★
    - 城镇土地使用税减免的特殊规定 ★★
  - 计税依据和应纳税额的计算
    - 城镇土地使用税的计税依据 ★★★
    - 城镇土地使用税应纳税额的计算方法 ★★★
  - 征收管理
    - 城镇土地使用税纳税义务发生时间 ★★★
    - 城镇土地使用税的纳税期限 ★
    - 城镇土地使用税的纳税申报 ★★
    - 城镇土地使用税的纳税地点 ★★

本章核心考点精讲

查看本章视频，快速 GET 知识点，使用“会计云课堂”App 或“微信”扫码。

01 城镇土地使用税概述

（一）城镇土地使用税的概念（★）

城镇土地使用税是以开征范围内的土地为征税对象，以实际占用的土地面积为计税依据，按规定税额对拥有土地使用权的单位和个人征收的一种税。

（二）城镇土地使用税的特点（★）

1. 对占用土地的行为征税；
2. 征税对象是土地；
3. 征税范围有所限定（限定在城市、县城、建制镇、工矿区范围内）；
4. 实行差别幅度税额。

（三）城镇土地使用税的立法原则（★）

1. 促进合理、节约使用土地；
2. 调节土地级差收入，鼓励平等竞争；
3. 广集财政资金，完善地方税体系。

02 纳税人、征税范围和适用税额

（一）纳税人（★★）

凡在城市、县城、建制镇、工矿区范围内使用土地的单位和个人，为城镇土地使用税的纳税人。单位包括国有企业、集体企业、私营企业、股份制企业、外商投资企业、外国企业以及其他企业和事业单位、社会团体、国家机关、军队以及其他单位；个人包括个体工商户以及其他个人。

1. 城镇土地使用税由拥有土地使用权的单位或个人缴纳；
2. 土地使用权未确定或权属纠纷未解决的，由实际使用人纳税；
3. 土地使用权共有的，由共有各方分别纳税。

经典题解

【例题1·多选题】关于城镇土地使用税的纳税人，下列说法正确的有（ ）。（2019年）

A. 土地使用权的权属未确定的，实际使用人为纳税人

B. 土地使用权权属共有的，共有各方分别为纳税人

C. 土地使用权出租的，出租人为纳税人

D. 拥有土地使用权的单位和个人为城镇土地使用税的纳税人

E. 土地使用权的权属纠纷未解决的，纠纷双方均为纳税人

【解析】土地使用权未确定或权属纠纷未解决的，其实际使用人为纳税人。

【答案】ABCD

【例题2·多选题】根据城镇土地使用税纳税人的相关规定，下列说法正确的有（ ）。（2018年）

A. 个人拥有土地使用权的，以个人为纳税人

B. 单位拥有土地使用权的，以单位为纳税人

C. 土地使用权出租的，以承租人为纳税人

D. 土地使用权属未确定的，以实际使用人为纳税人

E. 土地使用权属共有的，以共有各方为纳税人

【解析】选项C：土地使用权出租的，以出租人为纳税人。

【答案】ABDE

（二）征税范围（★★★）

城镇土地使用税的征税范围，为城市（包括市区和郊区）、县城、建制镇和工矿区。

（三）适用税额（★★）

1. 城镇土地使用税实行分级幅度税额。每平方米土地年税额规定如下：

（1）大城市1.5~30元；

（2）中等城市1.2~24元；

（3）小城市0.9~18元；

（4）县城、建制镇、工矿区0.6~12元。

考点提示

城镇土地使用税适用四档地区差别幅度定额税率，每档最高税额与最低税额相差20倍。

2. 经省、自治区、直辖市人民政府批准，经济落后地区，城镇土地使用税的适用税额标准可适当降低，但降低额不得超过上述规定最低税额的30%。经济发达地区的适用税额标准可以适当提高，但须报财政部批准。

03 减免税优惠

（一）减免税基本规定（★★★）

根据《城镇土地使用税暂行条例》及相关规定，下列土地免征城镇土地使用税：

1. 国家机关、人民团体、军队自用的土地。
2. 由国家财政部门拨付事业经费的单位自用的土地。

考点提示

企业办的各类学校、托儿所、幼儿园，其自用的土地免征城镇土地使用税。

3. 宗教寺庙、公园、名胜古迹自用的土地。

考点提示

公园、名胜古迹中附设的营业场所，如影剧院、饮食部、茶社、照相馆等用地，应征收城镇土地使用税。

4. 市政街道、广场、绿化地带等公共用地。

考点提示

非社会性的公共用地不能免税，如企业内的广场、道路、绿化等占用的土地。

5. 直接用于农、林、牧、渔业的生产用地。

考点提示

农副产品加工厂占地和从事农、林、牧、渔业生产单位的生活、办公用地不包括在内。

6. 自行开山填海整治的土地和改造的废弃土地，从使用的月份起免缴城镇土地使用税5年~10年。

考点提示

开山填海整治的土地是指纳税人经有关部门批准后自行填海整治的土地，不包括纳税人通过出让、转让、划拨等方式取得的已填海整治的土地。

7. 由财政部另行规定免税的能源、交通、水利用地和其他用地。

（二）减免税特殊规定（★★）

用地类型/情形	减免税规定
免税单位与纳税单位之间无偿使用的土地	对免税单位无偿使用纳税单位的土地（如公安、海关等单位使用铁路、民航等单位的土地），免征城镇土地使用税；对纳税单位无偿使用免税单位的土地，纳税单位应照章缴纳城镇土地使用税 【考点提示】免税单位与纳税单位之间无偿（或有偿）使用对方土地的纳税情况见下表【易错易混】

用地类型/情形	减免税规定
房地产开发公司开发建造商品房的用地	房地产开发公司开发建造商品房的用地，除经批准开发建设经济适用房的用地外，对各类房地产开发用地一律不得减免城镇土地使用税
防火、防爆、防毒等安全防范用地	对于各类危险品仓库、厂房所需的防火、防爆、防毒等安全防范用地，可由各省、自治区、直辖市税务局确定，暂免征收城镇土地使用税；对仓库库区、厂房本身用地，应依法征收城镇土地使用税
企业的铁路专用线、公路等用地	对企业的铁路专用线、公路等用地，除另有规定者外，在企业厂区（包括生产、办公及生活区）以内的，应照章征收城镇土地使用税；在厂区以外、与社会公用地段未加隔离的，暂免征收城镇土地使用税
企业的绿化用地	对企业厂区（包括生产、办公及生活区）以内的绿化用地，应照章征收城镇土地使用税，厂区以外的公共绿化用地和向社会开放的公园用地，暂免征收城镇土地使用税
盐场、盐矿用地	（1）对盐场、盐矿的生产厂房、办公、生活区用地，应照章征收城镇土地使用税 （2）盐场的盐滩、盐矿的矿井用地，暂免征收城镇土地使用税 （3）对盐场、盐矿的其他用地，由各省、自治区、直辖市税务局根据实际情况，确定征收城镇土地使用税或给予定期减征、免征的照顾
矿山企业用地	（1）矿山的采矿场、排土场、尾矿库、炸药库的安全区，以及运矿运岩公路、尾矿输送管道及回水系统用地，免征城镇土地使用税 （2）对位于城镇土地使用税征税范围内的煤炭企业已取得土地使用权，未利用的塌陷地，自2006年9月1日起恢复征收城镇土地使用税 （3）除上述规定外，对矿山企业的其他生产用地及办公、生活区用地，均应征收城镇土地使用税
电力行业用地	（1）火电厂厂区围墙内的用地，均应征收城镇土地使用税。对厂区围墙外的灰场、输灰管、输油（气）管道、铁路专用线用地，免征城镇土地使用税；厂区围墙外的其他用地，应照章征税 （2）水电站的发电厂房用地（包括坝内、坝外式厂房），生产、办公、生活用地，应征收城镇土地使用税；对其他用地给予免税照顾 （3）对供电部门的输电线路用地、变电站用地，免征城镇土地使用税
水利设施用地	（1）对水利设施及其管护用地（如水库库区、大坝、堤防、灌渠、泵站等用地），免征城镇土地使用税；其他用地，如生产、办公、生活用地，应照章征税 （2）对兼有发电的水利设施用地城镇土地使用税的征免，具体办法比照电力行业征免城镇土地使用税的有关规定办理
核工业总公司所属企业用地	对生产核系列产品的厂矿，为照顾其特殊情况，除生活区、办公区用地应依照规定征收城镇土地使用税外，其他用地暂免征收城镇土地使用税

用地类型/情形	减免税规定
交通部门港口用地	（1）对港口的码头（泊位，包括岸边码头、伸入水中的浮码头、堤岸、堤坝、栈桥等）用地，免征城镇土地使用税 （2）对港口的其他用地，应按规定征收城镇土地使用税
民航机场用地	（1）机场飞行区（包括跑道、滑行道、停机坪、安全带、夜航灯光区）用地、场内外通讯导航设施用地和飞行区四周排水防洪设施用地，免征城镇土地使用税 （2）在机场道路中，场外道路用地免征城镇土地使用税；场内道路用地依照规定征收城镇土地使用税 （3）机场工作区（包括办公、生产和维修用地及候机楼、停车场）用地、生活区用地、绿化用地，均须依照规定征收城镇土地使用税
司法部所属劳改劳教单位用地	（1）对少年犯管教所的用地和由国家财政部门拨付事业经费的劳教单位自用的土地，免征城镇土地使用税 （2）对劳改单位及经费实行自收自支的劳教单位的工厂、农场等，凡属于管教或生活用地，例如：办公室、警卫室、职工宿舍、犯人宿舍、储藏室、食堂、礼堂、图书室、阅览室、浴室、理发室、医务室等房屋、建筑物用地及其周围土地，均免征城镇土地使用税 （3）对监狱的用地，若主要用于关押犯人，只有极少部分用于生产经营的，可从宽掌握，免征城镇土地使用税 （4）对劳改劳教单位警戒围墙外的其他生产经营用地，应照章征收城镇土地使用税
老年服务机构自用的土地	对政府部门和企事业单位、社会团体以及个人等社会力量投资兴办的福利性、非营利性的老年服务机构自用土地，暂免征收城镇土地使用税
铁路行业自用的土地	铁道部（现为中国铁路总公司）所属铁路运输企业自用的土地免征城镇土地使用税。地方铁路运输企业自用的房产、土地应缴纳的城镇土地使用税，比照铁道部所属铁路运输企业的政策执行
核电站用地	（1）对核电站的核岛、常规岛、辅助厂房和通讯设施用地（不包括地下线路用地），生活、办公用地按规定征收城镇土地使用税，其他用地免征城镇土地使用税 （2）对核电站应税土地在基建期内减半征收城镇土地使用税
棚户区改造用地	（1）对改造安置住房建设用地免征城镇土地使用税 （2）在商品住房等开发项目中配套建造安置住房的，依据政府部门出具的相关材料、房屋征收（拆迁）补偿协议或棚户区改造合同（协议），按改造安置住房建筑面积占总建筑面积的比例免征城镇土地使用税

用地类型/情形	减免税规定
农产品批发市场、农贸市场用地	(1) 自2019年1月1日至2023年12月31日，对农产品批发市场、农贸市场（包括自有和承租）专门用于经营农产品的土地，暂免征收城镇土地使用税 (2) 对同时经营其他产品的农产品批发市场和农贸市场使用的土地，按其他产品与农产品交易场地面积的比例确定征免城镇土地使用税
供热企业用地	(1) 自2019年1月1日至2023年供暖期结束，对向居民供热收取采暖费的“三北”地区供热企业，为居民供热所使用的土地免征城镇土地使用税；对供热企业其他土地，应当按照规定征收城镇土地使用税 (2) 对专业供热企业，按其向居民供热取得的采暖费收入占全部采暖费收入的比例，计算免征城镇土地使用税 (3) 对兼营供热企业，可以区分供热所使用的土地与其他生产经营活动所使用的土地的，对其供热所使用土地，按向居民供热取得的采暖费收入占全部采暖费收入的比例，计算免征的城镇土地使用税。难以区分的，对其全部土地，按向居民供热取得的采暖费收入占其营业收入的比例计算免征城镇土地使用税
商品储备管理公司及其直属库用地	自2019年1月1日至2023年12月31日，对商品储备管理公司及其直属库自用的承担商品储备业务的土地，免征城镇土地使用税
民用航空发动机研制项目用地	(1) 自2018年1月1日至2023年12月31日，对纳税人及其全资子公司从事大型民用客机发动机、中大功率民用涡轴涡桨发动机研制项目自用的科研、生产、办公用土地，免征城镇土地使用税 (2) 自2019年1月1日至2023年12月31日，对纳税人及其全资子公司从事大型客机研制项目而自用的科研、生产、办公用土地，免征城镇土地使用税
农村饮水安全工程用地	(1) 为支持农村饮水安全工程（以下称“饮水工程”）巩固提升，自2019年1月1日至2023年12月31日，对饮水工程运营管理单位自用的生产、办公用土地，免征城镇土地使用税 (2) 对于既向城镇居民供水，又向农村居民供水的饮水工程运营管理单位，依据向农村居民供水量占总供水量的比例免征城镇土地使用税。无法提供具体比例或所提供数据不实的，不得享受优惠政策
公共租赁住房用地	自2019年1月1日至2023年12月31日，对公租房建设期间用地及公租房建成后占地，免征城镇土地使用税。在其他住房项目中配套建设公租房，按公租房建筑面积占总建筑面积的比例免征建设、管理公租房涉及的城镇土地使用税
养老、托育、家政等社区家庭服务用地	自2019年6月1日至2025年12月31日，为社区提供养老、托育、家政等服务的机构自有或其通过承租、无偿使用等方式取得并用于提供社区养老、托育、家政服务的土地，免征城镇土地使用税

用地类型/情形	减免税规定
城市公交站场、道路客运站场、城市轨道交通系统运营用地（新增）	自2019年1月1日至2023年12月31日，对城市公交站场、道路客运站场、城市轨道交通系统运营用地，免征城镇土地使用税
物流企业大宗商品仓储设施用地	自2020年1月1日至2022年12月31日，对物流企业自有（包括自用和出租）或承租的大宗商品仓储设施用地，减按所属土地等级适用税额标准的50%计征城镇土地使用税
科技企业孵化器、大学科技园、众创空间用地	自2019年1月1日至2023年12月31日，对国家级、省级科技企业孵化器、大学科技园和国家备案众创空间自用以及无偿或通过出租等方式提供给在孵对象使用的土地，免征城镇土地使用税
授权地方政府税额减半优惠（新增）	自2022年1月1日至2024年12月31日，由省、自治区、直辖市人民政府根据本地区实际情况，以及宏观调控需要确定，对增值税小规模纳税人、小型微利企业和个体工商户可以在50%的税额幅度内减征城镇土地使用税等“六税两费”
由各省、自治区、直辖市税务局确定征免税的情形	个人所有的居住房屋及院落用地，房产管理部门在房租调整改革前经租的居民住房用地，免税单位职工家属的宿舍用地，集体和个人举办的各类学校、医院、托儿所、幼儿园用地等的征免税，由各省、自治区、直辖市税务局确定

易错易混

免税单位与纳税单位之间无偿（或有偿）使用对方土地的纳税情况

土地使用权人	土地实际使用人	土地使用情况	纳税情况	实际纳税人
纳税单位	免税单位	无偿使用	免税	——
		有偿使用	纳税	纳税单位
免税单位	纳税单位	无偿使用	纳税	纳税单位
		有偿使用	纳税	免税单位

经典题解

【例题3·单选题】 下列用地行为，应计算缴纳城镇土地使用税的是（　　）。（2019年）

A. 宗教寺庙自用土地

B. 市政休闲广场用地

C. 农副产品加工厂用地

D. 直接用于农业生产的土地

【解析】 选项ABD：免征城镇土地使用税。

【答案】 C

【例题 4 · 单选题】下列用地，免征城镇土地使用税的是（　　）。（2018 年）

A. 军队家属的院落用地　　B. 国家机关的办公用地

C. 房地产公司开发写字楼用地　　D. 企业内部道路绿化用地

【解析】选项 A：免税单位职工家属的宿舍用地，由各省、自治区、直辖市税务局确定征免城镇土地使用税。选项 C：房地产开发公司开发建造商品房的用地，除经批准开发建设经济适用房的用地外，对各类房地产开发用地一律不得减免城镇土地使用税。选项 D：对企业厂区（包括生产、办公及生活区）以内的绿化用地，应照章征收城镇土地使用税。

【答案】B

【例题 5 · 单选题】下列用地，免征城镇土地使用税的是（　　）。（2017 年）

A. 人民法院的办公楼用地　　B. 企业内道路占用的土地

C. 军队家属的院落用地　　D. 公园的照相馆经营用地

【解析】选项 AC：国家机关、人民团体、军队自用的土地免征城镇土地使用税，自用指的是单位本身办公用地和公务用地；选项 B：企业内的道路用地不免征城镇土地使用税；选项 D：公园中附设的营业场所用地，应征收城镇土地使用税。

【答案】A

【例题 6 · 单选题】下列关于城镇土地使用税减免税优惠的说法，正确的是（　　）。（2016 年）

A. 农业生产单位的办公用地免征城镇土地使用税

B. 事业单位的经营用地免征城镇土地使用税

C. 港口的码头用地免征城镇土地使用税

D. 企业厂区内的绿化用地免征城镇土地使用税

【解析】选项 A：直接从事种植、养殖、饲养的专业用地免征城镇土地使用税，农业生产单位的办公用地要照章征收城镇土地使用税；选项 B：事业单位自用的土地（本身的业务用地）免征城镇土地使用税；选项 D：企业厂区内的绿化用地照章征税。

【答案】C

【例题 7 · 单选题】下列关于城镇土地使用税减免税的说法，正确的是（　　）。（2021 年）

A. 营利性老年服务机构自用土地，暂免征收城镇土地使用税

B. 免税单位无偿使用纳税单位的土地，免征城镇土地使用税

C. 农副产品加工的专业用地，免征城镇土地使用税

D. 劳改劳教单位警戒围墙外的其他生产经营用地，暂免征收城镇土地使用税

【解析】选项 A：老年服务机构自用的土地暂免征收城镇土地使用税，老年服务机构是指专门为老年人提供生活照料、文化、护理、健身等多方面服务的福利性、非营利性的机构。选项 C：直接用于农、林、牧、渔业的生产用地免征城镇土地使用税，农副产品加工厂占地和从事农、林、牧、渔业生产单位的生活、办公用地不包括在内。选项 D：对劳改劳教单位警戒围墙外的其他生产经营用地，应照章征收城镇土地使用税。

【答案】B

【例题8·单选题】 2021年某民用机场占地100万平方米，其中飞行区用地90万平方米，场外道路用地7万平方米，场内道路用地0.5万平方米，工作区用地2.5万平方米，城镇土地使用税年税额为5元/平方米。2021年该机场应缴纳城镇土地使用税（　　）元。

A. 125000　　B. 150000　　C. 475000　　D. 500000

【解析】 机场飞行区用地、场外道路用地，免征城镇土地使用税；在机场道路中，场内道路用地依照规定征收城镇土地使用税；机场工作区用地、生活区用地、绿化用地，均须依照规定征收城镇土地使用税。2021年该机场应缴纳城镇土地使用税=（0.5+2.5）×5×10000=150000（元）。

【答案】 B

【例题9·单选题】 甲企业生产经营用地分布于两处，第一处土地使用权属于某免税单位，甲企业无偿占用2000平方米；第二处土地使用权面积6000平方米，其中幼儿园占用500平方米、内部绿化带占用500平方米，其余办公使用。当地城镇土地使用税单位税额4元/平方米，甲企业全年应缴纳城镇土地使用税（　　）元。（2021年考题改编）

A. 30000　　B. 28000　　C. 22000　　D. 32000

【解析】 纳税单位无偿使用免税单位的土地，纳税单位应照章缴纳城镇土地使用税。企业办的幼儿园用地，免征城镇土地使用税。甲企业全年应缴纳的城镇土地使用税=（2000+6000-500）×4=30000（元）。

【答案】 A

【例题10·多选题】 下列占用土地行为，免征城镇土地使用税的有（　　）。（2020年）

A. 市政街道占用土地

B. 军队办公场所占用土地

C. 种植业生产占用土地

D. 城市市政广场占用土地

E. 公园内饮食部占用土地

【解析】 选项E：公园、名胜古迹中附设的营业场所，如影剧院、饮食部、茶社、照相馆等用地，应征收城镇土地使用税。

【答案】 ABCD

【例题11·多选题】 下列用地，免征城镇土地使用税的有（　　）。

A. 从事水产养殖的用地

B. 供电部门的变电站用地

C. 盐场、盐矿的生产厂房用地

D. 核电站基建期内的应税土地

E. 非营利性的老年服务机构自用的土地

【解析】 选项C：对盐场、盐矿的生产厂房、办公、生活区用地，应照章征收城镇土地使用税；选项D：对核电站应税土地在基建期内减半征收城镇土地使用税。

【答案】 ABE

【例题 12 · 多选题】 下列关于城镇土地使用税的说法，正确的有（　　）。（2015 年）

A. 企业厂区内绿化用地免征城镇土地使用税

B. 企业厂区以外绿化用地暂免征城镇土地使用税

C. 专门经营农产品的批发市场用地免征城镇土地使用税

D. 饮水工程运营管理单位自用的办公用地免征城镇土地使用税

E. 企业办的学校用地免征城镇土地使用税

【解析】 选项 A：对企业厂区以内的绿化用地，应照章征收城镇土地使用税。

【答案】 BCDE

【例题 13 · 多选题】 下列说法，符合城镇土地使用税税收政策的有（　　）。

A. 农副产品加工厂用地应征收城镇土地使用税

B. 公园里开办的照相馆用地应征收城镇土地使用税

C. 企业厂区以外的公共绿化用地应征收城镇土地使用税

D. 自收自支、自负盈亏的事业单位用地应征收城镇土地使用税

E. 直接从事饲养的专业用地免予征收城镇土地使用税

【解析】 选项 C：对企业厂区以外的公共绿化用地，暂免征收城镇土地使用税。

【答案】 ABDE

【例题 14 · 多选题】 下列关于城镇土地使用税减免税的说法，正确的有（　　）。（2021 年）

A. 改造安置住房建设用地免征城镇土地使用税

B. 民航机场的场外道路用地免征城镇土地使用税

C. 核电站基建期内的应税土地免征城镇土地使用税

D. 水利设施的水库库区和泵站用地，减半征收城镇土地使用税

E. 供电部门的输电线路用地免征城镇土地使用税

【解析】 选项 C：核电站应税土地在基建期内减半征收城镇土地使用税。选项 D：对水利设施及其管护用地（如水库库区、大坝、堤防、灌渠、泵站等用地），免征城镇土地使用税。

【答案】 ABE

04 计税依据和应纳税额的计算

（一）计税依据（★★★）

1. 城镇土地使用税以纳税人实际占用的土地面积为计税依据，土地面积计量标准为每平方米。

2. 纳税人实际占用的土地面积按下列办法确定：

（1）纳税人实际占用的土地面积，以房地产管理部门核发的土地使用证书确认的土地面积为准。

（2）尚未核发土地使用证书的，应由纳税人据实申报土地面积，据以纳税，待核发土地使用证以后再作调整。

（二）应纳税额的计算（★★★）

全年应纳税额=计税土地面积（m^2）×适用税额

考点提示

土地使用权由几方共有的，由共有各方按照各自实际使用的土地面积占总面积的比例，分别计算缴纳城镇土地使用税。

经典题解

【例题 15·单选题】某事业单位位于市区，实行自收自支、自负盈亏，2021 年占地 80000 平方米。其中：办公用地占地 10000 平方米，兴办的非营利性老年公寓占地 20000 平方米，厂区以外向社会开放的公园占地 40000 平方米，其余土地对外出租。该地段年单位税额 2 元/平方米。2021 年该单位应缴纳城镇土地使用税（　　）元。

A. 80000　　B. 40000

C. 100000　　D. 20000

【解析】对企事业单位兴办的非营利性的老年服务机构（含老年公寓）自用的土地以及企业厂区以外向社会开放的公园用地，均暂免征收城镇土地使用税。2021 年该单位应缴纳城镇土地使用税=（80000-20000-40000）×2=40000（元）。

【答案】B

【例题 16·单选题】甲企业位于某经济落后地区，2020 年 12 月取得一宗土地的使用权（未取得土地使用证书），2021 年已按 1500 平方米申报缴纳城镇土地使用税。2022 年 1 月该企业取得了政府部门核发的土地使用证书，上面注明的土地面积为 2000 平方米。已知该地区适用每平方米 0.9 元~18 元的固定税额，当地政府规定的固定税额为每平方米 0.9 元，并另按照国家规定的最高比例降低税额标准。则该企业应该补缴 2021 年的城镇土地使用税为（　　）元。

A. 0　　B. 315

C. 945　　D. 1260

【解析】经济落后地区，城镇土地使用税的适用税额标准可适当降低，但降低额不得超过规定最低税额的 30%，所以降低额最高为 0.9×30%=0.27（元/平方米），则适用的城镇土地使用税税额=0.9-0.27=0.63（元/平方米）；2021 年已经缴纳的城镇土地使用税=1500×0.63=945（元），应缴纳的城镇土地使用税=2000×0.63=1260（元），则该企业应该补缴 2021 年的城镇土地使用税=1260-945=315（元）。

【答案】B

【例题 17·单选题】某大型制造企业土地使用权证书载明占地面积 100 万平方米，其中幼儿园占地 2 万平方米、企业厂区内道路和绿化占地 5 万平方米、其余为生产、办公用地。已知当地城镇土地使用税年税额为 10 元/平方米，2019 年该企业应缴纳城镇土地使用税（　　）万元。（2020 年）

A. 950　　B. 980　　C. 930　　D. 1000

【解析】企业办的各类学校、托儿所、幼儿园，其自用的土地，免征城镇土地使用税。2019 年该企业应缴纳城镇土地使用税 =（100-2）×10 = 980（万元）。

【答案】B

05 征收管理

（一）纳税义务发生时间（★★★）

情形	纳税义务发生时间
购置新建商品房	自房屋交付使用之次月
购置存量房	自办理房屋权属转移、变更登记手续，房地产权属登记机关签发房屋权属证书之次月
出租、出借房产	自交付出租、出借房产之次月
新征用的耕地	自批准征用之日起满 1 年
新征用的非耕地	自批准征用次月
以出让或转让方式有偿取得土地使用权的	（1）合同约定交付土地时间的，自合同约定交付土地时间的次月 （2）合同未约定交付土地时间的，自合同签订的次月
通过招标、拍卖、挂牌方式取得的建设用地（不属于新征用的耕地）	

经典题解

【例题 18 · 单选题】纳税人购置新建商品房，其城镇土地使用税纳税义务发生时间是（　　）。（2020 年）

A. 房屋交付使用之次月

B. 办理预售许可证之次月

C. 房屋竣工备案之次月

D. 办理不动产权属证书之次月

【答案】A

【例题 19 · 单选题】某工厂 4 月购买一幢旧厂房，6 月在房地产权属管理部门办理了产权证书。该厂房所占土地开始缴纳城镇土地使用税的时间是（　　）月。

A. 4　　　　B. 5

C. 6　　　　D. 7

【解析】购置存量房，自办理房屋权属转移、变更登记手续，房地产权属登记机关签发房屋权属证书之次月起计征城镇土地使用税。

【答案】D

【例题 20·单选题】某公司 2022 年 3 月通过挂牌取得一宗土地，土地出让合同约定 2022 年 4 月交付，土地使用证记载占地面积为 6000 平方米。该土地年税额 4 元/平方米，该公司 2022 年应缴纳城镇土地使用税（　　）元。

A. 16000　　B. 18000

C. 20000　　D. 24000

【解析】通过招标、拍卖、挂牌方式取得的建设用地，从合同约定交付土地时间的“次月”起缴纳城镇土地使用税。应纳税额 = 6000×4×8÷12 = 16000（元）。

【答案】A

【例题 21·单选题】2021 年某企业占用某市二等地段土地 6000 平方米，三等地段土地 12000 平方米（其中 1000 平方米为该企业幼儿园用地，200 平方米无偿供派出所使用）；2021 年 4 月该企业在城郊征用耕地 4000 平方米，该耕地当年已经缴纳耕地占用税；同年 8 月在城郊征用非耕地 6000 平方米。该企业 2021 年和 2022 年应缴纳城镇土地使用税共计（　　）元。（城镇土地使用税年税额：二等地段 7 元/平方米，三等地段 4 元/平方米，城郊征用的耕地和非耕地 1.2 元/平方米）

A. 180000　　B. 183600

C. 186800　　D. 188000

【解析】2021 年应缴纳城镇土地使用税 = 6000×7 +（12000 - 1000 - 200）×4 + 6000×1.2÷12×4 = 87600（元），2022 年应缴纳城镇土地使用税 = 6000×7 +（12000 - 1000 - 200）×4 + 6000×1.2+4000×1.2÷12×9 = 96000（元），2021 年和 2022 年共计应缴纳城镇土地使用税 = 87600+96000 = 183600（元）。

【答案】B

【例题 22·单选题】位于某县城的一化工厂，2021 年年初该化工厂土地使用证书记载占用土地的面积为 80000 平方米，8 月新征用耕地 10000 平方米，已缴纳耕地占用税，适用城镇土地使用税年税额为 10 元/平方米。该化工厂 2021 年应缴纳城镇土地使用税（　　）元。

A. 720000　　B. 800000

C. 820000　　D. 900000

【解析】纳税人新征用的耕地，自批准征用之日起满 1 年时开始缴纳城镇土地使用税。该化工厂 2021 年应缴纳城镇土地使用税 = 80000×10 = 800000（元）。

【答案】B

（二）纳税期限（★）

城镇土地使用税按年计算，分期缴纳。缴纳期限由省、自治区、直辖市人民政府确定。

（三）纳税申报（★★）

纳税人新征用的土地，必须于批准新征用之日起30 日内申报登记。纳税人如有住址变更、土地使用权属转换等情况，从转移之日起，按规定期限办理申报变更登记。

经典题解

【例题 23・多选题】下列关于城镇土地使用税征收管理的说法，正确的有（　　）。

A. 城镇土地使用税按年计算、年终缴纳

B. 纳税人新征用的土地，自批准征用之日起 60 日内申报登记

C. 纳税人新征用的非耕地，自批准征用次月起缴纳城镇土地使用税

D. 纳税人出租的房产，自交付出租房产之次月起计征城镇土地使用税

E. 纳税人购置存量房，自房地产权属登记机关签发房屋权属证书的次月起缴纳城镇土地使用税

【解析】选项 A：城镇土地使用税按年计算，分期缴纳；选项 B：纳税人新征用的土地，必须于批准新征用之日起 30 日内申报登记。

【答案】CDE

（四）纳税地点（★★）

1. 城镇土地使用税的纳税地点为土地所在地，由土地所在地的税务机关负责征收。

2. 纳税人使用的土地不属于同一省（自治区、直辖市）管辖范围内的，由纳税人分别向土地所在地的税务机关申报缴纳城镇土地使用税；在同一省（自治区、直辖市）管辖范围内，纳税人跨地区使用的土地，其纳税地点由各省、自治区、直辖市税务局确定。

经典题解

【例题 24・单选题】关于城镇土地使用税的征收管理，下列说法正确的是（　　）。

A. 城镇土地使用税的纳税地点是纳税人所在地

B. 城镇土地使用税由土地管理部门负责征收

C. 纳税人使用的土地不属于同一省（自治区、直辖市）管辖范围内的，由纳税人统一在其机构所在地申报纳税

D. 在同一省（自治区、直辖市）管辖范围内，纳税人跨地区使用土地的，由省、自治区、直辖市税务局确定纳税地点

【解析】选项 A：城镇土地使用税的纳税地点是土地所在地。选项 B：城镇土地使用税由税务机关负责征收。选项 C：纳税人使用的土地不属于同一省（自治区、直辖市）管辖范围内的，由纳税人分别向土地所在地的税务机关申报缴纳城镇土地使用税。

【答案】D

本章小结

用“会计云课堂”App扫码学习

您已成功完成“第八章”的学习，本章共5个考点，您都学会了吗？

为了让您对本章有更清晰的理解，加倍巩固。本书作者张泉春老师将通过“电台音频课”的方式，带您回顾重要考点。

名师点拨，高效提分。

※ 欢迎扫码免费学习。

同步强化练习题

使用“会计云课堂”App或“微信”扫码快速做题、对答案、看解析、掌握解题思路，开启轻松过关之旅。

一、单项选择题

1. 某国家级森林公园，2021年共占地2000万平方米，其中行政管理部门办公用房占地0.1万平方米，所属酒店占地1万平方米、索道经营场所占地0.5万平方米，其余用地为供公共参观游览的用地。公园所在地城镇土地使用税年税额为2元/平方米，该公园2021年度应缴纳的城镇土地使用税为（　　）万元。

A. 1　　B. 2

C. 3　　D. 3.2

2. 下列各项中，应计算缴纳城镇土地使用税的是（　　）。

A. 专门经营农产品的农产品批发市场用地

B. 水利设施用地

C. 农副产品加工厂占地

D. 检察机关办公用地

3. 下列关于城镇土地使用税的说法正确的是（　　）。

A. 个人投资兴办的福利性、非营利性的老年服务机构的自用土地，暂免征收城镇土地使用税

B. 机场工作区用地，暂免征收城镇土地使用税

C. 以出让或转让方式有偿取得土地使用权的，应由受让方从合同约定交付土地时间的当月起缴纳城镇土地使用税

D. 以出让或转让方式有偿取得土地使用权的，合同未约定交付土地时间的，由受让方从合同签订的当月起缴纳城镇土地使用税

4. 免税单位职工家属的宿舍用地，可以由（　　）确定是否免征城镇土地使用税。

A. 省级税务局　　B. 省级人民政府
C. 县级税务局　　D. 县级人民政府

5. 某县城肉制品加工企业2021年占地60000平方米，其中办公楼占地5000平方米，生猪养殖基地占地28000平方米，肉制品加工车间占地16000平方米，企业内部道路及绿化占地11000平方米。假定该企业所在地城镇土地使用税年税额每平方米0.8元。该企业全年应缴纳城镇土地使用税（　　）元。
A. 16800　　B. 25600
C. 39200　　D. 48000

6. 下列各项中，不需要由省、自治区、直辖市税务局确定是否免征城镇土地使用税的项目是（　　）。
A. 个人所有的居住房屋及院落用地
B. 宗教寺庙自用的土地
C. 免税单位职工家属的宿舍用地
D. 个人办的医院、托儿所和幼儿园用地

7. 某盐场2021年度占地200000平方米，其中办公楼占地20000平方米，盐场内部生活区占地50000平方米，盐场附属幼儿园占地10000平方米，盐滩占地120000平方米。盐场所在地城镇土地使用税年税额每平方米0.7元。该盐场2021年应缴纳的城镇土地使用税为（　　）元。
A. 14000　　B. 49000
C. 56000　　D. 140000

8. 某人民团体拥有A、B两栋办公楼，A栋占地3000平方米，B栋占地1000平方米。2021年3月31日至12月31日该人民团体将B栋出租。当地城镇土地使用税的年税额为每平方米15元，该人民团体2021年应缴纳城镇土地使用税（　　）元。
A. 3750　　B. 11250
C. 12500　　D. 15000

二、多项选择题

1. 下列选项需要征收城镇土地使用税的有（　　）。
A. 免税单位无偿使用纳税单位的土地
B. 学校租给企业的房产用地
C. 公园附设的照相馆用地
D. 公园管理单位自用的办公楼用地
E. 林业生产单位的办公用地

2. 下列关于城镇土地使用税的说法，正确的有（　　）。
A. 城镇土地使用税实行差别幅度税额
B. 经济发达地区城镇土地使用税适用税额标准可适当提高，但须报经国家税务总局批准
C. 经省、自治区、直辖市人民政府批准，经济落后地区的城镇土地使用税适用税额标准可以适当降低，但降低额不得超过规定的最低税额的30%
D. 省、自治区、直辖市人民政府应当在法定税额幅度内，根据市政建设状况、经济繁荣程度等条件，确定所辖地区的适用税额幅度
E. 市、县人民政府应当根据实际情况，将本地区土地划分为若干等级，在《城镇土地使用税暂行条例》统一规定的税额幅度内，自行制定适用税额标准

3. 下列关于城镇土地使用税的说法，正确的有（　　）。
A. 城镇土地使用税调节的是土地的级差收入

B. 城镇土地使用税只在城市、县城、建制镇、工矿区范围内征收
C. 土地使用权权属纠纷未解决的，由实际使用人纳税
D. 纳税单位无偿使用免税单位的土地，免税单位应照章缴纳城镇土地使用税
E. 城市、县城、建制镇、工矿区的具体征税范围，由各省、自治区、直辖市人民政府划定

4. 下列选项中，可以作为城镇土地使用税的计税依据的有（　　）。
A. 实际占用的土地面积
B. 房地产管理部门核发的土地使用证书确认的土地面积
C. 纳税人据实申报的土地面积
D. 税务机关核定的土地面积
E. 纳税人生产、经营占用农村的土地面积

5. 下列所占用的土地中，可以免征或暂免征收城镇土地使用税的有（　　）。
A. 免税单位无偿使用纳税单位的土地
B. 纳税单位无偿使用免税单位的土地
C. 危险品仓库的防火、防爆等安全防范用地
D. 危险品仓库的库区用地
E. 矿山的采矿场用地

6. 下列各项中，应缴纳城镇土地使用税的有（　　）。
A. 水产养殖业的生产用地
B. 名胜古迹内附设的照相馆用地
C. 公园中管理单位的办公用地
D. 个体餐馆对外营业的餐馆用地
E. 学校的教学楼用地

7. 根据城镇土地使用税的相关规定，下列选项中正确的有（　　）。
A. 对核电站应税土地在基建期内减半征收城镇土地使用税
B. 中铁集装箱运输有限责任公司、中铁快运股份有限公司自用的土地免征城镇土地使用税
C. 用于提供社区养老、托育、家政服务的土地免征城镇土地使用税
D. 盐场的盐滩、盐矿的矿井用地应征收城镇土地使用税
E. 对专门经营农产品的农产品批发市场的土地，减半征收城镇土地使用税

8. 下列各项中，符合城镇土地使用税有关纳税义务发生时间规定的有（　　）。
A. 纳税人新征用的耕地，自批准征用之月起缴纳城镇土地使用税
B. 纳税人出租房产，自交付出租房产之次月起缴纳城镇土地使用税
C. 纳税人新征用的非耕地，自批准征用之月起缴纳城镇土地使用税
D. 纳税人购置新建商品房，自房屋交付使用之次月起缴纳城镇土地使用税
E. 纳税人新征用的耕地，自批准征用之日起满 1 年时开始缴纳城镇土地使用税

9. 纳税人的下列用地，免征城镇土地使用税的有（　　）。
A. 水利设施及其管护用地
B. 宗教寺庙举行宗教仪式用地
C. 企业厂区内的铁路专用线用地
D. 港口码头用地
E. 校办企业的经营用地

10. 下列各项中，可以免缴城镇土地使用税的有（　　）。
A. 国家财政部门拨付事业经费单位自用的土地
B. 名胜古迹场所内设立的照相馆用地
C. 少年犯管教所用地
D. 宗教寺庙人员的生活用地
E. 公安办公大楼租给企业的用地

11. 下列各项中，需要照章缴纳城镇土地使用税的有（　　）。
A. 盐场的盐滩用地
B. 机场候机楼用地
C. 机场跑道用地
D. 农贸市场专门用于经营农产品的土地
E. 物流企业承租用于大宗商品仓储设施用地

同步强化练习题参考答案及解析

使用“会计云课堂”App或“微信”扫码对答案、看解析、掌握解题思路，开启轻松过关之旅。

一、单项选择题

1. C　【解析】公园自用的土地，免征城镇土地使用税，经营用地不属于免税范围。该公园2021年度应缴纳城镇土地使用税=（1+0.5）×2=3（万元）。

2. C　【解析】选项C：直接从事种植、养殖、饲养的专业用地免征城镇土地使用税。农副产品加工厂占地和从事农、林、牧、渔业生产单位的生活、办公用地不包括在内。

3. A　【解析】选项B：机场工作区（包括办公、生产和维修用地及候机楼、停车场）用地、生活区用地、绿化用地，均须依照规定征收城镇土地使用税。选项CD：以出让或转让方式有偿取得土地使用权的，应由受让方从合同约定交付土地时间的次月起缴纳城镇土地使用税；合同未约定交付土地时间的，由受让方从合同签订的次月起缴纳城镇土地使用税。

4. A

5. B　【解析】直接用于农、林、牧、渔业的生产用地免税；从事农、林、牧、渔业生产单位的办公用地、农副产品加工厂占地是不免税的。对企业厂区以外的公共绿化用地暂免征收城镇土地使用税，企业厂区以内的是不免税的。该企业全年应缴纳城镇土地使用税=（60000-28000）×0.8=25600（元）。

6. B　【解析】选项B：宗教寺庙自用的土地免征城镇土地使用税，是《城镇土地使用税暂行条例》中规定的免税项目。

7. B　【解析】盐场内部的幼儿园和盐场的盐滩占地免征城镇土地使用税，该盐场2021年应缴纳城镇土地使用税=（200000-10000-120000）×0.7=49000（元）。

8. B 【解析】人民团体自用的办公楼占地免税，用于对外出租、经营的土地不免征城镇土地使用税。该人民团体 2021 年应缴纳城镇土地使用税 = 1000×15×9÷12 = 11250（元）。

二、多项选择题

1. BCE 【解析】选项 A：免税单位无偿使用纳税单位的土地，免征城镇土地使用税。选项 B：学校租给企业的房产用地没有免税规定，照章征收城镇土地使用税。选项 C：公园附设的照相馆用地，应按规定缴纳城镇土地使用税。选项 D：公园自用的土地免征城镇土地使用税。公园自用的土地，是指供公共参观游览的用地及其管理单位的办公用地。选项 E：直接从事种植的专业用地，免征城镇土地使用税，林业生产单位的办公用地不包括在内。

2. ACD 【解析】选项 B：经济发达地区城镇土地使用税适用税额标准可适当提高，但须报经财政部批准；选项 E：市、县人民政府应当根据实际情况，将本地区土地划分为若干等级，在省、自治区、直辖市人民政府确定的税额幅度内，制定适用税额标准，报省、自治区、直辖市人民政府批准执行。

3. ABCE 【解析】选项 D：纳税单位无偿使用免税单位的土地，由纳税单位照章缴纳城镇土地使用税。

4. ABC 【解析】选项 ABCD：城镇土地使用税以纳税人实际占用的土地面积为计税依据。实际占用的土地面积按下列办法确定：有房地产管理部门核发的土地使用证书的，以证书确认的土地面积为准；尚未核发土地使用证书的，应由纳税人据实申报土地面积，据以纳税，待核发土地使用证后再作调整。选项 E：农村的土地不属于城镇土地使用税征税范围。

5. ACE 【解析】选项 B：对纳税单位无偿使用免税单位的土地，纳税单位应照章缴纳城镇土地使用税；选项 D：对各类危险品仓库库区、厂房本身用地，应依法征收城镇土地使用税。

6. BD 【解析】选项 ACE：均属于免征城镇土地使用税的范围。

7. ABC 【解析】选项 D：盐场的盐滩、盐矿的矿井用地，暂免征收城镇土地使用税。选项 E：对农产品批发市场、农贸市场（包括自有和承租）专门用于经营农产品的土地，暂免征收城镇土地使用税。

8. BDE 【解析】选项 A：纳税人新征用的耕地，自批准征用之日起满 1 年时开始缴纳城镇土地使用税；选项 C：纳税人新征用的非耕地，自批准征用之次月起缴纳城镇土地使用税。

9. ABD 【解析】选项 C：对企业的铁路专用线、公路等用地，除另有规定者外，在企业厂区（包括生产、办公及生活区）以内的，应照章征收城镇土地使用税；

在厂区以外、与社会公用地段未加隔离的，暂免征收城镇土地使用税。选项E：校办企业的经营用地应照章缴纳城镇土地使用税。

10. ACD　【解析】选项B：公园、名胜古迹中附设的营业场所，如影剧院、饮食部、茶社、照相馆等用地，应征收城镇土地使用税；选项E：公安办公大楼租给企业的用地要照章缴纳城镇土地使用税。

11. BE　【解析】选项A：盐场的盐滩、盐矿的矿井用地，暂免征收城镇土地使用税；选项B：机场工作区（包括办公、生产和维修用地及候机楼、停车场）用地、生活区用地、绿化用地，均须依照规定征收城镇土地使用税；选项C：机场飞行区（包括跑道、滑行道、停机坪、安全带、夜航灯光区）用地、场内外通讯导航设施用地和飞行区四周排水防洪设施用地，免征城镇土地使用税；选项D：对农产品批发市场、农贸市场（包括自有和承租）专门用于经营农产品的土地，暂免征收城镇土地使用税；选项E：对物流企业自有（包括自用和出租）或承租用于大宗商品仓储设施的土地，减按所属土地等级适用税额标准的50%计征城镇土地使用税。

第九章　耕地占用税

本章学习指南

一、考情概况

本章属于税法（Ⅱ）非重点章节。耕地占用税除了税收优惠、征收管理等常见考点考查单项选择题或多项选择题外，还可以单独考查计算性的单项选择题，也可以与城镇土地使用税、房产税组合出计算题。2022 年本章分值预计为 5 分左右。

二、2022 年教材主要变化

本章今年无实质性变化，将“在 50%的税额幅度内减征耕地占用税”的适用范围扩大到增值税小规模纳税人、小型微利企业和个体工商户。

三、基本结构框架

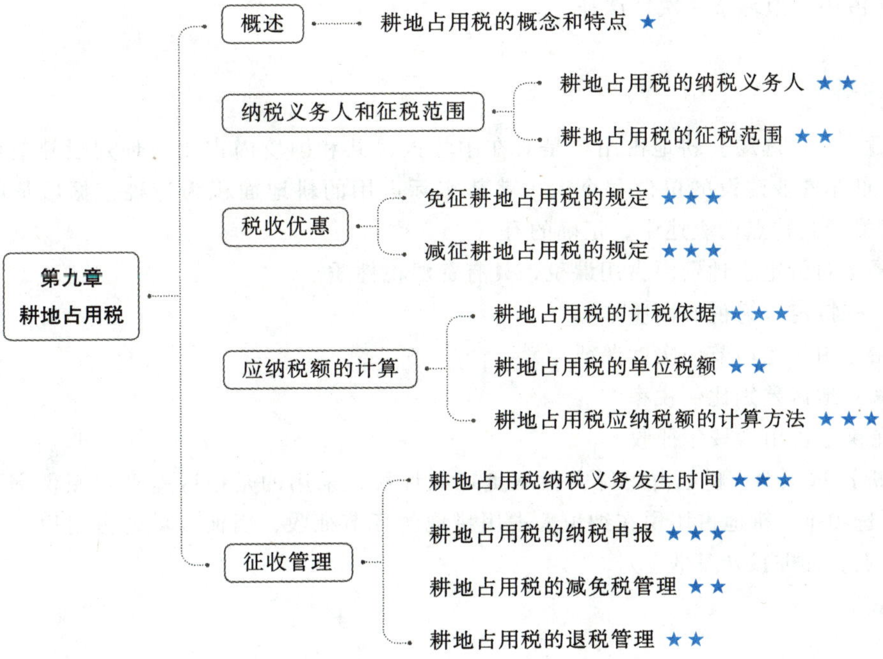

本章核心考点精讲

查看本章视频，快速 GET 知识点，使用“会计云课堂”App 或“微信”扫码。

01 耕地占用税概述

（一）耕地占用税的概念（★）

耕地占用税是对在中华人民共和国境内占用耕地建设建筑物、构筑物或者从事非农业建设的单位和个人，就其实际占用的耕地面积为计税依据所征收的一种税。

（二）耕地占用税的特点（★）

耕地占用税作为一个出于特定目的、对特定的土地资源课征的税种，与其他税种相比，具有比较鲜明的特点，主要表现在：

1. 兼具资源税与特定行为税的性质；
2. 采用地区差别税率；
3. 在占用耕地环节一次性课征。

经典题解

【例题 1·多选题】 耕地占用税是对在中华人民共和国境内占用耕地建设建筑物、构筑物或者从事非农业建设的单位和个人，就其实际占用的耕地面积为计税依据所征收的一种税。下列关于其特点的表述中，正确的有（　　）。

A. 属于对特定土地资源占用课税，具有资源税性质

B. 具有特定行为税的性质

C. 在占用耕地环节一次性课征

D. 采用地区差别比例税率

E. 在耕地占用后按年征收

【解析】 选项 D：耕地占用税实行从量定额计税，采用的是地区差别定额税率，不是比例税率；选项 E：耕地占用税在纳税人占用耕地的环节征收，因而，耕地占用税具有一次性征收的特点，而非按年征收。

【答案】 ABC

02 纳税义务人与征税范围

（一）纳税义务人（★★）

耕地占用税的纳税义务人，是指在中华人民共和国境内占用耕地建设建筑物、构筑物或者从事非农业建设的单位和个人。

具体情形		纳税义务人
经批准占用耕地	农用地转用审批文件中标明了建设用地人	建设用地人
	农用地转用审批文件中未标明建设用地人	用地申请人 【考点提示】用地申请人为各级人民政府的，由同级土地储备中心、自然资源主管部门或政府委托的其他部门、单位履行耕地占用税申报纳税义务
未经批准占用耕地		实际用地人

（二）征税范围（★★）

耕地占用税的征税范围为中华人民共和国境内被占用的耕地。耕地，是指用于种植农作物的土地。

征与不征	具体情形
应缴纳耕地占用税	（1）纳税人因建设项目施工或者地质勘查临时占用耕地的 【解释】临时占用耕地，是指经自然资源主管部门批准，在一般不超过 2 年内临时使用耕地并且没有修建永久性建筑物的行为 （2）占用园地、林地、草地、农田水利用地、养殖水面、渔业水域滩涂以及其他农用地建设建筑物、构筑物或者从事非农业建设的 （3）纳税人因挖损、采矿塌陷、压占、污染等损毁耕地的
不征收耕地占用税	（1）建设农田水利设施占用耕地的 （2）建设直接为农业生产服务的生产设施所占用园地、林地、草地、农田水利用地、养殖水面、渔业水域滩涂以及其他农用地的

【例题 2·多选题】下列占用农村土地的行为，需计算缴纳耕地占用税的有（　　）。（2011 年）

A. 占用耕地建房

B. 占用耕地从事非农业建设

C. 占用林地从事非农业建设

D. 占用耕地新办学校、幼儿园

E. 占用农田水利用地从事非农业建设

【解析】选项D：军事设施、学校、幼儿园、社会福利机构、医疗机构占用耕地，免征耕地占用税。

【答案】ABCE

03 税收优惠（★★★）

项目	具体规定
免征	（1）军事设施占用耕地 （2）学校、幼儿园、社会福利机构、医疗机构占用耕地 【考点提示1】学校内经营性场所和教职工住房占用耕地的，按照当地适用税额缴纳耕地占用税 【考点提示2】医疗机构内职工住房占用耕地的，按照当地适用税额缴纳耕地占用税 （3）农村烈士遗属、因公牺牲军人遗属、残疾军人以及符合农村最低生活保障条件的农村居民，在规定用地标准以内新建自用住宅占用耕地
减征	（1）铁路线路、公路线路、飞机场跑道、停机坪、港口、航道、水利工程占用耕地，减按每平方米2元的税额征收耕地占用税 【考点提示1】专用铁路和铁路专用线占用耕地的，按照当地适用税额缴纳耕地占用税 【考点提示2】专用公路和城区内机动车道占用耕地的，按照当地适用税额缴纳耕地占用税 【考点提示3】军事设施、学校、幼儿园、社会福利机构、医疗机构占用耕地，以及铁路线路、公路线路、飞机场跑道、停机坪、港口、航道、水利工程占用耕地，依法分别享受免征或减征耕地占用税优惠后，纳税人改变原占地用途，不再属于免征或者减征情形的，应自改变用途之日起30日内申报补缴税款，补缴税款按改变用途的实际占用耕地面积和改变用途时当地适用税额计算 （2）农村居民在规定用地标准以内占用耕地新建自用住宅，按照当地适用税额减半征收耕地占用税；其中农村居民经批准搬迁，新建自用住宅占用耕地不超过原宅基地面积的部分，免征耕地占用税 （3）根据国民经济和社会发展的需要，国务院可以规定免征或者减征耕地占用税的其他情形，报全国人民代表大会常务委员会备案 （4）自2022年1月1日至2024年12月31日，由省、自治区、直辖市人民政府根据本地区实际情况，以及宏观调控需要确定，对增值税小规模纳税人、小型微利企业和个体工商户可以在50%的税额幅度内减征耕地占用税

考点提示

耕地占用税减免优惠实行“自行判别、申报享受、有关资料留存备查”办理方式。纳税人根据政策规定自行判断符合优惠条件的，纳税人申报享受税收优惠，并将有关资料留存备查。纳税人对留存材料的真实性和合法性承担法律责任。

【例题 3 · 单选题】下列工程占用耕地，可减征耕地占用税的是（ ）。（2020 年）

A. 边防管控设施占用耕地　　B. 军用机场占用耕地

C. 军用输水管道占用耕地　　D. 水利工程占用耕地

【解析】选项 ABC：属于军事设施占用耕地，免征耕地占用税。选项 D：铁路线路、公路线路、飞机场跑道、停机坪、港口、航道、水利工程占用耕地，减按每平方米 2 元的税额征收耕地占用税。

【答案】D

【例题 4 · 单选题】下列项目占用耕地，可以直接免征耕地占用税的是（ ）。

A. 军事设施　　B. 铁路线路

C. 机场跑道　　D. 港口码头

【解析】军事设施占用耕地，免征耕地占用税。

【答案】A

【例题 5 · 单选题】下列各项中，可以按照当地适用税额减半征收耕地占用税的是（ ）。

A. 供电部门占用耕地新建变电站

B. 农村居民在规定用地标准以内占用耕地新建自用住宅

C. 市政部门占用耕地新建自来水厂

D. 国家机关占用耕地新建办公楼

【答案】B

【例题 6 · 单选题】下列占用耕地的行为，不征收耕地占用税的是（ ）。（2018 年）

A. 农田水利设施占用耕地　　B. 经营性工厂占用耕地

C. 专用铁路和铁路专用线占用耕地　　D. 城区内机动车道占用耕地

【解析】选项 B：纳税人在中华人民共和国境内占用耕地建设建筑物、构筑物或者从事非农业建设的，应当依照规定缴纳耕地占用税；选项 C：专用铁路和铁路专用线占用耕地的，按照当地适用税额缴纳耕地占用税；选项 D：专用公路和城区内机动车道占用耕地的，按照当地适用税额缴纳耕地占用税。

【答案】A

【例题 7 · 单选题】下列关于耕地占用税减免税优惠的说法中，正确的是（ ）。（2016 年）

A. 建设直接为农业生产服务的生产设施占用林地的，不征耕地占用税

B. 专用铁路占用耕地的，减按 2 元/平方米的税额征收耕地占用税

C. 农村居民在规定用地标准以内占用耕地新建自用住宅免征耕地占用税

D. 专用公路占用耕地的，免征耕地占用税

【解析】选项 BD：专用铁路和专用公路占用耕地的，按照当地适用税额缴纳耕地占用税；选项 C：农村居民在规定用地标准以内占用耕地新建自用住宅，按照当地适用税额减半征收耕地占用税。

【答案】A

【例题8·单选题】某农户有一处花圃，占地1200平方米，2021年3月将其中的1100平方米改造为果园，其余100平方米全部在规定标准内建造自用住宅。已知该地适用的耕地占用税的定额税率为每平方米25元。则该农户应缴纳的耕地占用税为（　　）元。

A. 1250　　B. 2500

C. 15000　　D. 30000

【解析】耕地占用税是对占用耕地建设建筑物、构筑物或从事其他非农业建设的单位和个人，就其实际占用的耕地面积征收的一种税；本题只就占用的100平方米耕地建造自用住宅征收耕地占用税，另外，农村居民在规定标准以内占用耕地新建自用住宅的，按照当地适用税额减半征收耕地占用税。该农户应缴纳的耕地占用税＝100×25×50%＝1250（元）。

【答案】A

【例题9·多选题】下列用地行为，应征收耕地占用税的有（　　）。（2017年）

A. 新建住宅和办公楼占用林地　　B. 飞机场修建跑道占用耕地

C. 修建公路线路占用耕地　　D. 企业新建厂房占用耕地

E. 建设农田水利设施占用耕地

【解析】选项AD：纳税人占用耕地建设建筑物、构筑物或者从事非农业建设应征收耕地占用税；选项BC：铁路线路、公路线路、飞机场跑道、停机坪、港口、航道、水利工程占用耕地，减按每平方米2元的税额征收耕地占用税。

【答案】ABCD

04 应纳税额的计算

（一）税额（★★）

1. 由于在我国的不同地区之间人口和耕地资源的分布极不均衡，有些地区人烟稠密，耕地资源相对匮乏；而有些地区则人烟稀少，耕地资源比较丰富。各地区之间的经济发展水平也有很大差异。考虑到不同地区之间客观条件的差别以及与此相关的税收调节力度和纳税人负担能力方面的差别，耕地占用税在税率设计上采用了地区差别定额税率。

2. 在人均耕地低于0.5亩的地区，省、自治区、直辖市可以根据当地经济发展的情况，适当提高耕地占用税的适用税额，但提高的部分不得超过规定适用税额的50%。

3. 占用基本农田的，应当按照当地适用税额，加按150%征收。

4. 占用园地、林地、草地、农田水利用地、养殖水面、渔业水域滩涂以及其他农用地建设建筑物、构筑物或者从事非农业建设的，适用税额可以适当低于规定的适用税额，但降低的部分不得超过50%。

5. 耕地占用税具体适用税额由省、自治区、直辖市人民政府提出，报同级人民代表大会常务委员会决定，并报全国人民代表大会常务委员会和国务院备案。

【例题10·单选题】在人均耕地低于0.5亩的地区，省、自治区、直辖市可以根据当地经济发展的情况，适当提高耕地占用税的适用税额，但是提高的部分最多不得超过规定税额标准的（　　）。

A. 20%　　B. 30%

C. 50%　　D. 100%

【答案】C

（二）计税依据（★★★）

耕地占用税以纳税人实际占用的属于耕地占用税征税范围的土地（应税土地）面积为计税依据，按应税土地当地适用税额计算应纳税额，实行一次性征收。

考点提示

应税土地面积包括经批准占用面积和未经批准占用面积。

（三）应纳税额的计算（★★★）

耕地占用税以纳税人实际占用的应税土地面积为计税依据，以每平方米土地为计税单位，按适用的定额税率计税。其计算公式为：

应纳税额=应税土地面积（m^2）×适用税额

占用基本农田加按150%征收耕地占用税的计算公式为：

应纳税额=应税土地面积（m^2）×适用税额×150%

05 征收管理

（一）纳税义务发生时间（★★★）

耕地占用税的纳税义务发生时间为纳税人收到自然资源主管部门办理占用耕地手续的书面通知的当日。自然资源主管部门凭耕地占用税完税凭证或者免税凭证和其他有关文件发放建设用地批准书。

具体情形	纳税义务发生时间
未经批准占用耕地	为自然资源主管部门认定的纳税人实际占用耕地的当日
因挖损、采矿塌陷、压占、污染等损毁耕地	为自然资源、农业农村等相关部门认定损毁耕地的当日
免征或减征耕地占用税后，纳税人改变原占地用途，需要补缴耕地占用税	为改变用途的当日 【解释1】经批准改变用途的，纳税义务发生时间为纳税人收到批准文件的当日 【解释2】未经批准改变用途的，纳税义务发生时间为自然资源主管部门认定纳税人改变原占地用途的当日

【例题11·多选题】关于耕地占用税纳税义务发生时间，下列说法正确的有（　　）。（2020年）

A. 医疗机构未经批准改变占地用途的，为相关部门认定改变占地用途的当日

B. 企业未经批准占用耕地的，为相关部门认定纳税人实际占用耕地的当日

C. 军事设施经批准改变占地用途的，为收到相关部门批准文件的当日

D. 因挖损、污染等毁损耕地的，为相关部门认定毁损耕地的当日

E. 经批准占用耕地的，为收到相关部门建设用地批准书的当日

【解析】选项E：耕地占用税的纳税义务发生时间为纳税人收到自然资源主管部门办理占用耕地手续的书面通知的当日。

【答案】ABCD

（二）纳税申报（★★★）

项目	具体规定
征收单位	由税务机关负责征收
纳税地点	应当在耕地所在地申报纳税
纳税期限	应当自纳税义务发生之日起30日内申报缴纳
纳税申报材料	耕地占用税纳税人依法纳税申报时，应填报《耕地占用税纳税申报表》，同时依占用应税土地的不同情形分别提交下列材料： （1）农用地转用审批文件复印件 （2）临时占用耕地批准文件复印件 （3）未经批准占用应税土地的，应提供实际占地的相关证明材料复印件
纳税申报异常及处理	（1）纳税人的纳税申报数据资料异常或者纳税人未按照规定期限申报纳税的，包括下列情形： ①纳税人改变原占地用途，不再属于免征或者减征耕地占用税情形，未按照规定进行申报的 ②纳税人已申请用地但尚未获得批准先行占地开工，未按照规定进行申报的 ③纳税人实际占用耕地面积大于批准占用耕地面积，未按照规定进行申报的 ④纳税人未履行报批程序擅自占用耕地，未按照规定进行申报的 ⑤其他应提请相关部门复核的情形 （2）税务机关发现纳税人的纳税申报数据资料异常或者纳税人未按照规定期限申报纳税的，可以提请相关部门进行复核，相关部门应当自收到税务机关复核申请之日起30日内向税务机关出具复核意见

【例题12·单选题】纳税义务人申报缴纳耕地占用税，其时限为自纳税义务发生之日起（　　）。（2021年）

A. 60日内　　B. 1个月内

C. 30日内　　D. 15日内

【解析】纳税人应当自纳税义务发生之日起30日内申报缴纳耕地占用税。

【答案】C

【例题 13 · 多选题】 下列关于耕地占用税征收管理的说法，正确的有（　　）。（2021 年）

A. 占用基本农田的，应当按照当地适用税额加按 200% 征收

B. 耕地占用税由税务机关负责征收

C. 耕地占用税的应税土地面积包括经批准占用面积和未经批准占用面积

D. 纳税人因建设项目施工或者地质勘查临时占用耕地，应当缴纳耕地占用税

E. 农村烈士遗属，在规定用地标准以内新建自用住宅，减半征收耕地占用税

【解析】 选项 A：占用基本农田的，应当按照当地适用税额加按 150% 征收。选项 E：农村烈士遗属，在规定用地标准以内新建自用住宅占用耕地，免征耕地占用税。

【答案】 BCD

（三）退税管理（★★）

退税情形	退税要求
纳税人在批准临时占用耕地期满之日起1 年内依法复垦，恢复种植条件的，全额退还已经缴纳的耕地占用税	纳税人应提供身份证明查验，并提交以下材料复印件： （1）税收缴款书、税收完税证明 （2）复垦验收合格确认书
纳税人因挖损、采矿塌陷、压占、污染等损毁耕地，依法缴纳耕地占用税后，自自然资源、农业农村等相关部门认定损毁耕地之日起3 年内依法复垦或修复，恢复种植条件的，可以依法申请退税	
在供地环节，建设用地人使用耕地用途符合“军事设施、学校、幼儿园、社会福利机构、医疗机构占用耕地免税”情形的，按退税管理的规定退还用地申请人已经缴纳的耕地占用税	由纳税人和建设用地人共同申请，提供身份证明查验，并提交以下材料复印件： （1）纳税人应提交税收缴款书、税收完税证明 （2）建设用地人应提交使用耕地用途符合免税规定的证明材料

【例题 14 · 多选题】 某县直属中心医院（增值税一般纳税人）2022 年 5 月 17 日收到自然资源主管部门办理占用耕地手续的书面通知，占用耕地 9 万平方米，其中医院内附设经营性超市占用果树园地 1.5 万平方米、占用养殖水面 1 万平方米，所占耕地适用的税额为 20 元/平方米。下列关于耕地占用税的说法，正确的有（　　）。

A. 该医院耕地占用税的计税依据是 2.5 万平方米

B. 耕地占用税在纳税人获准占用耕地环节一次性课征

C. 养殖水面属于其他农用地，不属于耕地占用税征税范围

D. 该医院应缴纳耕地占用税 50 万元

E. 该医院占用耕地的纳税义务发生时间为 2022 年 5 月 17 日当天

【解析】 选项 C：占用园地、林地、草地、农田水利用地、养殖水面、渔业水域滩涂以及其他农用地建设建筑物、构筑物或者从事非农业建设的，依照规定缴纳耕地占用税。

【答案】 ABDE

【例题 15 · 多选题】关于耕地占用税的下列说法，正确的有（　　）。（2019 年）

A. 免税学校内的经营性场所占用耕地，按当地适用税额缴纳耕地占用税

B. 占用基本农田的，按照确定的当地适用税额加按 150% 征收

C. 自纳税义务发生之日起 10 日内申报纳税

D. 耕地占用税的征收管理，依照耕地占用税法和税收征收管理法的规定执行

E. 纳税义务发生时间为纳税人收到自然资源主管部门办理占用耕地手续书面通知当日

【解析】选项 C：纳税人应自纳税义务发生之日起 30 日内申报纳税。

【答案】ABDE

本章小结

用“会计云课堂”App 扫码学习

您已成功完成“第九章”的学习，本章共 5 个考点，您都学会了吗？

为了让您对本章有更清晰的理解，加倍巩固。本书作者张泉春老师将通过“电台音频课”的方式，带您回顾重要考点。

名师点拨，高效提分。

※ 欢迎扫码免费学习。

同步强化练习题

使用“会计云课堂”App 或“微信”扫码快速做题、对答案、看解析、掌握解题思路，开启轻松过关之旅。

一、单项选择题

1. 下列各项中，按照当地适用税额减半征收耕地占用税的是（　　）。

A. 纳税人临时占用耕地

B. 部队营房占用耕地

C. 农村居民在规定用地标准以内占用耕地新建自用住宅

D. 机场跑道占用耕地

2. 下列不属于耕地占用税的征税范围的是（　　）。

A. 占用养殖水面从事非农业建设

B. 占用园地建房

C. 占用草地建设直接为农业生产服务的生产设施

D. 占用农田水利用地建房

3. 2022年5月农村居民甲占用3000平方米耕地，其中300平方米新建自用住宅（符合当地规定标准），1200平方米种植水稻、1500平方米种植小麦，该地区耕地占用税适用定额税率25元/平方米，甲应该缴纳耕地占用税（　　）元。
A. 3750　　B. 7500
C. 6250　　D. 12500

4. 某企业（增值税一般纳税人）占用园地40万平方米建造生态高尔夫球场，同时占用园地100万平方米开发经济林木，所占耕地适用的耕地占用税定额税率为20元/平方米。该企业应缴纳耕地占用税（　　）万元。
A. 800　　B. 1400
C. 2000　　D. 2800

5. 根据耕地占用税的相关规定，在人均耕地低于0.5亩的地区，省、自治区、直辖市可以根据当地经济发展情况，适当提高耕地占用税的适用税额，但提高的部分不得超过确定的适用税额的（　　）。
A. 10%　　B. 30%
C. 50%　　D. 80%

6. 某县房地产开发公司（增值税一般纳税人）占用耕地10000平方米用于建设住宅小区，将其中3000平方米用于建设一所全日制中学，已知该地区耕地适用的耕地占用税税额为9元/平方米，该地区税务局对房地产开发公司应征收耕地占用税（　　）元。
A. 63000　　B. 70000
C. 75000　　D. 90000

7. 某高铁线路建设公司（增值税一般纳税人）占用林地3万平方米用于建设办公楼，另占用林地4万平方米用于建设高铁线路，该地区耕地适用的耕地占用税定额税率为15元/平方米。该公司应缴纳耕地占用税（　　）万元。
A. 20　　B. 28
C. 38　　D. 53

8. 下列各项中，不符合耕地占用税相关规定的是（　　）。
A. 依照规定免征或者减征耕地占用税后，纳税人改变原占地用途，不再属于免征或者减征耕地占用税情形的，应当按照当地适用税额补缴耕地占用税
B. 建设直接为农业生产服务的生产设施占用规定的农用地的，不征收耕地占用税
C. 学校内经营性场所占用耕地的，免征耕地占用税
D. 飞机场跑道占用耕地减按每平方米2元的税额征收耕地占用税

9. 某地方铁路公司（增值税一般纳税人）新建办公楼占用耕地20000平方米，建职工住宅占用耕地3000平方米，建幼儿园占用耕地500平方米，建地方铁路线路占用耕地18000000平方米，当地适用耕地占用税税额25元/平方米，该铁路公司应该缴纳耕地占用税（　　）元。
A. 6500000　　B. 36512500
C. 36575000　　D. 36875000

10. 根据耕地占用税法规定，各省、自治区、直辖市耕地占用税适用税额的平均水平，不得低于耕地占用税法所附《各省、自治区、直辖市耕地占用税平均税额表》规定的（　　）。
A. 最高税额　　B. 50%
C. 最低税额　　D. 平均税额

二、多项选择题

1. 下列各项中，不需要缴纳耕地占用税的有（　　）。
   A. 农田水利设施占用耕地
   B. 占用规定的农用地建设直接为农业生产服务的生产设施
   C. 农村居民在规定用地标准以内占用耕地新建自用住宅
   D. 因压占、污染等损毁耕地
   E. 航道占用耕地

2. 下列关于耕地占用税的说法正确的有（　　）。
   A. 占用园地从事非农业建设，应当征收耕地占用税
   B. 耕地占用税由税务机关负责征收
   C. 纳税人因挖损、采矿塌陷、压占、污染等损毁耕地，缴纳耕地占用税后，自相关部门认定损毁耕地之日起3年内依法复垦或修复，恢复种植条件的，可以依法申请退税
   D. 耕地占用税采用地区差别比例税率
   E. 纳税人应当自纳税义务发生之日起30日内申报缴纳耕地占用税

3. 根据耕地占用税的相关规定，下列说法中正确的有（　　）。
   A. 军队为执行任务必需设置的临时设施占用耕地免征耕地占用税
   B. 农村居民在规定用地标准以内占用耕地新建自用住宅免征耕地占用税
   C. 公路、铁路线路占用耕地减半征收耕地占用税
   D. 免征耕地占用税后，改变原占地用途不再属于免征情形的应补缴耕地占用税
   E. 耕地占用税的纳税义务发生时间为纳税人收到自然资源主管部门办理占用耕地手续的书面通知的当日

4. 下列关于耕地占用税的说法中，正确的有（　　）。
   A. 耕地占用税兼具资源税与特定行为税的性质
   B. 耕地占用税采用地区差别税率，按年课征
   C. 占用基本农田的，应当按照确定的当地适用税额，加按150%征收
   D. 占用园地建设建筑物、构筑物或者从事非农业建设的，需要缴纳耕地占用税
   E. 纳税人在批准临时占用耕地期满之日起1年内依法复垦，恢复种植条件的，已缴纳的耕地占用税不再退还

5. 下列占用耕地的情形，减按每平方米2元的税额征收耕地占用税的有（　　）。
   A. 农村居民经批准搬迁，在不超过原宅基地面积内占用耕地新建自用住宅
   B. 铁路线路占用耕地
   C. 社会福利机构占用耕地
   D. 钢铁公司占用耕地建造厂房
   E. 飞机场跑道占用耕地

6. 下列选项中，应按规定征收耕地占用税的有（　　）。
   A. 军用输油、输水管道占用耕地的
   B. 学校教职工住房占用耕地的
   C. 专用铁路和铁路专用线占用耕地的
   D. 城区内机动车道占用耕地的
   E. 医疗机构占用耕地的

7. 关于耕地占用税的征收管理，下列说法正确的有（　　）。
   A. 税务机关应当与相关部门建立耕地占用税涉税信息共享机制和工作配合机制
   B. 耕地占用税由税务机关负责征收
   C. 耕地占用税的纳税义务发生时间为纳

税人收到自然资源主管部门办理占用耕地手续的书面通知的次日

D. 纳税人应当自纳税义务发生之日起 30 日内申报缴纳耕地占用税

E. 税务机关发现纳税人的纳税申报数据资料异常或者纳税人未按照规定期限申报纳税的，可以提请相关部门进行复核，相关部门应当自收到税务机关复核申请之日起 30 日内向税务机关出具复核意见

8. 根据耕地占用税的有关规定，建设建筑物、构筑物或者从事非农业建设占用的下列用地中，应按规定缴纳耕地占用税的有（　　）。

A. 园地

B. 农田水利用地

C. 渔业水域滩涂

D. 养殖水面

E. 工厂场内土地

9. 下列各项中，符合耕地占用税相关规定的有（　　）。

A. 占用人工牧草地从事非农业建设的，应征收耕地占用税

B. 铁路线路、公路线路、飞机场跑道、停机坪、港口、航道、水利工程占用耕地，减征耕地占用税

C. 军事设施占用耕地免征耕地占用税

D. 由省、自治区、直辖市人民政府根据本地区实际情况，以及宏观调控需要确定，对增值税小规模纳税人、小型微利企业和个体工商户可以在 50% 的税额幅度内减征耕地占用税

E. 占用规定的农用地的，适用税额可以适当低于本地区确定的适用税额，但降低的部分不得超过 40%

10. 下列各项中，属于耕地占用税征税范围的有（　　）。

A. 占用菜地开发园地

B. 军事训练场占用耕地

C. 因地质勘查临时占用耕地

D. 农村居民占用耕地新建自用住宅

E. 占用果园开发田地

同步强化练习题参考答案及解析

使用“会计云课堂”App 或“微信”扫码对答案、看解析、掌握解题思路，开启轻松过关之旅。

一、单项选择题

1. C

【解析】选项 A：纳税人因建设项目施工或者地质勘查临时占用耕地，应当依照规定缴纳耕地占用税。纳税人在批准临时占用耕地期满之日起 1 年内依法复垦，恢复种植条件的，全额退还已经缴纳的耕地占用税。选项 B：军事设施占用耕地，免征耕地占用税。选项 D：铁路线路、公路线路、飞机场跑道、停机坪、港口、航道、水利工程占用耕地，减按每平方米 2 元的税额征收耕地占用税。

2. C　【解析】占用规定的农用地建设直接为农业生产服务的生产设施的，不缴纳耕地占用税。

3. A　【解析】农村居民在规定用地标准以内占用耕地新建自用住宅，按照当地适用税额减半征收耕地占用税。种植水稻和小麦用地不缴纳耕地占用税。甲应缴纳耕地占用税 = 300×25×50% = 3750（元）。

4. A　【解析】该企业占用园地建造生态高尔夫球场属于占用耕地从事非农业建设，应缴纳耕地占用税 = 40×20 = 800（万元）。开发经济林木占地属于用于农业建设，不缴纳耕地占用税。

5. C　【解析】在人均耕地低于 0.5 亩的地区，省、自治区、直辖市可以根据当地经济发展情况，适当提高耕地占用税的适用税额，但提高的部分不得超过确定的适用税额的50%。

6. A　【解析】学校占用耕地免征耕地占用税。该地区税务局对房地产开发公司应征收耕地占用税 =（10000−3000）×9 = 63000（元）。

7. D　【解析】铁路线路、公路线路、飞机场跑道、停机坪、港口、航道、水利工程占用耕地，减按每平方米 2 元的税额征收耕地占用税。该公司应缴纳耕地占用税 = 3×15+4×2 = 53（万元）。

8. C　【解析】学校内经营性场所占用耕地的，没有免征耕地占用税的优惠，应该照章缴纳耕地占用税。

9. C　【解析】军事设施、学校、幼儿园、社会福利机构、医疗机构占用耕地免征耕地占用税。铁路线路、公路线路、飞机场跑道、停机坪、港口、航道、水利工程占用耕地，减按每平方米 2 元的税额征收耕地占用税。该铁路公司应缴纳耕地占用税 =（20000+3000）×25+18000000×2 = 36575000（元）。

10. D　【解析】各省、自治区、直辖市耕地占用税适用税额的平均水平，不得低于耕地占用税法所附《各省、自治区、直辖市耕地占用税平均税额表》规定的平均税额。

二、多项选择题

1. AB

2. ABCE　【解析】选项 D：耕地占用税采用地区差别定额税率。

3. ADE　【解析】选项 B：农村居民在规定用地标准以内占用耕地新建自用住宅，按照当地适用税额减半征收耕地占用税，而不是免征耕地占用税；选项 C：铁路线路、公路线路、飞机场跑道、停机坪、港口、航道、水利工程占用耕地，减按每平方米 2 元的税额征收耕地占用税，而不是减半征收耕地占用税。

4. ACD　【解析】选项 B：耕地占用税一次性课征，并不是按年课征；选项 E：纳税人在批准临时占用耕地期满之日起 1 年内依法复垦，恢复种植条件的，全额退还已经缴纳的耕地占用税。

5. BE　【解析】选项 AC：免征耕地占用税；选项 D：按规定税额缴纳耕地占用税。

6. BCD　【解析】选项 AE：免征耕地占用税。

7. ABDE　【解析】选项 C：耕地占用税的纳税义务发生时间为纳税人收到自然资源主管部门办理占用耕地手续的书面通知的当日。

8. ABCD　【解析】占用园地、林地、草地、农田水利用地、养殖水面、渔业水域滩涂以及其他农用地建设建筑物、构筑物或者从事非农业建设的，依照规定缴纳耕地占用税。

9. ABCD　【解析】选项 E：占用规定的农用地的，适用税额可以适当低于本地区确定的适用税额，但降低的部分不得超过 50%。

10. BCD　【解析】耕地占用税的征税范围，是纳税人为建设建筑物、构筑物或者从事非农业建设而占用耕地。军事训练场占用耕地属于耕地占用税的征税范围，但是免予征税。

第十章　船舶吨税

本章学习指南

一、考情概况

本章属于税法（Ⅱ）非重点章节。历年考题主要以单项选择题、多项选择题的形式为主，不太易与其他章节混合命题，2022 年本章分值预计为 2 分左右。

二、2022 年教材主要变化

本章今年无实质性变化。

三、基本结构框架

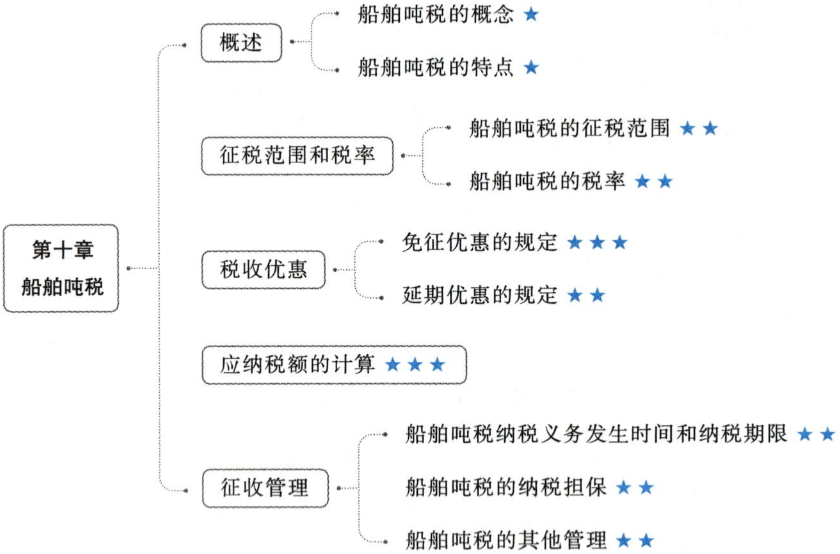

本章核心考点精讲

查看本章视频，快速 GET 知识点，使用“会计云课堂”App 或“微信”扫码。

01 船舶吨税概述

（一）船舶吨税的概念（★）

船舶吨税（简称“吨税”），是海关对自境外港口进入境内港口的船舶所征收的一种税。

作为一国船舶使用了另一国家的助航设施而向该国缴纳的一种税费，船舶吨税专项用于港口建设维护及海上干线公用航标的建设维护。

（二）船舶吨税的特点（★）

1. 船舶吨税主要是对进出中国港口的国际航行船舶征收；
2. 以船舶的净吨位为计税依据，实行从量定额征收；
3. 对不同的船舶分别适用普通税率或优惠税率；
4. 所征税款主要用于港口建设维护及海上干线公用航标的建设维护。

02 征税范围和税率

（一）征税范围（★★）

自中华人民共和国境外港口进入境内港口的船舶（简称“应税船舶”），应当缴纳船舶吨税。

（二）税率（★★）

1. 船舶吨税税目、税率表

税目（按船舶净吨位划分）	税率（元/净吨）					
	普通税率（按执照期限划分）			优惠税率（按执照期限划分）		
	1 年	90 日	30 日	1 年	90 日	30 日
不超过 2000 净吨	12.6	4.2	2.1	9.0	3.0	1.5
超过 2000 净吨，但不超过 10000 净吨	24.0	8.0	4.0	17.4	5.8	2.9
超过 10000 净吨，但不超过 50000 净吨	27.6	9.2	4.6	19.8	6.6	3.3
超过 50000 净吨	31.8	10.6	5.3	22.8	7.6	3.8

2. 税率的运用

项目	具体规定
优惠税率	中华人民共和国籍的应税船舶，船籍国（地区）与中华人民共和国签订含有相互给予船舶税费最惠国待遇条款的条约或者协定的应税船舶，适用优惠税率
普通税率	除优惠税率外其他应税船舶，适用普通税率
其他	（1）拖船按照发动机功率每千瓦折合净吨位 0.67 吨 （2）无法提供净吨位证明文件的游艇，按照发动机功率每千瓦折合净吨位 0.05 吨 （3）拖船和非机动驳船分别按照相同净吨位船舶税率的50%计征税款

经典题解

【例题 1 · 单选题】 下列关于船舶吨税的表述中，正确的是（　　）。

A. 吨税只对外国籍船舶征收

B. 吨税适用比例税率

C. 船籍国与我国签订含有相互给予船舶税费最惠国待遇条款的条约或者协定的应税船舶，适用优惠税率

D. 拖船按照发动机功率每千瓦折合净吨位 0.05 吨计算吨税

【解析】 选项 A：自中华人民共和国境外港口进入境内港口的船舶（包括中华人民共和国国籍的应税船舶），应当依法缴纳吨税；选项 B：吨税适用定额税率；选项 D：拖船按照发动机功率每千瓦折合净吨位 0.67 吨计算吨税。

【答案】 C

03 税收优惠（★★★）

项目	内容
直接免征	（1）应纳税额在人民币50 元以下的船舶 （2）自境外以购买、受赠、继承等方式取得船舶所有权的初次进口到港的空载船舶 （3）吨税执照期满后24 小时内不上下客货的船舶 （4）非机动船舶（不包括非机动驳船） （5）捕捞、养殖渔船 （6）避难、防疫隔离、修理、改造、终止运营或者拆解，并不上下客货的船舶 （7）军队、武装警察部队专用或征用的船舶 （8）警用船舶 （9）依照法律规定应当予以免税的外国驻华使领馆、国际组织驻华代表机构及其有关人员的船舶 （10）国务院规定的其他船舶

项目	内容
延期优惠	在吨税执照期限内，应税船舶发生下列情形之一的，海关按照实际发生的天数批注延长吨税执照期限： （1）避难、防疫隔离、修理、改造，并不上下客货 （2）军队、武装警察部队征用

经典题解

【例题 2 · 单选题】 下列各项中，应计算缴纳船舶吨税的是（　　）。

A. 吨税执照期满后 24 小时内不上下客货的船舶

B. 避难并不上下客货的船舶

C. 武装警察部队征用的船舶

D. 拖船

【解析】 选项 D：按相同净吨位船舶税率的 50%计征税款。

【答案】 D

【例题 3 · 多选题】 下列船舶，免征船舶吨税的有（　　）。（2020 年）

A. 警用船舶

B. 吨税执照期满后 24 小时内不上下客货的船舶

C. 非机动驳船

D. 应纳税额在人民币 50 元以下的船舶

E. 军队征用的船舶

【解析】 选项 C：非机动驳船按相同净吨位船舶税率的 50%计征税款。

【答案】 ABDE

【例题 4 · 多选题】 下列船舶中，免征船舶吨税的有（　　）。（2019 年）

A. 应纳税额在人民币 50 元以下的船舶

B. 非机动驳船

C. 警用船舶

D. 吨税执照期满后 24 小时内不上下客货的船舶

E. 自境外购买取得船舶所有权的初次进口到港的空载船舶

【解析】 选项 B：非机动船舶（不包括非机动驳船），免征船舶吨税。

【答案】 ACDE

04 应纳税额的计算（★★★）

1. 吨税按照船舶净吨位和吨税执照期限征收，应纳税额按照船舶净吨位乘以适用税率计算。计算公式为：

应纳税额 = 船舶净吨位 × 定额税率

2. 应税船舶在进入港口办理入境手续时，应当向海关申报纳税领取吨税执照，或者交验吨税执照（或者申请核验吨税执照电子信息）。应税船舶在离开港口办理出境手续时，应当交验吨税执照（或者申请核验吨税执照电子信息）。

3. 应税船舶因不可抗力在未设立海关地点停泊的，船舶负责人应当立即向附近海关报告，并在不可抗力原因消除后，依照规定向海关申报纳税。

经典题解

【例题5·单选题】某韩国籍净吨位为2500吨的非机动驳船，停靠在我国某港口补给。驳船负责人已向我国海关领取了吨税执照，在港口停留期为30天，韩国已与我国签订相互给予船舶税费最惠国待遇条款。已知超过2000净吨但不超过10000净吨的船舶，30天期的普通税率为4.0元/净吨，优惠税率为2.9元/净吨，其应纳的船舶吨税为（　　）元。

A. 10025　　B. 7250

C. 3625　　D. 5012.5

【解析】非机动驳船按相同净吨位船舶税率的50%计征税款。应纳船舶吨税=2500×2.9×50%=3625（元）。

【答案】C

【例题6·单选题】2020年8月1日，某外国籍拖船驶入我国某港口，该拖船发动机功率10000千瓦，申领30日的《吨税执照》，30日吨税执照对应的超过2000净吨，但不超过10000净吨的普通税率4元/净吨。该拖船应缴纳船舶吨税（　　）元。（2020年）

A. 1000　　B. 2000

C. 13400　　D. 26800

【解析】拖船按照发动机功率每千瓦折合净吨位0.67吨，拖船和非机动驳船分别按相同净吨位船舶税率的50%计征税款。该拖船应缴纳船舶吨税=10000×0.67×4×50%=13400（元）。

【答案】C

05 征收管理（★★）

1. 船舶吨税由海关负责征收。

2. 船舶吨税纳税义务发生时间为应税船舶进入港口的当日。

3. 应税船舶在吨税执照期满后尚未离开港口的，应当申领新的吨税执照，自上一次执照期满的次日起续缴吨税。

4. 应税船舶负责人应当自海关填发吨税缴款凭证之日起15日内缴清税款。未按期缴清税款的，自滞纳税款之日起至缴清税款之日止，按日加收滞纳税款0.5‰的滞纳金。

5. 应税船舶到达港口前，经海关核准先行申报并办结出入境手续的，应税船舶负责人应当向海关提供与其依法履行吨税缴纳义务相适应的担保；应税船舶到达港口后，向海关申报纳税。下列财产、权利可以用于担保：

（1）人民币、可自由兑换货币；

（2）汇票、本票、支票、债券、存单；

（3）银行、非银行金融机构的保函；

（4）海关依法认可的其他财产、权利。

6. 应税船舶在吨税执照期限内，因税目税率调整或者船籍改变而导致适用税率变化的，吨税执照继续有效。应税船舶在吨税执照期限内，因修理、改造导致净吨位变化的，吨税执照继续有效，应税船舶办理出入境手续时，应当提供船舶经过修理、改造的证明文件。

7. 船舶吨税的补征、追征与退还

<table>
<tr><th colspan="2">情形</th><th colspan="2">具体规定</th></tr>
<tr><td>补征</td><td>海关发现少征或者漏征税款</td><td colspan="2">自应税船舶应当缴纳税款之日起1年内，补征税款
【考点提示】补征没有滞纳金</td></tr>
<tr><td>追征</td><td>因应税船舶违反规定造成少征或者漏征税款</td><td colspan="2">自应当缴纳税款之日起3年内追征税款，并自应当缴纳税款之日起按日加征少征或者漏征税款0.5‰的税款滞纳金</td></tr>
<tr><td rowspan="2">退还</td><td>海关发现多征税款</td><td>在24小时内通知应税船舶办理退还手续，并加算银行同期活期存款利息</td><td rowspan="2">应税船舶应当自收到规定的通知之日起3个月内办理有关退还手续</td></tr>
<tr><td>应税船舶发现多缴税款</td><td>可以自缴纳税款之日起3年内以书面形式要求海关退还多缴的税款并加算银行同期活期存款利息，海关应当自受理退税申请之日起30日内查实并通知应税船舶办理退还手续</td></tr>
</table>

8. 应税船舶有下列行为之一的，由海关责令限期改正，处2000元以上3万元以下的罚款；不缴或者少缴应纳税款的，处不缴或者少缴税款50%以上5倍以下的罚款，但罚款不得低于2000元：

（1）未按照规定申报纳税、领取吨税执照；

（2）未按照规定交验吨税执照（或者申请核验吨税执照电子信息）以及提供其他证明文件。

经典题解

【例题7·单选题】船舶吨税的纳税人未按期缴清税款的，自滞纳税款之日起至缴清税款之日止，按日加收滞纳金的比率是滞纳税款的（　　）。

A. 0.2‰　　　　B. 0.5‰

C. 5‰　　　　D. 1‰

【解析】应税船舶负责人应当自海关填发船舶吨税缴款凭证之日起15日内缴清税款。未按期缴清税款的，自滞纳税款之日起至缴清税款之日止，按日加收滞纳税款0.5‰的滞纳金。

【答案】B

【例题8·多选题】下列关于船舶吨税征收管理的表述中，错误的有（　　）。

A. 吨税由海关负责征收

B. 应税船舶负责人应当自海关填发吨税缴款凭证之日起15日内缴清税款

C. 吨税纳税义务发生时间为应税船舶进入港口的当日

D. 应税船舶在吨税执照期满后尚未离开港口的，应当申领新的吨税执照，自上一次执照期满的当日起续缴吨税

E. 纳税人未按期缴清税款的，自纳税义务发生之日起至缴清税款之日止，按日加收滞纳金

【解析】选项 D：应税船舶在吨税执照期满后尚未离开港口的，应当申领新的吨税执照，自上一次执照期满的次日起续缴吨税。选项 E：应税船舶负责人应当自海关填发吨税缴款凭证之日起 15 日内缴清税款。未按期缴清税款的，自滞纳税款之日起至缴清税款之日止，按日加收滞纳税款 0.5‰的税款滞纳金。

【答案】DE

【例题 9 · 多选题】依据船舶吨税征收管理的相关规定，下列说法正确的有（　　）。(2021 年)

A. 纳税人发现多缴税款的，可自缴纳税款之日起 3 年后要求海关退还多缴的税款

B. 在每次申报纳税时，可按《吨税税目税率表》选择申领一种期限的吨税执照

C. 海关发现多征税款的，应在 24 小时内通知办理退还手续并加算银行同期活期存款利息

D. 吨税执照在期满前毁损的，应向原发照海关书面申请核发吨税执照副本

E. 应税船舶在吨税执照期满后尚未离开港口的，应申领新的吨税执照

【解析】选项 A：纳税人发现多缴税款的，可以自缴纳税款之日起 3 年内以书面形式要求海关退还多缴的税款并加算银行同期活期存款利息。

【答案】BCDE

本章小结

用“会计云课堂”App 扫码学习

您已成功完成“第十章”的学习，本章共 5 个考点，您都学会了吗？

为了让您对本章有更清晰的理解，加倍巩固。本书作者张泉春老师将通过“电台音频课”的方式，带您回顾重要考点。

名师点拨，高效提分。

※ 欢迎扫码免费学习。

同步强化练习题

使用“会计云课堂”App 或“微信”扫码快速做题、对答案、看解析、掌握解题思路，开启轻松过关之旅。

一、单项选择题

1. 下列关于船舶吨税的表述中，错误的是（　　）。
   A. 自中华人民共和国境外港口进入境内港口的船舶，应当缴纳吨税
   B. 吨税设置优惠税率和普通税率
   C. 吨税按照船舶净吨位和吨税执照期限征收
   D. 应税船舶因不可抗力在未设立海关地点停泊的，船舶负责人应当立即向附近海关报告并申报纳税

2. 一艘 A 国籍游艇进入我国境内港口，并拟办理 90 日吨税执照，该游艇无法提供净吨位证明文件，但已知该游艇发动机功率 2600 千瓦，A 国与我国签订含有相互给予船舶税费最惠国待遇条款的条约。已知超过 2000 净吨但不超过 10000 净吨的船舶，90 天期的普通税率为 8.0 元/净吨，优惠税率为 5.8 元/净吨；不超过 2000 净吨的船舶，90 天期的普通税率为 4.2 元/净吨，优惠税率为 3.0 元/净吨。该游艇应该缴纳船舶吨税（　　）元。
   A. 390　　B. 546
   C. 7800　　D. 15080

3. 应税船舶负责人应当自海关填发吨税缴款凭证之日起（　　）日内缴清税款。
   A. 10　　B. 15
   C. 30　　D. 60

4. 下列关于船舶吨税特点的表述中，错误的是（　　）。
   A. 船舶吨税主要是对进出中国港口的国际航行船舶征收
   B. 以船舶的净吨位为计税依据，实行从价定率征收
   C. 对不同的船舶分别适用普通税率或优惠税率
   D. 所征税款主要用于港口建设维护及海上干线公用航标的维护建设

5. 应税船舶发现多缴税款的，可以自缴纳税款之日起 3 年内以书面形式要求海关退还多缴的税款并加算银行同期活期存款利息，海关应当自受理退税申请之日起（　　）日内查实并通知应税船舶办理退还手续。
   A. 10　　B. 15
   C. 30　　D. 45

二、多项选择题

1. 下列关于船舶吨税的表述中，正确的有（　　）。
   A. 应税船舶负责人缴纳吨税或者提供担保后，海关按照其申领的执照期限填发吨税执照
   B. 应税船舶在离开港口办理出境手续时，应当交验吨税执照（或者申请核验吨税执照电子信息）
   C. 应税船舶在进入港口办理入境手续时，应当向海关申报纳税领取吨税执照，或者交验吨税执照（或者申请核验吨税执照电子信息）
   D. 应税船舶在吨税执照期限内，因税目税率调整或者船籍改变而导致适用税率变化的，应重新领取吨税执照
   E. 因船籍改变而导致适用税率变化的，应税船舶在办理出入境手续时，应当提供船籍改变的证明文件

2. 下列各项中，免征船舶吨税的有（　　）。
   A. 非机动驳船
   B. 捕捞、养殖渔船
   C. 警用船舶
   D. 应纳税额为人民币30元的船舶
   E. 自境外购买取得船舶所有权并初次进口到港的空载船舶

3. 下列关于吨税补征、追征和退还的表述中，正确的有（　　）。
   A. 海关发现少征或者漏征税款的，应当自应税船舶应当缴纳税款之日起3年内，补征税款
   B. 因应税船舶违反规定造成少征或者漏征税款的，海关可以自应当缴纳税款之日起3年内追征税款，并自应当缴纳税款之日起按日加征滞纳金
   C. 海关发现多征税款的，应当在24小时内通知应税船舶办理退还手续，并加算银行同期贷款利息
   D. 应税船舶发现多缴税款的，可以自缴纳税款之日起3年内以书面形式要求海关退还多缴的税款并加算银行同期活期存款利息
   E. 应税船舶应当自收到规定的通知之日起3个月内办理有关退还手续

4. 应税船舶到达港口前，经海关核准先行申报并办结出入境手续的，应税船舶负责人应当向海关提供与其依法履行吨税缴纳义务相适应的担保。下列财产、权利可以用于担保的有（　　）。
   A. 汇票
   B. 非银行金融机构的保函
   C. 债券
   D. 不可自由兑换的外币
   E. 存单

5. 下列关于船舶吨税的说法中，正确的有（　　）。
   A. 应税船舶负责人在每次申报纳税时，可以按照《吨税税目税率表》选择申领一种期限的吨税执照
   B. 应纳税额在人民币100元以下的船舶免征船舶吨税
   C. 海关发现少征或者漏征税款的，应当自应税船舶应当缴纳税款之日起3年内，补征税款
   D. 吨税纳税义务发生时间为应税船舶进入港口的当天
   E. 应税船舶发现多缴税款的，可以自缴纳税款之日起3年内以书面形式要求海关退还多缴的税款并加算银行同期活期存款利息

同步强化练习题参考答案及解析

使用"会计云课堂"App 或"微信"扫码对答案、看解析、掌握解题思路，开启轻松过关之旅。

一、单项选择题

1. D　【解析】应税船舶因不可抗力在未设立海关地点停泊的，船舶负责人应当立即向附近海关报告，并在不可抗力原因消除后，依照规定向海关申报纳税。

2. A　【解析】无法提供净吨位证明文件的游艇，按照发动机功率每千瓦折合净吨位 0.05 吨。游艇净吨位 = 2600×0.05 = 130（净吨）。不超过 2000 净吨的船舶 90 天的优惠税率为 3.0 元/净吨，应纳船舶吨税 = 130×3 = 390（元）。

3. B

4. B　【解析】吨税以船舶的净吨位为计税依据，实行从量定额征收。

5. C

二、多项选择题

1. ABCE　【解析】选项 D：应税船舶在吨税执照期限内，因税目税率调整或者船籍改变而导致适用税率变化的，吨税执照继续有效。

2. BCDE　【解析】选项 A：非机动船舶（不包括非机动驳船）免征吨税，非机动驳船应按相同净吨位船舶税率的 50%计征税款。

3. BDE　【解析】选项 A：海关发现少征或者漏征税款的，应当自应税船舶应当缴纳税款之日起 1 年内，补征税款；选项 C：海关发现多征税款的，应当在 24 小时内通知应税船舶办理退还手续，并加算银行同期活期存款利息。

4. ABCE　【解析】应税船舶到达港口前，经海关核准先行申报并办结出入境手续的，应税船舶负责人应当向海关提供与其依法履行吨税缴纳义务相适应的担保；应税船舶到达港口后，依照规定向海关申报纳税。下列财产、权利可以用于担保：

（1）人民币、可自由兑换货币；

（2）汇票、本票、支票、债券、存单；

（3）银行、非银行金融机构的保函；

（4）海关依法认可的其他财产、权利。

5. ADE　**【解析】** 选项B：应纳税额在人民币50元以下的船舶免征船舶吨税；选项C：海关发现少征或者漏征税款，应当自应税船舶应当缴纳税款之日起1年内，补征税款。

03

第三部分
主观题演练及核心常考点

跨章节主观题演练

核心常考点总结

税务师税法（Ⅱ）考试一共2道计算题，2道综合分析题。在这4道考题中，考生需要准确把握每个税种的计税方法，这是主观题得分的关键所在。

（一）企业所得税

我国企业所得税，实行按纳税年度和按法人单位的综合征收计税法。在该计税方法下，一个居民法人企业取得不同类型的收入合计为收入总额，扣除不征税收入、免税收入、与取得生产经营收入相关的各类成本、费用、税金、损失以及允许弥补的以前年度亏损等后的余额为应纳税所得额。不像个人所得税严格区分收入类型，而采用不同计税方法。企业所得税按纳税年度征收，这是纳税人出现跨年涉税业务，以前年度纳税申报有误，必须逐年办理追溯纳税调整的原因所在。

（二）个人所得税

我国个人所得税，实行分类征收和综合征收相结合的混合征收计税法。在该计税方法下，分类征收是基础，征税所得项目分为工资薪金所得、劳务报酬所得、稿酬所得、特许权使用费所得、经营所得、利息股息红利所得、财产租赁所得、财产转让所得和偶然所得九类。非居民个人实行分类征收，分月（分次）申报纳税或分月（分次）扣缴。居民个人的工资薪金所得、劳务报酬所得、稿酬所得、特许权使用费所得等四项所得，合并为“综合所得”，实行综合征收，在税收征管上实行分月或分次预扣预缴，年终汇算清缴。居民个人的经营所得，实行按年征收。当一个居民个人在一个纳税年度，先后在境内外取得九类所得时，不同所得项目收入的确认、费用扣除、公益性捐赠扣除、境外已纳税额抵免、税收优惠政策的适用等，应严格区分分类征收项目和综合征收项目之间的界限，分别计算其不同所得项目的应纳税额。

按照个人所得税的计税方法，当一个居民个人出资兴办多个合伙企业，其税收处理首先以每个合伙企业为单位，分别按年计算每个合伙企业的经营所得；其次按“先分后税”原则，依据合伙协议，汇总计算该居民个人在多个合伙企业的经营所得，办理汇算清缴。在这个逻辑上，合伙制创业投资企业涉及的股权转让所得和股息红利所得，采用单一投资基金核算和年度所得整体核算所形成的税收差异，更易于考生把握。

（三）小税种

在计算题中容易多个小税种组合命题，比如印花税、契税、房产税组合，耕地占用税、城镇土地使用税组合等。这些小税种的计税依据单一，在题干中考生若能准确掌握其计税依据，则得分率较高。但考生还需要关注各税种应纳税额的计算与税收优惠的结合。

综上，计算题和综合分析题的复习需要重点关注各个税种应纳税额的计算问题，牢牢掌握其计税依据。另附企业所得税和个人所得税核心常考点，如下表所示：

税种	核心常考点
企业所得税	①收入的确认、不征税收入、免税收入 ②税前扣除项目及标准、不得扣除项目、弥补亏损 ③资产税务处理与会计处理差异 ④资产损失税前扣除 ⑤企业重组的一般性税务处理和特殊性税务处理 ⑥房地产开发经营业务的所得税处理 ⑦税收优惠 ⑧企业境外所得税款的直接抵免和间接抵免 ⑨应纳税额的计算
个人所得税	①居民个人综合所得预扣预缴和汇算清缴的计税方法 ②非居民个人四项所得的计税方法 ③无住所个人适用税收协定的计税方法 ④经营所得的计税方法 ⑤利息、股息、红利所得的计税方法 ⑥财产租赁所得的计税方法 ⑦财产转让所得的计税方法 ⑧偶然所得的计税方法 ⑨特殊情形下个人所得税的计税方法 ⑩个人境外所得税款的抵免 ⑪税收优惠

跨章节主观题

使用“会计云课堂”App 或“微信”扫码快速做题、对答案、看解析、掌握解题思路，开启轻松过关之旅。

第一篇　企业所得税

（一）

某企业（非制造业企业）为增值税的一般纳税人，2020 年共计发生研发费用 1291 万元，未形成无形资产。2021 年 3 月企业自行进行企业所得税汇算清缴时计算加计扣除金额

968.25 万元，经聘请的税务师进行审核，发现相关事项如下：
（1）2018 年研发投入 1000 万元并形成无形资产，无形资产摊销期 10 年，2020 年度摊销金额为 100 万元；
（2）2020 年自行研发投入 594 万元，相关明细如下表（单位：万元）：

项目	人员人工费用	直接投入费用	折旧费用	新产品设计费	其他相关费用
金额	200	120	140	80	54

（3）2020 年委托关联企业进行相关项目研发，取得增值税专用发票注明研发费用金额 220 万元、税额 13.2 万元，该费用符合独立交易原则；
（4）委托境外机构进行研发，支付不含税研发费用 477 万元，该境外机构在境内未设立机构场所，也无代理人。

要求：根据上述资料，回答下列问题。

1. 事项（1）中该企业 2020 年研发费用加计扣除的金额是（　　）万元。
A. 75　B. 100　C. 30　D. 50

2. 事项（2）中该企业 2020 年研发费用加计扣除的金额是（　　）万元。
A. 445.5　B. 450.0　C. 300.0　D. 297.0

3. 事项（3）中该企业 2020 年研发费用加计扣除的金额是（　　）万元。
A. 132.00　B. 165.00　C. 139.92　D. 110.00

4. 事项（4）中该企业 2020 年研发费用加计扣除的金额是（　　）万元。
A. 357.75　B. 388.00　C. 477.00　D. 286.20

（二）

某房地产开发公司 2021 年开发一栋写字楼相关资料如下：
（1）取得土地使用权支付土地出让金 4000 万元、市政配套设施费 600 万元，缴纳契税 184 万元。
（2）支付前期工程费、建筑安装工程费、基础设施工程费共计 6800 万元，支付公共配套设施费 400 万元。
（3）写字楼地上可售建筑面积 12000 平方米，地下配套车位不可售面积 3000 平方米。
（4）公司采取基价并实行超基价五五分成方式委托代销写字楼面积的 80%，每平方米不含税基价 1.9 万元剩余面积办公自用；公司、受托方、购买方三方共同签订销售合同，取得不含税收入 19200 万元（已收到受托方已销写字楼清单）。
（5）取得地下车位临时停车费不含税收入 18 万元。
（6）发生期间费用 1500 万元，缴纳城市维护建设税、教育费附加、城镇土地使用税、印花税、土地增值税等税金及附加共计 2100 万元。

要求：根据上述资料，回答下列问题。

1. 该公司 2021 年企业所得税应税收入是（　　）万元。

A. 24018　　B. 19218　　C. 19200　　D. 18258

2. 该公司 2021 年企业所得税前应直接扣除的土地成本（含契税）是（　　）万元。

A. 4600.0　　B. 4784.0　　C. 3680.0　　D. 3827.2

3. 该公司 2021 年企业所得税前应扣除土地成本以外的开发成本是（　　）万元。

A. 7200　　B. 5440　　C. 6800　　D. 5760

4. 该公司 2021 年应缴纳企业所得税（　　）万元。

A. 1284.5　　B. 1184.5　　C. 1707.7　　D. 1507.7

（三）

我国某居民企业在甲国设立一家分公司，在乙国设立一家持股 80% 的子公司，2021 年该企业计算的境内利润总额 4000 万元。相关涉税资料如下：

（1）甲国分公司按我国税法确认的销售收入 300 万元，销售成本 500 万元；

（2）收到乙国子公司投资收益 1900 万元，子公司已在乙国缴纳企业所得税 1000 万元，子公司当年税后利润全部按持股比例分配，乙国预提所得税税率 5%。

（其他相关资料：该居民企业适用 25% 的企业所得税税率，无纳税调整金额，境外已纳税额选择“分国不分项”抵免方式）

要求：根据上述资料，回答下列问题。

1. 2021 年该居民企业来源于子公司投资收益的境外实际缴纳税额是（　　）万元。

A. 500　　B. 800　　C. 900　　D. 1100

2. 2021 年该居民企业来源于子公司的应纳税所得额是（　　）万元。

A. 1700　　B. 1800　　C. 2600　　D. 2800

3. 2021 年该居民企业子公司境外所得税的抵免限额是（　　）万元。

A. 425　　B. 450　　C. 650　　D. 700

4. 2021 年该居民企业在境内实际缴纳企业所得税是（　　）万元。

A. 525　　B. 575　　C. 1000　　D. 1200

（四）

我国境内某机械制造企业，适用企业所得税税率 25%，2021 年境内产品销售收入 4000 万元，销售成本 2000 万元，缴纳税金及附加 20 万元，销售费用 700 万元（其中广告费 620 万元），管理费用 500 万元，财务费用 80 万元，取得境外分支机构分回税后财产转让所得 9 万元，分支机构所在国企业所得税税率为 20%，该分支机构享受了所在国减半征收所得税的优惠。（本题不考虑预提所得税和税收饶让的影响）

要求：根据上述资料，回答下列问题。

1. 该企业 2021 年来源于境内的应纳税所得额是（　　）万元。
A. 680　B. 700　C. 725　D. 720

2. 该企业 2021 年来源于境外的应纳税所得额是（　　）万元。
A. 9.00　B. 10.00　C. 12.50　D. 11.25

3. 该企业 2021 年境外所得的抵免限额是（　　）万元。
A. 1.00　B. 2.25　C. 9.00　D. 2.50

4. 该企业 2021 年在境内实际应缴纳企业所得税（　　）万元。
A. 170.0　B. 177.5　C. 181.5　D. 178.0

（五）

我国境内某居民企业在 A 国设立一分公司（以下称“境外分公司”），2020 年该企业境内应纳税所得额-14.29 万元，境外分公司税后所得 10 万元，已在 A 国缴纳企业所得税 4.29 万元。2021 年该企业境内应纳税所得额 30 万元，境外分公司税后所得 14 万元，已在 A 国缴纳企业所得税 6 万元。

（其他相关资料：该企业适用企业所得税税率 25%，境外分公司适用企业所得税税率 30%）

要求：根据上述资料，回答下列问题。

1. 2020 年度汇总纳税时，境外分公司所得的抵免限额是（　　）万元。
A. 4.29　B. 3.57　C. 3.00　D. 0

2. 2021 年度汇总纳税时，境外分公司所得的抵免限额是（　　）万元。
A. 6.00　B. 5.00　C. 3.50　D. 3.00

3. 2021 年度汇总纳税时，境外分公司所得实际抵免的所得税税额是（　　）万元。
A. 6.00　B. 5.00　C. 3.25　D. 3.00

4. 2021 年度汇总纳税时，该企业在境内实际应缴纳的企业所得税是（　　）万元。
A. 9.00　B. 8.25　C. 7.50　D. 6.50

（六）

位于市区的灯具制造甲企业为增值税一般纳税人，适用企业所得税税率 25%。2021 年取得产品销售收入 13200 万元，仓库出租收入 300 万元，债务重组利得 50 万元，营业外收入 200 万元，投资收益 400 万元；扣除的成本、费用、税金及营业外支出共计 12460 万元，自行核算利润总额 1690 万元。2022 年 3 月聘请税务师对 2021 年企业所得税进行汇算清缴，发现如下事项：

（1）将一批灯具用于股息分配，灯具成本为 100 万元，市场不含税售价 120 万元，未申报相关增值税，直接以成本价计入应付股利。

（2）以 2300 万元对乙公司进行投资，取得 30% 股权，乙公司净资产公允价值 8000 万元，甲企业对该项长期股权投资采用权益法核算，对初始投资成本调整部分已计入营业外收入。撤回对丙公司（非上市）长期股权投资，投资成本为400万元，撤回投资收回资金700万元，包含按照投资比例计算的属于甲企业的未分配利润80万元。

（3）12月购买一台环保设备用于污水治理，取得增值税专用发票注明金额540万元、税额70.2万元，该设备符合《环境保护专用设备企业所得税优惠目录》，进项税额已抵扣。市级财政部门因此当月给予甲企业20万元环保配套资金，该资金符合不征税收入条件。

（4）营业外支出列支2021年3月甲企业直接向承担疫情防治任务的医院捐赠现金10万元，直接向社区防疫捐赠现金8万元；因延迟执行合同支付违约金20万元；缴纳税收滞纳金6万元。

（5）发生业务招待费80万元；发生广告费2400万元，广告已经播映。

（其他相关资料：2021年末“应交税费——应交增值税”科目无借方余额）

要求：根据上述资料，回答下列问题。

1. 事项（1）考虑城市维护建设税、教育费附加、地方教育附加，应调增企业所得税应纳税所得额（　　）万元。

A. 19.68　　B. 18.13　　C. 33.00　　D. 20.00

2. 事项（2）应调减企业所得税应纳税所得额（　　）万元。

A. 180　　B. 200　　C. 100　　D. 80

3. 事项（3）中财政配套资金作为企业不征税收入应满足的条件有（　　）。

A. 企业自取得资金30日内向主管税务机关备案

B. 县以下人民政府对该资金有专门的具体管理要求

C. 企业能够提供规定资金专项用途的资金拨付文件

D. 财政部门对该资金有专门的资金管理办法

E. 企业对该资金以及以该资金发生的支出单独进行核算

4. 事项（4）应调增企业所得税应纳税所得额（　　）万元。

A. 24　　B. 6　　C. 44　　D. 14

5. 事项（5）应调增企业所得税应纳税所得额（　　）万元。

A. 92　　B. 389　　C. 449　　D. 375

6. 甲企业2021年应缴纳企业所得税（　　）万元。

A. 523.53　　B. 428.78　　C. 446.28　　D. 431.28

（七）

某电器生产企业，2021年销售电器取得不含税收入15000万元，应扣除的相关成本9900万元；转让技术所有权取得收入2000万元，应扣除的相关成本、费用等600万元；从未上市居民企业分回股息200万元；发生期间费用4000万元，营业外支出100万元，上缴的税金及附加300万元；企业自行计算的利润总额2300万元。经聘请的税务师对其2021年度企业所得税进行审核，发现有关情况如下：

（1）投入研发支出825万元研发新产品和新工艺，其中525万元形成了无形资产，2021

年 4 月 1 日取得专利证书并正式投入使用，该无形资产摊销期限为 10 年，当年未摊销费用；未形成无形资产的研发支出 300 万元已计入费用中扣除。

（2）期间费用包含发生的广告费 2600 万元，营业外支出包含通过市政府向目标脱贫地区扶贫捐款 20 万元。

（3）外购商誉支出 100 万元，并在成本费用中扣除了摊销费 10 万元。

（4）6 月 1 日购入电子设备，发生支出 432 万元，会计上一次性计入了当期费用中。该电子设备当月投入使用，不考虑残值，会计上和税法上的折旧年限均为 3 年且税法上未选择一次性扣除。

要求：根据上述资料，回答下列问题。

1. 投入使用的研发无形资产当年应税前扣除的摊销费用是（　　）万元。
A. 91.88　　B. 52.50　　C. 70.00　　D. 78.75

2. 广告费和扶贫捐款应调增应纳税所得额（　　）万元。
A. 320　　B. 50　　C. 350　　D. 370

3. 外购商誉和购入电子设备发生的费用，应调增会计利润（　　）万元。
A. 382　　B. 370　　C. 372　　D. 360

4. 下列关于该企业发生业务的税务处理，说法正确的有（　　）。
A. 外购商誉在企业整体转让或清算时准予扣除
B. 从未上市居民企业分回的股息应缴纳企业所得税
C. 购入电子设备可按规定计提折旧
D. 通过市政府向目标脱贫地区的扶贫捐款准予据实扣除
E. 未形成无形资产的研发费用可加计扣除 100%

5. 该企业 2021 年企业所得税的应纳税所得额是（　　）万元。
A. 1581.25　　B. 2133.25　　C. 2243.25　　D. 1491.25

6. 该企业 2021 年应缴纳企业所得税（　　）万元。
A. 372.81　　B. 282.81　　C. 448.31　　D. 420.81

（八）

位于市区的某软件企业，系增值税一般纳税人。企业会计核算 2021 年度主营业务收入 1800 万元，成本、费用等支出金额合计 1350 万元，实现会计利润 450 万元，年末增值税留抵税额 22 万元。2022 年 4 月聘请税务师对其 2021 年度的企业所得税汇算清缴进行审核，发现以下业务未作纳税调整：

（1）10 月采取支付手续费方式委托代销产品一批，不含税价款为 200 万元，2021 年 12 月 20 日收到代销清单；但该款项于 2022 年 1 月 5 日收讫，企业于实际收款日确认收入、计算增值税并结转成本 160 万元。

（2）销售费用中含广告费 400 万元，管理费用中含业务招待费 20 万元。

（3）研发费用中含研发人员工资及“五险一金”50 万元、外聘研发人员劳务费用 5 万元、直接投入材料费用20万元，支付境外机构的委托研发费用70万元，未形成无形资产。

（4）11月购进并投入使用设备一台，取得增值税专用发票注明价款240万元、税款31.2万元（进项税额已抵扣），会计上按直线法计提折旧，期限4年，净残值为0。所得税处理时企业选择一次性扣除政策。

（5）全年发放工资1000万元，发生职工福利费150万元，税务机关代收工会经费25万元并取得代收票据，职工教育经费110万元（含职工培训费用90万元）。

（其他相关资料：该企业已过优惠期，适用的企业所得税税率25%，不考虑软件企业的增值税即征即退）

要求：根据上述资料，回答下列问题。

1. 2021年该企业城市维护建设税、教育费附加和地方教育附加的会计利润调整额是（　　）万元。

A. 0.48　　B. 1.20　　C. 1.44　　D. 3.84

2. 2021年该企业广告费和业务招待费的纳税调整额是（　　）万元。

A. 8　　B. 10　　C. 108　　D. 110

3. 2021年该企业研发费用的纳税调整额是（　　）万元。

A. 90.00　　B. 93.75　　C. 98.25　　D. 108.75

4. 下列关于企业新购进固定资产一次性税前扣除政策的表述，正确的有（　　）。

A. 能享受该优惠政策的固定资产包括房屋、建筑物等不动产

B. 固定资产在投入使用月份的次月所属年度一次性税前扣除

C. 企业当年放弃一次性税前扣除政策，可以在次年选择享受

D. 企业选择享受一次性税前扣除政策，其资产的税务处理可与会计处理不一致

E. 以货币形式购进固定资产，除分期付款或赊销方式外按发票开具时间确认购进时点

5. 2021年该企业职工福利费、工会经费和职工教育经费的纳税调整额是（　　）万元。

A. 5　　B. 10　　C. 15　　D. 45

6. 2021年该企业应缴纳企业所得税（　　）万元。

A. 66.26　　B. 70.76　　C. 71.44　　D. 72.51

（九）

某电动车生产企业为增值税一般纳税人，2021年企业自行核算的会计利润总额11696万元，已预缴企业所得税1500万元。2022年1月，经委托的税务师审核，发现以下业务：

（1）企业2021年年初房产原值12300万元，其中幼儿园房产原值300万元，未申报缴纳房产税。

（2）企业2021年成本费用含实际发放合理工资薪金总额4000万元，实际发生的职工工会经费100万元、职工福利费480万元、职工教育经费670万元。

（3）合并一配件厂，合并基准日配件厂全部资产的计税基础和公允价值分别为5000万元和5700万元，全部负债的计税基础和公允价值分别为3600万元和3200万元，可结转以

后年度弥补的亏损额 670 万元。合并方支付本企业股权 2300 万元、银行存款 200 万元。合并符合企业重组的特殊性税务处理条件且双方选择采用此方法。
（其他相关资料：计算房产余值的扣除比例为 20%，合并当年国家发行最长期限的国债年利率为 4.3%）

要求：根据上述资料，回答下列问题。

1. 该企业 2021 年应缴纳的房产税为（　　）万元。
A. 115.20　　B. 118.08　　C. 147.60　　D. 144.00

2. 该企业 2021 年会计利润总额为（　　）万元。
A. 11270.50　　B. 11580.80　　C. 15296.00　　D. 11696.00

3. 该企业 2021 年职工福利费、职工教育经费和职工工会经费应调增应纳税所得额（　　）万元。
A. 70　　B. 150　　C. 370　　D. 290

4. 该企业 2021 年应纳税所得额为（　　）万元。
A. 11562.50　　B. 11843.30　　C. 11942.50　　D. 11909.80

5. 下列关于企业合并配件厂的企业所得税处理方法，正确的有（　　）。
A. 该企业接受配件厂负债的计税基础为 3600 万元
B. 该企业接受配件厂资产的计税基础为 5000 万元
C. 合并当年该企业可弥补配件厂的亏损额为 670 万元
D. 合并当年该企业可弥补配件厂的亏损额为 107.5 万元
E. 配件厂合并前的有关企业所得税事项由该企业承继

6. 该企业 2021 年应补缴企业所得税（　　）万元。
A. 1250.00　　B. 1402.45　　C. 1460.83　　D. 1410.63

（十）

位于市区的某居民企业为增值税一般纳税人，主要生产销售同一型号的热水器。热水器单台销售成本 0.1 万元、市场不含税销售价格 0.18 万元。2021 年度企业财务核算反映信息为：销售热水器共计 3 万台，取得不含税销售收入 5400 万元；取得直接投资未上市居民企业的股息收入 40 万元；准予扣除的成本 3000 万元；缴纳增值税 450 万元，城市维护建设税、教育费附加和地方教育附加 54 万元；发生销售费用 1300 万元、管理费用 450 万元（其中业务招待费 80 万元）；发生营业外支出 300 万元，其中通过市民政局向灾区捐款 60 万元，取得合法票据。企业自行计算全年实现会计利润为 336 万元。2022 年 1 月，经委托的税务师事务所审核，发现以下两个问题：
（1）12 月 10 日将 100 台热水器销售给关联企业，未作账务处理；
（2）12 月 20 日接受某公司捐赠机器设备一台，取得增值税专用发票，注明金额 10 万元、增值税 1.3 万元，未作账务处理。

要求：根据上述资料，回答下列问题。

1. 该企业12月份应补缴增值税、城市维护建设税、教育费附加和地方教育附加（　　）万元。

A. 2.62　　B. 1.04　　C. 0.12　　D. 1.16

2. 该企业经审核后全年会计利润总额为（　　）万元。

A. 343.88　　B. 355.30　　C. 353.88　　D. 355.18

3. 该企业对灾区的捐赠应调增的应纳税所得额为（　　）万元。

A. 17.54　　B. 17.38　　C. 17.36　　D. 18.73

4. 该企业发生的业务招待费应调增的应纳税所得额为（　　）万元。

A. 52.71　　B. 50.71　　C. 52.91　　D. 53.00

5. 企业计算应纳税所得额时，下列说法正确的有（　　）。

A. 分回的股息应并入应纳税所得额计算企业所得税

B. 确认接受捐赠收入应包含增值税进项税额

C. 销售给关联企业的热水器的成本可在企业所得税前扣除

D. 接受捐赠的收入应并入应纳税所得额但不并入计算业务招待费扣除限额的基数

E. 缴纳的增值税不可以在企业所得税前扣除

6. 该企业2021年度应缴纳的企业所得税为（　　）万元。

A. 106.43　　B. 92.09

C. 86.85　　D. 96.37

第二篇　个人所得税

（十一）

中国居民赵某为某公司高层管理人员，2021年有关涉税信息和收支情况如下：

（1）每月应发工资薪金20000元，公司每月按规定标准为其扣缴“三险一金”合计4000元。

（2）2月签订不动产租赁合同，将原值400万元的一套住房按市场价格出租，租期3年，约定2月28日交付使用，3月1日起租，每月租金5000元。

（3）3月取得劳务报酬收入10000元，将其中8000元通过市民政局捐给农村义务教育；5月取得稿酬收入5000元；6月取得特许权使用费收入2000元。

（其他相关资料：赵某无免税收入，从2021年1月份开始每月享受专项附加扣除3000元，取得各项综合所得时支付方已预扣预缴个人所得税，出租房产分月缴纳房产税，不考虑增值税和附加税费，发生的公益捐赠支出赵某选择在综合所得汇算清缴时扣除）

要求：根据上述资料，回答下列问题。

1. 赵某2021年出租住房应缴纳房产税（　　）元。

A. 6600　　B. 2000　　C. 6000　　D. 2200

2. 赵某 2021 年出租住房应缴纳个人所得税（　　）元。

A. 8000　B. 3840　C. 7680　D. 4000

3. 赵某 2021 年综合所得的计税收入额是（　　）元。

A. 253200　B. 246000　C. 252400　D. 252000

4. 赵某 2021 年综合所得应预扣预缴个人所得税（　　）元。

A. 9720　B. 9480　C. 8200　D. 9560

5. 赵某 2021 年综合所得应缴纳个人所得税（　　）元。

A. 6880　B. 7580　C. 7480　D. 7520

6. 关于赵某 2021 年综合所得的汇算清缴，下列说法正确的有（　　）。

A. 赵某只能自行办理年度汇算申报

B. 赵某应在 2022 年 3 月 1 日至 6 月 30 日办理 2021 年综合所得汇算清缴

C. 赵某综合所得汇算清缴的相关资料，自年度汇算清缴结束之日起留存 5 年

D. 赵某委托任职受雇单位代为办理年度汇算的，其汇算办理地为任职受雇单位的主管税务机关

E. 赵某发现任职受雇单位代办申报信息存在错误的，可以要求任职受雇单位办理更正申报

（十二）

李某于 2020 年年底承包甲公司，不改变企业性质，协议约定李某每年向甲公司缴纳 400 万元承包费后，经营成果归李某所有（李某无其他所得且假设李某无专项扣除、专项附加扣除以及依法确定的其他扣除）。甲公司适用企业所得税税率 25%，假设 2021 年甲公司有关所得税资料和员工王某的收支情况如下：

（1）甲公司会计利润 667.5 万元，其中含国债利息收入 10 万元、从未上市居民企业分回的投资收益 40 万元。

（2）甲公司计算会计利润时扣除了营业外支出 300 万元，系非广告性赞助支出。

（3）甲公司以前年度亏损 50 万元尚在弥补期内。

（4）员工王某每月工资 18000 元，每月自行负担的符合规定的专项扣除 2800 元、专项附加扣除 1500 元；另外王某 2021 年 2 月从其他单位取得劳务报酬收入 35000 元。

要求：根据上述资料，回答下列问题。

1. 2021 年甲公司纳税调整金额合计是（　　）万元。

A. 250　B. 260　C. 290　D. 300

2. 2021 年甲公司应缴纳的企业所得税是（　　）万元。

A. 166.88　B. 216.88　C. 229.38　D. 241.88

3. 2021 年李某承包甲公司应缴纳的个人所得税是（　　）元。

A. 64630　B. 93360　C. 111670　D. 132670

4. 2021 年 2 月，甲公司应预扣预缴王某的个人所得税是（ ）元。
A. 261 B. 522 C. 1410 D. 6661

5. 王某的劳务报酬所得应预扣预缴的个人所得税是（ ）元。
A. 4680 B. 5600 C. 6400 D. 8400

6. 王某 2021 年个人所得税汇算清缴时，应退个人所得税是（ ）元。
A. 3500 B. 3600 C. 6400 D. 7920

（十三）

我国公民张某是境内某上市公司的员工，2021 年取得以下收入：

（1）每月应税工资 50000 元。

（2）取得境内一次性稿酬收入 3000 元。

（3）2020 年 5 月被授予公司不可公开交易股票期权 10000 股，授予价 1 元/股；2021 年 6 月市场价为 36 元/股，张某当月全部行权；2021 年 11 月取得该公司股息收入 1500 元；12 月将该股票（非限售股）全部转让，取得转让收入 380000 元，与转让有关的税费合计 1000 元。

（4）担任非任职公司独立董事，年终一次性取得董事费收入 5 万元。

（其他相关资料：不考虑专项扣除、专项附加扣除以及其他扣除项目）

要求：根据上述资料，回答下列问题。

1. 张某 1 月工资薪金所得被预扣预缴的个人所得税为（ ）元。
A. 1080 B. 1119 C. 1906 D. 1980

2. 张某稿酬所得被预扣预缴的个人所得税为（ ）元。
A. 180 B. 308 C. 440 D. 336

3. 张某股票期权行权所得应缴纳个人所得税（ ）元。
A. 55580 B. 82440 C. 103995 D. 92940

4. 张某取得股息收入应缴纳个人所得税（ ）元。
A. 0 B. 120 C. 300 D. 150

5. 张某股票转让所得应缴纳个人所得税（ ）元。
A. 0 B. 11800 C. 60000 D. 30000

6. 张某取得的董事费收入被预扣预缴的个人所得税为（ ）元。
A. 4000 B. 4800 C. 10000 D. 5500

（十四）

中国公民孙某 2021 年度取得下列所得：

（1）1 月份孙某出售自己持有的限售股，取得转让收入 100000 元，无法准确计算全部限售股原值。

（2）2月份购入A债券20000份，每份买入价5元，支付相关税费共计1000元。12月份卖出A债券10000份，每份卖出价7元，支付相关税费共计700元。

（3）利用业余时间兼职，1~12月份从兼职单位每月取得报酬3000元。

（4）2020年1月，任职企业授予孙某10000股不可公开交易股票期权，该股票期权的施权价每股5元。2021年3月5日，孙某按照规定全部行权，行权日该股票市场价格每股10元。

（5）拍卖其收藏品取得收入40000元，不能提供合法、完整、准确的收藏品原值凭证。

（6）从B国取得股息折合人民币10000元，在B国缴纳了个人所得税1500元，孙某当年无其他境外所得。

要求：根据上述资料，回答下列问题。

1. 孙某2021年1月转让限售股应缴纳个人所得税（　　）元。
A. 20000　　B. 19445　　C. 17000　　D. 12000

2. 孙某2021年12月转让债券所得应缴纳个人所得税（　　）元。
A. 14000　　B. 4000　　C. 3760　　D. 3660

3. 孙某2021年兼职所得共被预扣预缴个人所得税（　　）元。
A. 7200　　B. 5760　　C. 4588　　D. 5280

4. 孙某2021年3月股票期权行权所得应缴纳个人所得税（　　）元。
A. 0　　B. 882.5　　C. 2480　　D. 10590

5. 孙某拍卖其收藏品所得应缴纳个人所得税（　　）元。
A. 1500　　B. 1200　　C. 800　　D. 6400

6. 孙某来源于B国的所得在我国应补缴个人所得税（　　）元。
A. 1500　　B. 500　　C. 300　　D. 0

第三篇　小税种

（十五）

甲企业为增值税一般纳税人，2021年年初固定资产明细账分别记载经营用房屋原值3000万元、整备质量10吨的载货卡车30辆、载客汽车2辆、挂车5辆（每辆整备质量4吨）。该企业2021年发生下列业务：

（1）5月底对其中原值为500万元的A办公楼进行停工维修，8月底完工办理验收手续并投入使用，房产原值增加100万元。

（2）7月底将其中原值为200万元的B仓库出租给乙企业，约定8~9月为免租期，以后每月收取不含税租金2万元，租期3年。

（3）8月底签订融资租赁协议，以300万元不含税价格租入C仓库（出租方该仓库原值300万元、账面净值280万元），协议约定8月底交付使用。

（4）10月购入客货两用车2辆（每辆整备质量9吨），插电式混合动力汽车2辆，当月均取得车辆购置发票。

（其他相关资料：已知当地计算房产余值扣除比例为30%，载货汽车年税额60元/吨，载客汽车年税额360元/辆）

要求：根据上述资料，回答下列问题。

1. 业务（1）A办公楼2021年甲企业应缴纳房产税（　　）元。
   A. 30800　　B. 44800　　C. 50400　　D. 42000

2. 业务（2）B仓库2021年甲企业应缴纳房产税（　　）元。
   A. 19800　　B. 17000　　C. 16800　　D. 28800

3. 业务（3）C仓库2021年甲企业应缴纳房产税（　　）元。
   A. 7840　　B. 5880　　C. 8400　　D. 6300

4. 2021年甲企业合计应缴纳车船税（　　）元。
   A. 20220　　B. 20580　　C. 20400　　D. 19590

（十六）

位于某市郊区的物流公司，占地面积共计20000平方米，其中：办公区占地18000平方米，职工学校占地600平方米，幼儿园占地400平方米，内部绿化区占地1000平方米。2021年发生以下占地情形：

（1）经有关部门批准，3月份征用耕地20000平方米用于建设大宗商品仓储设施，当月收到办理占用耕地手续的书面通知并签订土地使用权出让合同。政府减免出让金1800万元后，公司实际缴纳出让金1200万元。另支付土地补偿费、青苗补偿费和地上附着物补偿费共计650万元。

（2）4月底无偿使用某免税单位占地面积为2000平方米的房产，用于存储大宗商品，使用期一年。

（其他相关资料：当地适用城镇土地使用税年税额为6元/平方米、耕地占用税税额为20元/平方米、契税税率为3%）

要求：根据上述资料，回答下列问题。

1. 2021年该物流公司征用耕地应缴纳耕地占用税（　　）万元。
   A. 20.00　　B. 30.00　　C. 33.33　　D. 40.00

2. 2021年该物流公司取得耕地的土地使用权应缴纳契税（　　）万元。
   A. 36.00　　B. 55.50　　C. 105.00　　D. 109.50

3. 2021年该物流公司无偿使用免税单位房产应缴纳城镇土地使用税（　　）万元。
   A. 0.40　　B. 0.45　　C. 0.80　　D. 0.90

4. 2021年该物流公司除无偿使用免税单位的房产外，还应缴纳城镇土地使用税（　　）万元。
   A. 5.7　　B. 10.8　　C. 11.4　　D. 12.0

（十七）

某市甲公司 2022 年发生以下应税行为：

（1）6 月底自建的办公楼交付使用，其入账价值 1500 万元（不包括中央空调 80 万元）。

（2）7 月份与乙公司签订两份合同，其中货物运输合同注明运费 30 万元、保管费 5 万元、装卸费 2 万元；房屋租赁合同注明将原值 1000 万元的房产出租给乙公司开办快捷酒店，合同约定 7 月 31 日交付使用，租期 1 年，年租金 120 万元。

（3）8 月份与丙公司签订技术合同，取得收入 80 万元。

（4）9 月份公司股东会决定增资 1000 万元，增资款当月到账。

（其他相关资料：以上价格均不含增值税；当地政府规定按房产原值一次扣除 20%后的余值计算房产税，运输合同印花税税率 0.3‰，保管合同印花税税率 1‰，租赁合同印花税税率 1‰，技术合同印花税税率 0.3‰，营业账簿印花税税率 0.25‰）

要求：根据上述资料，回答下列问题。

1. 甲公司签订的运输合同和租赁合同应缴纳印花税（　　）元。

A. 1305　　B. 1360　　C. 1340　　D. 1550

2. 甲公司 2022 年自建的办公楼应缴纳房产税（　　）元。

A. 75840　　B. 84000　　C. 94800　　D. 88480

3. 甲公司 2022 年出租的房产应缴纳房产税（　　）元。

A. 108000　　B. 116000　　C. 168000　　D. 144000

4. 甲公司技术合同及营业账簿应缴纳印花税（　　）元。

A. 2680　　B. 2740　　C. 5240　　D. 5180

（十八）

某航空公司经批准占用耕地 500000 平方米，于 2022 年 7 月 31 日办妥占用耕地手续，其中用于建设飞机场跑道、停机坪占地 320000 平方米、候机厅占地 100000 平方米、宾馆和办公楼占地 80000 平方米。2022 年 7 月 31 日，航空公司就该耕地与当地政府签订土地使用权出让书据，支付土地出让金与土地补偿费 4200 万元、安置补助费 500 万元、城市基础设施配套费 300 万元。

（其他相关资料：当地耕地占用税税额为 12 元/平方米、城镇土地使用税年税额为 4 元/平方米、契税税率为 4%，土地使用权出让书据印花税税率 0.5‰）

要求：根据上述资料，回答下列问题。

1. 航空公司应缴纳耕地占用税（　　）万元。

A. 384　　B. 448　　C. 280　　D. 216

2. 航空公司与政府签订的土地使用权出让书据应缴纳契税（　　）万元。

A. 188　　B. 200

C. 180　　D. 168

3. 航空公司与政府签订的土地出让书据应缴纳印花税（　　）万元。

A. 2.35　　B. 2.50　　C. 2.25　　D. 2.10

4. 航空公司2023年度应缴纳城镇土地使用税（　　）万元。

A. 55.98　　B. 72.00　　C. 30.00　　D. 36.00

跨章节主观题参考答案及解析

使用“会计云课堂”App或“微信”扫码对答案、看解析、掌握解题思路，开启轻松过关之旅。

第一篇　企业所得税

（一）

1. A　【解析】一般企业的研究开发费，未形成无形资产计入当期损益的，在按规定据实扣除的基础上，按照实际发生额的75%加计扣除；形成无形资产的，按照无形资产成本的175%摊销。该企业事项（1）中无形资产2020年的摊销金额为100万元，研发费用加计扣除的金额=100×175%-100=75（万元）。

2. A　【解析】其他相关费用限额=（200+120+140+80）÷（1-10%）×10%=60（万元）>实际发生额54万元；该企业事项（2）中研发费用加计扣除的金额=594×75%=445.5（万元）。

3. A　【解析】企业委托境内外部机构或个人进行研发活动所发生的费用，按照费用实际发生额的80%计入委托方研发费用计算加计扣除，受托方不得再进行加计扣除。该企业事项（3）中研发费用加计扣除的金额=220×80%×75%=132（万元）。

4. D　【解析】委托境外进行研发活动所发生的费用，按照费用实际发生额的80%计入委托方的委托境外研发费用，委托境外研发费用不超过境内符合条件的研发费用2/3的部分，可以按规定在企业所得税前加计扣除。费用实际发生额的80%=477×80%=381.6（万元）<境内符合条件的研发费用2/3，该企业事项（4）中研发费用加计扣除的金额=381.6×75%=286.2（万元）。

（二）

1. B　【解析】（1）采取基价（保底价）并实行超基价双方分成方式委托销售开发产品的，属于由开发公司与购买方签订销售合同或协议，或开发公司、受托方、购买方三方共同签订销售合同或协议的，则应比较销售合同或协议中约定的价格与基价，遵循从高原则，于收到受托方已销开发产品清单之日确认收入的实现。（2）公司、受托方、购买方三方共同签订销售合同对应的不含税收入（19200万元）>基价（12000×80%×1.9=18240万元），故委托代销确认的收入为19200万元。（3）该公司2021年企业所得税应税收入=19200+18=19218（万元）。

2. D 【解析】该公司2021年企业所得税前应直接扣除的土地成本（含契税）=（4000+600+184）×80%=3827.2（万元）。

3. D 【解析】该公司2021年企业所得税前应扣除土地成本以外的开发成本=（6800+400）×80%=5760（万元）。

4. D 【解析】该公司2021年应缴纳企业所得税=（19218-3827.2-5760-1500-2100）×25%=1507.7（万元）。

（三）

1. C 【解析】预提所得税前的应纳税所得额=1900/（1-5%）=2000（万元）。该企业直接负担的预提所得税额=2000×5%=100（万元），该企业间接负担的税额=1000×80%=800（万元）。该居民企业来源于子公司投资收益的境外实际缴纳税额=800+100=900（万元）。

2. D 【解析】该居民企业来源于子公司的应纳税所得额=1900+900=2800（万元）。

3. D 【解析】该居民企业子公司境外所得税的抵免限额=2800×25%=700（万元）。

4. C 【解析】该居民企业在境内实际缴纳企业所得税=4000×25%=1000（万元）。甲国分公司的亏损不得在境内或者乙国的所得中弥补；乙国子公司投资收益抵免限额（700万元）<境外实际缴纳税额（900万元），不需要在我国补税。

（四）

1. D 【解析】境内的会计利润=4000-2000-20-700-500-80=700（万元）
广告费的税前扣除限额=4000×15%=600（万元）<实际发生额620万元，需纳税调增20万元。
该企业2021年来源于境内的应纳税所得额=700+20=720（万元）。

2. B 【解析】境外分支机构享受了所在国减半征收所得税的优惠，则可理解为实际按照10%在境外缴纳了所得税。该企业2021年来源于境外的应纳税所得额=9÷（1-10%）=10（万元）。

3. D 【解析】该企业2021年来源于境外所得的抵免限额=10×25%=2.5（万元）。

4. C 【解析】境外分支机构在境外实际缴纳的税额=10×10%=1（万元）
由于题目交代不考虑预提所得税和税收饶让的影响，所以境外所得的实际抵免税额为1万元。

该企业2021年在境内实际应缴纳企业所得税＝720×25%＋（2.5－1）＝181.5（万元）。

（五）

1. D 【解析】2020年度境内外总应纳税所得额＝－14.29＋10＋4.29＝0，故抵免限额为0。

2. B 【解析】2021年度境外分公司所得的抵免限额＝（14＋6）×25%＝5（万元）。

3. B 【解析】2021年度境外分公司所得在我国的抵免限额为5万元，实际在境外缴纳企业所得税6万元，超过抵免限额，实际按限额5万元抵免。

4. C 【解析】2021年度该企业在境内实际应缴纳的企业所得税＝（30＋14＋6）×25%－5＝7.5（万元）。

（六）

1. B 【解析】应缴纳城建税及附加＝120×13%×（7%＋3%＋2%）＝1.87（万元）；事项（1）应调增应纳税所得额＝120－100－1.87＝18.13（万元）。

2. A 【解析】事项（2）应调减应纳税所得额＝（8000×30%－2300）＋80＝180（万元）。

3. CDE 【解析】企业从县级以上各级人民政府财政部门及其他部门取得的应计入收入总额的财政性资金，作为不征税收入应满足的条件：（1）企业能够提供规定资金专项用途的资金拨付文件；（2）财政部门或其他拨付资金的政府部门对该资金有专门的资金管理办法或具体管理要求；（3）企业对该资金以及以该资金发生的支出单独进行核算。

4. A 【解析】自2020年1月1日至2021年3月31日，企业直接向承担疫情防治任务的医院捐赠用于应对新型冠状病毒感染的肺炎疫情的"物品"，允许在计算应纳税所得额时全额扣除。事项（4）应调增应纳税所得额＝10＋8＋6＝24（万元）。

5. B 【解析】（1）销售（营业）收入＝13200＋300＋120＝13620（万元）；（2）业务招待费税前扣除限额1＝80×60%＝48（万元）＜税前扣除限额2＝13620×5‰＝68.1（万元），纳税调增＝80－48＝32（万元）；（3）广告费税前扣除限额＝13620×15%＝2043（万元）＜实际发生额2400万元，纳税调增＝2400－2043＝357（万元）；事项（5）应调增应纳税所得额＝32＋357＝389（万元）。

6. D 【解析】甲企业2021年应缴纳企业所得税＝（1690＋18.13－180＋24＋389）×25%－540×10%＝431.28（万元）。

（七）

1. D 【解析】制造业企业开展研发活动中实际发生的研发费用，未形成无形资产计入当期损益的，在按照规定据实扣除的基础上，自 2021 年 1 月 1 日起，再按照实际发生额的100%在税前加计扣除；形成无形资产的，按照无形资产成本的200%在税前摊销。投入使用的研发无形资产当年税前应扣除的摊销费用=525×200%/10/12×9=78.75（万元）。

2. C 【解析】（1）广告费扣除限额=15000×15%=2250（万元）<实际发生额 2600 万元，应调增应纳税所得额=2600−2250=350（万元）。（2）自 2019 年 1 月 1 日至 2025 年 12 月 31 日企业通过公益性社会组织或者县级（含）以上人民政府及其组成部门和直属机构用于目标脱贫地区的扶贫捐赠支出准予在计算企业所得税应纳税所得额时据实扣除。（3）广告费和扶贫捐款应调增应纳税所得额为 350 万元。

3. B 【解析】（1）外购商誉的支出，在企业整体转让或者清算时，准予扣除；会计上商誉不确认为无形资产，不得计提摊销扣除，所以应调增会计利润 10 万元。（2）购入电子设备应调增会计利润=432−432/3/12×6=360（万元）。（3）外购商誉和购入电子设备发生的费用合计调增会计利润=10+360=370（万元）。

4. ACDE 【解析】选项 B：从未上市居民企业分回股息免征企业所得税。

5. D 【解析】（1）在一个纳税年度内，居民企业技术转让所得不超过500 万元的部分，免征企业所得税；超过 500 万元的部分，减半征收企业所得税。技术转让所得=2000−600=1400（万元），技术所有权转让所得应纳税调减=500+（1400−500）×50%=950（万元）。（2）该企业 2021 年企业所得税的应纳税所得额=2300+370−950−200−78.75−300×100%+350=1491.25（万元）。

6. A 【解析】该企业 2021 年应缴纳企业所得税=1491.25×25%=372.81（万元）。

（八）

1. A 【解析】2021 年该企业少缴纳城市维护建设税、教育费附加和地方教育附加=（200×13%−22）×（7%+3%+2%）=0.48（万元），故应调减会计利润 0.48 万元。

2. D 【解析】（1）广告费扣除限额=（1800+200）×15%=300（万元）<实际发生额 400 万元，应纳税调增=400−300=100（万元）。（2）业务招待费扣除限额 1=20×60%=12（万元），扣除限额 2=（1800+200）×5‰=10（万元），应纳税调增=20−10=10（万元）。（3）2021 年该企业广告费和业务招待费的纳税调增额=100+10=110（万元）。

3. B 【解析】（1）委托境外单位进行研发活动所发生的费用，按照费用实际发生额的80%计入委托方的委托境外研发费用。委托境外研发费用不超过境内符合条件的研发费用2/3 的部分，可以按规定在企业所得税前加计扣除。（2）实际发生额的 80%＝70×80%＝56（万元）＞境内符合条件的研发费用 2/3 的部分＝（50+5+20）×2/3＝50（万元）。（3）2021 年该企业研发费用的纳税调减额＝（50+5+20+50）×75%＝93.75（万元）。

4. BDE　|　【解析】选项 A：能享受该优惠政策的固定资产是指除房屋、建筑物以外的固定资产。选项 C：企业根据自身生产经营核算需要，可自行选择享受一次性税前扣除政策。未选择享受一次性税前扣除政策的，以后年度不得再变更。

5. C　|　【解析】（1）职工福利费的扣除限额＝1000×14%＝140（万元）＜实际发生额 150 万元，应纳税调增＝150－140＝10（万元）。（2）工会经费的扣除限额＝1000×2%＝20（万元）＜实际发生额 25 万元，应纳税调增＝25－20＝5（万元）。（3）职工教育经费的扣除限额＝1000×8%＝80（万元）＞实际发生额 20 万元（软件企业发生的职工教育经费中的职工培训费 90 万元可以全额在税前扣除），无须纳税调整。（4）2021 年该企业职工福利费、工会经费和职工教育经费的纳税调增额＝10+5＝15（万元）。

6. C　|　【解析】设备在会计上当年计提的折旧为 240÷4×1÷12（只能计提 1 个月的），而税法上企业选择一次性扣除，所以产生税会差异，需要纳税调减＝240－240÷4×1÷12＝235（万元）。2021 年该企业的应纳税所得额＝450+200－160－0.48+110－93.75－235+15＝285.77（万元），2021 年该企业应缴纳企业所得税＝285.77×25%＝71.44（万元）。

（九）

1. A　|　【解析】幼儿园用房免征房产税，所以该企业 2021 年应缴纳房产税＝（12300－300）×（1－20%）×1.2%＝115.20（万元）。

2. B　|　【解析】该企业 2021 年会计利润总额＝11696－115.20＝11580.80（万元）。

3. C　|　【解析】（1）工会经费税前扣除限额＝4000×2%＝80（万元）＜实际发生额 100 万元，应调增应纳税所得额＝100－80＝20（万元）；（2）职工福利费税前扣除限额＝4000×14%＝560（万元）＞实际发生额 480 万元，不需要纳税调整；（3）职工教育经费税前扣除限额＝4000×8%＝320（万元）＜实际发生额 670 万元，应调增应纳税所得额＝670－320＝350（万元）；该企业 2021 年职工福利费、职工教育经费和职工工会经费应调增应纳税所得额＝20+350＝370（万元）。

4. B　|　【解析】（1）被合并企业未超过法定弥补期限的亏损额可以结转到合并企业在限额内进行弥补，可由合并企业弥补的被合并企业亏损的限额＝（5700－3200）×4.3%＝107.5（万元）。（2）该企业 2021 年应纳税所得额＝11580.80+370－107.50＝11843.30（万元）。

5. DE 【解析】选项AB：合并企业接受被合并企业资产和负债的计税基础，股权支付部分（而非全部）以被合并企业的原有计税基础确定。选项CD：合并当年该企业可弥补配件厂的亏损额为107.5万元。

6. C 【解析】该企业2021年应补缴企业所得税＝11843.30×25%－1500＝1460.83（万元）。

（十）

1. D 【解析】应补缴增值税、城市维护建设税、教育费附加和地方教育附加＝（100×0.18×13%－1.3）×（1+7%+3%+2%）＝1.16（万元）。

2. D 【解析】经审核后的会计利润总额＝336+100×0.18－100×0.1+11.3－（100×0.18×13%－1.3）×（7%+3%+2%）＝355.18（万元）。

3. B 【解析】对灾区的捐赠扣除限额＝355.18×12%＝42.62（万元），应纳税调增＝60－42.62＝17.38（万元）。

4. C 【解析】业务招待费的扣除限额1＝80×60%＝48（万元），业务招待费的扣除限额2＝（5400+100×0.18）×5‰＝27.09（万元），纳税调增＝80－27.09＝52.91（万元）。

5. BCDE 【解析】选项A：从未上市居民企业分回的股息红利收入，属于免税收入，不计入应纳税所得额。

6. D 【解析】应纳税所得额＝355.18－40+17.38+52.91＝385.47（万元），应纳企业所得税＝385.47×25%＝96.37（万元）。

第二篇　个人所得税

（十一）

1. B 【解析】对个人出租住房，不区分实际用途，均按4%的税率征收房产税。赵某2021年出租住房应缴纳房产税＝5000×4%×10＝2000（元）。

2. B 【解析】对个人按市场价格出租住房取得的所得，减按10%的税率征收个人所得税。赵某2021年出租住房应缴纳个人所得税＝（5000－5000×4%）×（1－20%）×10%×10＝3840（元）。

3. C 【解析】赵某2021年综合所得的计税收入额＝20000×12+10000×（1－20%）+5000×（1－20%）×70%+2000×（1－20%）＝252400（元）。

4. B 【解析】工资、薪金所得预扣预缴应纳税所得额＝20000×12－60000－4000×12－3000×12＝96000（元）

工资、薪金所得应预扣预缴税款＝96000×10%－2520＝7080（元）

居民个人取得劳务报酬所得、稿酬所得、特许权使用费所得的，预扣预缴时不扣除公益捐赠支出，统一在汇算清缴时扣除。
劳务报酬所得应预扣预缴税款 = 10000×（1−20%）×20% = 1600（元）
稿酬所得应预扣预缴税款 = 5000×（1−20%）×70%×20% = 560（元）
特许权使用费所得应预扣预缴税款 =（2000−800）×20% = 240（元）
赵某 2021 年综合所得应预扣预缴税款 = 7080+1600+560+240 = 9480（元）。

5. D　|【解析】赵某 2021 年综合所得应缴纳个人所得税 =（252400−60000−4000×12−3000×12−8000）×10%−2520 = 7520（元）。

6. BCDE　|【解析】选项 A：纳税人可以通过任职受雇单位代为办理或委托涉税专业服务机构或其他单位和个人办理汇算清缴。

（十二）

1. A　|【解析】（1）国债利息收入，免征企业所得税，应调减 10 万元。（2）符合条件的居民企业之间的股息、红利等权益性投资收益，免征企业所得税，应调减 40 万元。（3）非广告性质的赞助支出不得在税前扣除，应调增 300 万元。合计应调整金额 = −10−40+300 = 250（万元）。

2. B　|【解析】2021 年甲公司应缴纳企业所得税 =（667.5+250−50）×25% = 216.88（万元）。

3. B　|【解析】李某经营所得的应纳税所得额 =（667.5−216.88−400）×10000−60000 = 446200（元），适用的税率为 30%，速算扣除数为 40500 元，2021 年李某承包甲公司应缴纳个人所得税 = 446200×30%−40500 = 93360（元）。

4. A　|【解析】（1）1 月累计预扣预缴应纳税所得额 = 18000−5000−2800−1500 = 8700（元），1 月王某被甲公司预扣预缴的个人所得税 = 8700×3% = 261（元）。（2）2 月累计预扣预缴应纳税所得额 = 18000×2−5000×2−2800×2−1500×2 = 17400（元），2 月王某被甲公司预扣预缴的个人所得税 = 17400×3%−261 = 261（元）。

5. C　|【解析】王某的劳务报酬所得应预扣预缴的个人所得税 = 35000×（1−20%）×30%−2000 = 6400（元）。

6. B　|【解析】（1）王某全年工资薪金所得被预扣预缴的个人所得税 =（18000×12−5000×12−2800×12−1500×12）×10%−2520 = 7920（元）。（2）王某全年综合所得的应纳税所得额 = 18000×12+35000×（1−20%）−5000×12−2800×12−1500×12 = 132400（元），全年应缴纳个人所得税 = 132400×10%−2520 = 10720（元）。（3）王某 2021 年个人所得税汇算清缴时，应退个人所得税 = 7920+6400−10720 = 3600（元）。

（十三）

1. D　|【解析】张某 1 月工资薪金所得被预扣预缴的个人所得税 =（50000−5000）×10%−2520 = 1980（元）。

2. B 【解析】张某稿酬所得被预扣预缴的个人所得税 =（3000-800）×70%×20% = 308（元）。

3. A 【解析】居民个人取得股票期权，不并入当年综合所得，全额单独适用综合所得税率表，计算纳税。张某股票期权行权所得应缴纳个人所得税 =（36-1）×10000×25%-31920 = 55580（元）。

4. D 【解析】个人从公开发行和转让市场取得的上市公司股票，持股期限超过1年的，股息红利所得暂免征收个人所得税；持股期限在1个月以内（含1个月）的，其股息红利所得全额计入应纳税所得额；持股期限在1个月以上至1年（含1年）的，暂减按50%计入应纳税所得额；上述所得统一适用20%的税率计征个人所得税。张某取得股息收入应缴纳个人所得税 = 1500×50%×20% = 150（元）。

5. A 【解析】个人将行权后的境内上市公司股票再行转让而取得的所得，暂免征收个人所得税。

6. C 【解析】张某取得的董事费收入被预扣预缴的个人所得税 = 50000×（1-20%）×30%-2000 = 10000（元）。

（十四）

1. C 【解析】（1）限售股原值无法确认，应按转让收入的15%作为限售股原值及合理税费。（2）限售股转让应缴纳的个人所得税 = 100000×（1-15%）×20% = 17000（元）。

2. C 【解析】（1）每次卖出债券应纳个人所得税额 =（该次卖出该类债券收入-该次卖出该类债券允许扣除的买价和费用）×20%。（2）转让债券所得应纳个人所得税 = [10000×（7-5）-700-10000/20000×1000] ×20% = 3760（元）。

3. D 【解析】（1）劳务报酬所得以每次收入额为预扣预缴应纳税所得额，每次收入不超过4000元的，以减除费用800元后的余额为收入额。（2）2021年孙某兼职所得共被预扣预缴个人所得税 =（3000-800）×20%×12 = 5280（元）。

4. C 【解析】（1）居民个人取得股票期权，不并入当年综合所得，全额单独适用综合所得税率表，计算纳税。（2）股票期权行权应纳的个人所得税 = 10000×（10-5）×10%-2520 = 2480（元）。

5. B 【解析】（1）纳税人不能提供合法、完整、准确的财产原值凭证，不能正确计算财产原值的，按转让收入额的3%征收率计算缴纳个人所得税；拍卖品为经文物部门认定是海外回流文物的，按转让收入额的2%征收率计算缴纳个人所得税。（2）应纳个人所得税 = 40000×3% = 1200（元）。

6. B 【解析】B国股息所得的抵免限额 = 10000×20% = 2000（元），境外已纳税额为1500元，需在我国补税 = 2000-1500 = 500（元）。

第三篇 小税种

（十五）

1. B 【解析】A办公楼2021年应缴纳房产税＝［500×（1－30%）×1.2%/12×8＋（500＋100）×（1－30%）×1.2%/12×4］×10000＝44800（元）。

2. A 【解析】对出租房产，租赁双方签订的租赁合同约定有免收租金期限的，免收租金期间由产权所有人按照房产余值缴纳房产税。应缴纳房产税＝［200×（1－30%）×1.2%/12×9＋3×2×12%］×10000＝19800（元）。

3. C 【解析】融资租赁的房产，由承租人自融资租赁合同约定开始日的次月起依照房产余值缴纳房产税。合同未约定开始日的，由承租人自合同签订的次月起依照房产余值缴纳房产税。应缴纳房产税＝300×（1－30%）×1.2%/12×4×10000＝8400（元）。

4. D 【解析】插电式（含增程式）混合动力汽车，免征车船税。应缴纳的车船税＝10×30×60＋2×360＋5×4×60×50%＋2×9×60/12×3＝19590（元）。

（十六）

1. D 【解析】该物流公司征用耕地应缴纳耕地占用税＝20000×20÷10000＝40（万元）。

2. D 【解析】（1）土地使用权出让的，计税依据包括土地出让金、土地补偿费、安置补助费、地上附着物和青苗补偿费、征收补偿费、城市基础设施配套费、实物配建房屋等应交付的货币以及实物、其他经济利益对应的价款。（2）不得因减免土地出让金而减免契税。（3）该物流公司取得耕地的土地使用权应缴纳契税＝（1200＋1800＋650）×3%＝109.50（万元）。

3. A 【解析】（1）纳税单位无偿使用免税单位的土地，纳税单位照章缴纳城镇土地使用税。（2）对物流企业自有（包括自用和出租）或承租的大宗商品仓储设施用地，减按所属土地等级适用税额标准的50%计征城镇土地使用税。该物流公司无偿使用免税单位房产应缴纳城镇土地使用税＝2000×6×50%×8÷12÷10000＝0.40（万元）。

4. C 【解析】（1）企业办的学校、托儿所、幼儿园，其自用的土地，免征城镇土地使用税。（2）纳税人新征用的耕地，自批准征用之日起满1年时开始缴纳城镇土地使用税。（3）该物流公司还应缴纳城镇土地使用税＝（18000＋1000）×6÷10000＝11.4（万元）。

（十七）

1. C 【解析】（1）同一应税凭证载有两个以上税目事项并分别列明金额的，按照各自适用的税目税率分别计算应纳税额；未分别列明金额的，从高适用税率。

(2) 甲公司签订的运输合同和租赁合同应缴纳印花税 = (30×0.3‰+5×1‰+120×1‰) ×10000 = 1340 (元)。

2. A 【解析】甲公司 2022 年自建的办公楼应缴纳房产税 = (1500 + 80) × (1 − 20%) ×1.2%/12×6×10000 = 75840 (元)。

3. B 【解析】甲公司 2022 年出租的房产应缴纳的房产税 = [1000× (1−20%) ×1.2%/12×7+120/12×5×12%] ×10000 = 116000 (元)。

4. B 【解析】甲公司技术合同及营业账簿应缴纳印花税 = (80×0.3‰ + 1000×0.25‰) ×10000 = 2740 (元)。

(十八)

1. C 【解析】(1) 飞机场跑道、停机坪占用耕地,减按每平方米2元征收耕地占用税。(2) 航空公司应缴纳耕地占用税 = 320000×2/10000+ (100000+80000) ×12/10000 = 280 (万元)。

2. B 【解析】(1) 土地使用权出让的,计税依据包括土地出让金、土地补偿费、安置补助费、地上附着物和青苗补偿费、征收补偿费、城市基础设施配套费、实物配建房屋等应交付的货币以及实物、其他经济利益对应的价款。(2) 航空公司应缴纳契税 = (4200+500+300) ×4% = 200 (万元)。

3. B 【解析】土地使用权出让书据的计税依据为凭证所载金额,因此航空公司与政府签订的土地使用权出让书据应缴纳印花税 = (4200+500+300) ×0.5‰ = 2.5 (万元)。

4. C 【解析】飞机场跑道、停机坪用地免征城镇土地使用税。因此航空公司 2023 年度应缴纳城镇土地使用税 = (100000+80000) ×4×5/12/10000 = 30 (万元)。

04

第四部分

全真模拟测试题及参考答案

2022年税务师职业资格考试

全真模拟测试题（一）

“使用“会计云课堂”App或“微信”扫码快速做题、对答案、看解析、掌握解题思路，开启轻松过关之旅。

● 建议答卷时长 150分钟　● 答卷开始时间 ________　● 答卷结束时间 ________

扫码做题

一、单项选择题

共40题，每题1.5分。每题的备选项中，只有1个最符合题意。

1. 根据企业所得税法的有关规定，企业发生的下列业务，应当视同销售确认收入的是（　　）。
   A. 将自产货物用于企业设备更新
   B. 将开发产品转为固定资产
   C. 将自产货物用于股息分配
   D. 将自产货物在境内总、分支机构之间调拨

2. 根据企业所得税法的规定，下列项目中属于不征税收入的是（　　）。
   A. 企业转让资产所得
   B. 国债利息收入
   C. 特许权使用费收入
   D. 依法收取并纳入财政管理的行政事业性收费、政府性基金

3. 下列关于深港股票市场交易互联互通机制试点有关税收政策的理解，错误的是（　　）。
   A. 内地企业投资者通过深港通投资香港联交所上市非H股，对香港联交所非H股上市公司已代扣代缴的股息红利所得税，内地企业投资者可依法申请税收抵免
   B. 对内地企业投资者通过深港通投资香港联交所上市股票取得的转让差价所得，暂免征收企业所得税
   C. 对内地企业投资者通过深港通投资香港联交所上市股票取得的连续持有H股满12个月的股息红利所得，依法免征企业所得税
   D. 对内地企业投资者通过深港通投资香港联交所上市股票取得的非H股股息红利所得，计入其收入总额，依法计征企业所得税

4. 2006年股权分置改革时，张某个人出资购买甲公司限售股并由乙企业代为持有，乙企业适用企业所得税税率为25%。2021年12月乙企业转让该限售股取得收入200万元，无法提供原值凭证；相关款项已经交付给张某。该转让业务张某和乙企业合计

应缴纳所得税（　　）万元。

A. 0　　B. 7.5

C. 42.5　　D. 50

5. 2021 年年初，A 制药公司为摆脱经营困境，经股东会讨论决定从其投资方之一的甲个体工商户借款 500 万元，同时与公司职工签订借款合同向本公司职工个人借款 200 万元，共计 700 万元用于流动资金周转，期限一年。上述借款年利率为 7%，利息按月支付，银行同期同类贷款年利率为 5%。A 公司注册资本为人民币 1000 万元（其中股东甲个体工商户投资 200 万元）。B 果汁制造公司于 2021 年 12 月 31 日归还境内关联企业一年期借款本金 1000 万元，支付利息费用 80 万元，关联企业对 B 公司的权益性投资为 400 万元，B 公司的实际税负低于该关联企业，银行同期同类贷款年利率 6%。A 公司和 B 公司 2021 年可税前扣除的利息支出总计为（　　）万元。

A. 90　　B. 30

C. 78　　D. 110

6. 以下关于居民企业以非货币性资产对外投资确认的非货币性资产转让所得的说法，正确的是（　　）。

A. 须在投资协议生效时计入投资年度的应纳税所得额，按规定计算缴纳企业所得税

B. 应在投资收回时计入投资收回年度的应纳税所得额，按规定计算缴纳企业所得税

C. 可在不超过 5 年期限内，分期均匀计入相应年度的应纳税所得额

D. 应在投资期满 5 年后，一次性计入应纳税所得额

7. 根据企业所得税法的规定，下列各项中，表述正确的是（　　）。

A. 中小微企业在 2022 年 1 月 1 日至 2022 年 12 月 31 日期间新购置的电子设备，单位价值在 500 万元以上的，可以选择按单位价值的 100% 在当年一次性税前扣除

B. 自 2022 年 1 月 1 日至 2024 年 12 月 31 日，对小型微利企业年应纳税所得额超过 100 万元但不超过 300 万元的部分，减按 12.5% 计入应纳税所得额，按 20% 的税率缴纳企业所得税

C. 企业在非货币性资产捐赠过程中发生的运费、保险费、人工费用等相关支出，未纳入公益性捐赠票据记载的数额中的，不得在税前扣除

D. 发行方企业发生的可转换债券的利息，不可以在税前扣除

8. 甲企业（增值税一般纳税人）2021 年 5 月与乙公司达成债务重组协议，甲企业以一批自产的库存商品抵偿所欠乙公司一年前发生的债务 180.8 万元，该批库存商品的账面成本为 130 万元，市场不含税销售价格为 140 万元。假定不考虑城市维护建设税和两个附加。甲企业的该项重组业务应缴纳企业所得税（　　）万元。

A. 6.75　　B. 8.15

C. 10.2　　D. 12.7

9. 2022 年 2 月 10 日，A 国某运输公司的一艘拖船驶入我国某港口，该拖船发动机功率为 44776.12 千瓦，拖船负责人已向我国海关领取了吨税执照，在港口停留期限为 30 天，A 国已与我国签订含有相互给予船舶税费最惠国待遇条款的条约。已知船舶净吨位超过 10000 净吨但不超过 50000 净吨、执照期限为 30 日的普通税率为 4.6 元/净吨，优惠税率为 3.3 元/净吨。该拖船负责人应向我国海关缴纳的船舶吨税为（　　）元。

A. 138000　　B. 99000

C. 49500　　D. 69000

10. 在中国境内未设立机构、场所的非居民企业从中国境内取得的下列所得中，不应按收入全额为应纳税所得额计算征收企业所得税的是（　　）。
A. 股息
B. 利息
C. 特许权使用费
D. 转让财产所得

11. 根据企业所得税法的相关规定，下列各项中，说法不正确的是（　　）。
A. 企业发生的职工教育经费支出，不超过工资薪金总额8%的部分，准予在计算应纳税所得额时扣除
B. 通过公益性社会组织向国家规定的目标脱贫地区的捐赠支出，可以据实扣除
C. 对电影行业企业2020年度发生的亏损，最长结转年限由5年延长至8年
D. 采取缩短折旧年限方法加速折旧的，最低折旧年限不得低于规定折旧年限的40%

12. 下列各项中，应当按照工资、薪金所得项目征收个人所得税的是（　　）。
A. 劳动分红
B. 独生子女补贴
C. 差旅费津贴
D. 误餐补助

13. 根据企业所得税的相关规定，下列支出不能作为长期待摊费用的是（　　）。
A. 固定资产的大修理支出
B. 租入固定资产的改建支出
C. 外购设备发生的日常修理费用
D. 已足额提取折旧的固定资产的改建支出

14. 我国某公民2021年5月购入企业债券1000份，每份买入价10元，另支付购买债券的相关税费共计150元。2021年10月将买入的债券一次卖出600份，每份卖出价12元，另支付卖出债券的相关税费共计110元。12月末债券到期，该公民取得债券利息收入2500元。该公民上述行为应缴纳个人所得税（　　）元。
A. 200　　B. 500
C. 640　　D. 700

15. 根据个人所得税相关规定，下列项目中，属于劳务报酬所得的是（　　）。
A. 发表论文取得的报酬
B. 作者将自己的文字作品手稿复印件公开拍卖取得的所得
C. 将国外的作品翻译出版取得的报酬
D. 高校教师受出版社委托进行审稿取得的报酬

16. 根据个人所得税法律制度的规定，3岁以下婴幼儿照护专项附加扣除标准为每个婴幼儿每月（　　）元。
A. 800　　B. 1000
C. 1200　　D. 1500

17. 同一人有可能同时为缔约国双方居民，为了解决这种情况下个人最终居民身份的归属，税收协定普遍采取“加比规则”，加比规则的使用是有先后顺序的，只有当使用前一标准无法解决问题时，才使用后一标准。下列选项中，顺序正确的是（　　）。
A. 永久性住所、重要利益中心、习惯性居处、国籍
B. 永久性住所、国籍、习惯性居处、重要利益中心
C. 重要利益中心、永久性住所、习惯性居处、国籍
D. 国籍、永久性住所、重要利益中心、习惯性居处

18. 约翰为外籍个人，在中国境内无住所，同时在中国境内、境外机构担任职务，

2021年3月6日来华，12月20日离开。期间约翰因工作原因，曾于6月8日离境，6月14日返回。在计算个人所得税时，约翰2021年度在中国境内工作天数为（ ）天。

A. 282　　B. 283

C. 284　　D. 285

19. 李先生于2022年1月起退休并按月领取年金3000元，该年金缴付时未缴纳个人所得税。则李先生退休后每月领取年金需要缴纳的个人所得税为（ ）元。*

A. 120　　B. 0

C. 90　　D. 108

20. 2022年1月，张某接受其父亲无偿赠送的一处房产，房屋的原取得成本为100万元，赠与合同中标明房屋市值300万元，张某办理相关过户手续，自行支付相关费用12万元。2022年5月，张某将此处房产转让，转让价格400万元，不含增值税，转让过程中支付相关税费50万元。下列关于上述业务个人所得税的表述，正确的是（ ）。

A. 张某接受无偿赠送的房产应缴纳个人所得税57.6万元

B. 张某父亲应缴纳个人所得税40万元

C. 张某受赠房产的应纳税所得额为300万元

D. 张某将受赠房产转让时，应纳税所得额为238万元

21. 下列关于个人独资企业的表述，正确的是（ ）。

A. 企业拨缴的工会经费、发生的职工福利费计算税前扣除限额的比例分别是工资薪金总额的2%、14%

B. 投资者及职工工资不得在税前扣除

C. 企业年度内发生的业务招待费支出超出当年销售（营业）收入5‰的部分，可在以后纳税年度内扣除

D. 企业发生的赞助支出可以在税前扣除

22. 根据企业所得税的相关规定，下列说法不正确的是（ ）。

A. 提供社区养老、托育、家政服务取得的收入，在计算应纳税所得额时，减按90%计入收入总额

B. 企业2020年通过公益性社会组织或者县级以上人民政府及其部门等国家机关，捐赠用于应对新型冠状病毒感染的肺炎疫情的现金和物品，允许在计算企业所得税应纳税所得额时全额扣除

C. 受新型冠状病毒感染的肺炎疫情影响较大的困难行业企业2020年度发生的亏损，最长结转年限由5年延长至10年

D. 公司制创业投资企业采取股权投资方式直接投资于种子期、初创期科技型企业满2年的，可以按照投资额的70%在股权持有满2年的当年抵扣该公司制创业投资企业的应纳税所得额

23. 居民个人取得综合所得，按年计算个人所得税；有扣缴义务人的，由扣缴义务人按月或者按次预扣预缴税款；需要办理汇算清缴的，应当在取得所得的（ ）内办理汇算清缴。

A. 次年3月31日

B. 次年3月1日至6月30日

C. 次年6月30日

D. 次年5月31日

24. 甲公司2021年应付职工工资、薪金256万元，实际支出的合理的工资、薪金总

* 个人所得税税率表见“全真模拟测试题（二）”末尾处。

额为190万元（不包括按工资薪金支出核算的支付给行政部门临时工的工资10万元），实际发生的三项经费合计40.2万元，其中职工福利费发生32万元（包括支付给公司内设食堂工作人员的工资薪金支出1万元），拨缴的工会经费4.2万元，已经取得工会拨缴款收据，实际发生职工教育经费4万元；2020年超过标准的工会经费0.3万元、超过标准的职工教育经费1万元。该公司在计算2021年应纳税所得额时，应调整的应纳税所得额为（　　）万元。

A. 0　　B. 4

C. 3.2　　D. 5.5

25. 某商业企业2021年度其关联方（非金融企业）对其权益性投资额为200万元，当年1月1日为生产经营向该关联方借入1年期经营性资金600万元，关联借款利息支出60万元，银行同期同类贷款年利率为7%，则该企业在计算2021年企业所得税应纳税所得额时，准予扣除的利息支出为（　　）万元。

A. 28　　B. 40

C. 42　　D. 60

26. 2017年10月，张先生以现金100万元创办一家企业，2022年2月，张先生以90万元的价格（低于成本价）将100%股权转让给李先生，截至转让前，被转让企业的所有者权益为150万元，其中注册资本为100万元，未分配利润和盈余公积为50万元。则2022年张先生就该项行为应缴纳的个人所得税为（　　）万元。

A. 5　　B. 50

C. 10　　D. 20

27. 根据企业所得税的相关规定，下列各项中，在计算应纳税所得额时可以税前扣除的项目是（　　）。

A. 非广告性质的赞助支出

B. 被司法机关处以的罚金

C. 向投资者支付的股息

D. 银行企业内营业机构之间支付的利息

28. 甲公司为服装生产企业，2022年7月与乙公司签订了两份承揽合同，为乙公司加工两批服装。第一份合同载明由甲公司提供原材料金额300万元，乙公司需支付的加工费为20万元；第二份合同载明由乙公司提供原材料金额500万元，乙公司需支付的加工费为50万元。已知承揽合同的印花税税率为0.3‰，买卖合同的印花税税率为0.3‰，甲公司7月份应纳印花税额为（　　）元。

A. 1250　　B. 1110

C. 1850　　D. 2750

29. 2022年7月某工业企业与设备销售公司签订一份设备买卖合同，合同上注明金额为1000万元，企业为了购买此设备又与银行签订了1000万元的借款合同，后因某原因买卖合同、借款合同均作废，改签融资租赁合同，租金总额为1100万元。已知买卖合同的印花税税率为0.3‰，借款合同的印花税税率为0.05‰，融资租赁合同的印花税税率为0.05‰，则该企业当月一共应当缴纳的印花税为（　　）元。

A. 1050　　B. 4050

C. 14500　　D. 11500

30. 根据个人所得税法的相关规定，下列各项中，属于专项扣除的是（　　）。

A. 基本养老保险支出

B. 继续教育支出

C. 符合规定的商业健康保险支出

D. 住房贷款利息支出

31. 2022年7月某建筑公司与甲企业签订一份建筑安装工程承包合同，合同金额4800万元。施工期间，该建筑公司又将其中价值2000万元的安装工程分包给乙企业，并签订分包合同。已知建设工程合同的印花税税率为0.3‰，该建筑公司上述合同应缴纳印花税（　　）万元。

A. 1.79　　B. 1.80

C. 2.03　　D. 2.04

32. 2021年某企业7月份购买一处新建的独立地下商铺，入账房产原价200万元，9月份交付使用，10月份从房地产权属管理部门取得房产证。已知：当地政府规定计算房产余值的扣除比例为20%，所在省财政和税务部门规定商业用途地下建筑物以原价的70%作为应税房产原值。2021年该企业的地下商铺应缴纳房产税（　　）元。

A. 3360　　B. 4800

C. 3200　　D. 2560

33. 某企业拥有A、B两栋办公楼，A栋自用，B栋出租，每月收取租金60万元（不含增值税）。A栋房产原值为1200万元，B栋房产原值为1100万元。2021年4月底B栋办公楼的租赁到期，企业将B栋办公楼收回后进行改建，更换楼内电梯，将原来价值60万元的电梯更换为100万元的新电梯，另外还安装了价值320万元的智能化楼宇设施，项目于2021年8月底完工。已知当地政府规定计算房产余值的扣除比例为30%，该企业2021年应纳房产税（　　）万元。

A. 38.88　　B. 42.97

C. 46.05　　D. 47.06

34. 下列各项中，关于房产税计税依据的表述不正确的是（　　）。

A. 纳税人对原有房屋进行改建、扩建的，要相应增加房屋的原值

B. 以劳务为报酬抵付房租收入的，根据当地同类劳务的平均价格折算为房租收入，计征房产税

C. 凡以房屋为载体，不可随意移动的附属设备和配套设施，无论在会计核算中是否单独记账与核算，都应计入房产原值，计征房产税

D. 融资租赁的房产，依照房产余值计征房产税

35. 居民甲某有三套住房，经有关部门批准将第一套价值100万元的别墅给乙某抵偿了100万元的债务；用市场价值70万元的第二、三两套两室住房与丙某交换一套四居室住房，另取得丙某赠送价值12万元的小轿车一辆。当地确定的契税税率为3%，甲、乙、丙应纳契税的情况是（　　）。（上述金额均不含增值税）

A. 甲不缴纳，乙纳税30000元，丙纳税3600元

B. 甲纳税3600元，乙纳税30000元，丙不缴纳

C. 甲不缴纳，乙纳税36000元，丙纳税21000元

D. 甲纳税15000元，乙纳税36000元，丙不缴纳

36. 下列关于契税优惠政策的表述中，正确的是（　　）。

A. 医疗机构承受土地、房屋权属用于医疗的，免纳契税

B. 某退休林场工人到某山区购买了一片荒地用于开荒造林，应减半缴纳契税

C. 因房屋被县级以上人民政府征用，重新承受房屋权属，应减半缴纳契税

D. 父亲生前将名下房屋过户给自己的儿子，儿子无须缴纳契税

37. 2021年年初甲企业（国有企业）生产经营用地分布于A、B、C三个地域，A地的土地使用权属于甲企业，面积10000平方米，其中幼儿园占地1000平方米，厂区内绿化占地2000平方米；B地的土地使用权属甲企业与乙企业共同拥有，面积5000平方米，实际使用面积各半；C地的土地面积为3000平方米，甲企业一直使用但土地使用权未确定。假设A、B、C地的城镇土地使用税年税额均为每平方米5元，甲企业全年应纳城镇土地使用税（　　）元。

A. 57500　　B. 62500
C. 72500　　D. 85000

38. 下列各项中，不符合城镇土地使用税有关纳税义务发生时间规定的是（　　）。

A. 纳税人购置新建商品房，自房屋交付使用之次月起缴纳城镇土地使用税
B. 纳税人出租房产，自交付出租房产之次月起缴纳城镇土地使用税
C. 纳税人新征用的非耕地，自批准征用之次月起缴纳城镇土地使用税
D. 纳税人新征用的耕地，自批准征用之次月起缴纳城镇土地使用税

39. 某船舶公司2021年年初拥有非机动驳船4艘，每艘净吨位3000吨；拖船2艘，每艘发动机功率4000千瓦。机动船舶的车船税年基准税额为：净吨位超过2000吨但不超过10000吨的，每吨5元。该船舶公司2021年应缴纳车船税（　　）元。

A. 10500　　B. 40500
C. 43400　　D. 70500

40. 根据耕地占用税的有关规定，下列表述不正确的是（　　）。

A. 农村居民在规定用地标准以内占用耕地新建自用住宅，按照当地适用税额减半征收耕地占用税
B. 耕地占用税的纳税义务发生时间为纳税人收到自然资源主管部门办理占用耕地手续的书面通知的当日
C. 建设直接为农业生产服务的生产设施占用林地的，不征收耕地占用税
D. 纳税人应当自纳税义务发生之日起15日内申报缴纳耕地占用税

二、多项选择题

共20题，每题2分。每题的备选项中，有2个或2个以上符合题意，至少有1个错项。错选，本题不得分；少选，所选的每个选项得0.5分。

41. 下列企业中，按照15%的税率征收企业所得税的有（　　）。

A. 国家需要重点扶持的高新技术企业
B. 注册在海南自由贸易港并实质性运营的鼓励类产业企业
C. 符合条件的从事污染防治的第三方企业
D. 小型微利企业
E. 经认定的技术先进型服务企业

42. 下列各项中，属于企业以清单申报的方式向税务机关申报扣除的资产损失有（　　）。

A. 企业各项存货发生的正常损耗
B. 某超市存货因零星失窃而导致的5万元损失
C. 企业按照市场公平交易原则，通过证券交易场所买卖股票发生的损失
D. 商业零售企业存货因风、火、雷、

震等自然灾害形成的100万元损失

E. 企业在正常经营管理活动中，按照公允价格销售非货币资产的损失

43. 下列关于在海南自由贸易港设立的企业新购置（含自建、自行开发）固定资产或无形资产企业所得税处理的说法中，正确的有（　　）。

A. 单位价值不超过500万元的，允许一次性计入当期成本费用在税前扣除

B. 单位价值不超过500万元的，只能计提折旧分期在税前扣除

C. 固定资产是指除房屋、建筑物以外的固定资产

D. 单位价值超过500万元的，可以缩短折旧、摊销年限或采取加速折旧、摊销的方法

E. 单位价值超过500万元的，只能采用直线法计提折旧在税前扣除

44. 下列关于永续债的表述正确的有（　　）。

A. 企业发行的永续债，可以适用股息、红利企业所得税政策，符合规定条件的也可以按照债券利息适用企业所得税政策

B. 企业发行永续债，应当将其适用的税收处理方法在证券交易所、银行间债券市场等发行市场的发行文件中向投资方予以披露

C. 企业对永续债采取的税收处理办法与会计核算方式不一致的，发行方、投资方在进行税收处理时须作出相应纳税调整

D. 发行永续债的企业对每一永续债产品的税收处理方法一经确定，1年内不得变更

E. 发行方支付的永续债利息支出均不得在企业所得税税前扣除

45. 下列固定资产不得计算折旧在企业所得税前扣除的有（　　）。

A. 以经营租赁方式租出的固定资产

B. 以融资租赁方式租出的固定资产

C. 未投入使用的房屋

D. 未投入使用的机器设备

E. 单独估价作为固定资产入账的土地

46. 甲企业2021年度发生部分经营业务如下：1月份取得国有土地4000平方米，签订了土地使用权出让合同，记载的出让金额为4000万元，并约定当月交付；然后委托施工企业建造仓库，工程4月份竣工，5月份办妥了验收手续。该仓库在甲企业账簿“固定资产”科目中记载的原值为9500万元（含土地出让金4000万元）。3月份该企业因为生产规模扩大，购置了乙企业的旧仓库1栋，产权转移书据上注明的不含税交易价格为1200万元，在企业“固定资产”科目上记载的原值为1250万元，当月取得了房屋权属证书。当地的房产原值减除比例为30%，当地契税税率4%，城镇土地使用税每平方米20元。则甲企业2021年缴纳的下列税金中，说法正确的有（　　）。

A. 购置的仓库应纳房产税7.56万元

B. 购置仓库应纳契税48万元

C. 建造的仓库应纳房产税46.55万元

D. 受让的土地应纳城镇土地使用税73333.33元

E. 建造的仓库应纳房产税8.76万元

47. 下列情形中，免征企业所得税的有（　　）。

A. 企业以《资源综合利用企业所得税优惠目录》规定的资源作为主要原材料，生产符合相关标准的国家非限制和禁止的产品取得的收入

B. 中药材的种植所得

C. 远洋捕捞所得

D. 企业投资者持有2011~2023年发行的铁路债券取得的利息收入

E. 海水养殖所得

48. 下列关于契税说法正确的有（　　）。

A. 契税的纳税义务发生时间为纳税人签订土地、房屋权属转移合同的当日

B. 在依法办理土地、房屋权属登记前，权属转移合同、权属转移合同性质凭证不生效、无效、被撤销或者被解除的，纳税人可以向税务机关申请退还已缴纳的税款

C. 以奖励方式承受土地、房屋权属的，免征契税

D. 土地经营权的转移，不缴纳契税

E. 发生房屋赠与行为的，由税务机关参照房屋买卖的市场价格依法核定计税依据

49. 下列关于个人所得税专项附加扣除时限或时间的表述中，符合税法规定的有（　　）。

A. 住房贷款利息，扣除时限最长不得超过240个月

B. 子女教育，扣除时间为子女年满3周岁当月至全日制学历教育结束的次月

C. 同一学历继续教育，扣除时限最长不得超过48个月

D. 专业技术人员职业资格继续教育，扣除时间为取得相关证书的次年

E. 住房租金，扣除时间为租赁合同（协议）约定的房屋租赁期开始的当月至租赁期结束的当月

50. 以下关于居民个人公益捐赠支出的政策表述，符合个人所得税政策规定的有（　　）。

A. 捐赠股权、房产的，其捐赠支出金额按照个人持有股权、房产的市场价格确定

B. 居民个人根据各项所得的收入、公益捐赠支出、适用税率等情况，自行决定在综合所得、分类所得、经营所得中扣除的公益捐赠支出的顺序

C. 居民个人在综合所得中扣除公益捐赠支出，取得工资薪金所得的，其发生的捐赠支出可以选择在预扣预缴时扣除，也可以选择在年度汇算清缴时扣除

D. 居民个人在综合所得中扣除公益捐赠支出，取得劳务报酬所得、稿酬所得、特许权使用费所得的，其发生的捐赠支出可以选择在预扣预缴时扣除，也可以选择在年度汇算清缴时扣除

E. 经营所得采取核定征收方式的，不扣除公益捐赠支出

51. 下列免征船舶吨税的有（　　）。

A. 非机动驳船

B. 捕捞、养殖渔船

C. 军队、武警专用船舶

D. 吨税执照期满后48小时内不上下客货的船舶

E. 应纳税额在人民币50元以下的船舶

52. 下列表述中，符合个人所得税相关规定的有（　　）。

A. 个人通过拍卖市场拍卖个人财产，以财产最终拍卖成交价格为应纳税所得额计算缴纳个人所得税

B. 个人购买福利彩票，一次中奖收入在1万元（含1万元）以下的，暂免征收个人所得税，超过1万元的，按照超过部分征收个人所得税

C. 个人领取原提存的住房公积金免征个人所得税

D. 个人按照规定领取的税收递延型商业养老保险的养老金收入，其中25%部

分予以免税，其余 75%部分按照 10%的比例税率计算缴纳个人所得税

E. 一个纳税年度内在船航行时间累计满 183 天的远洋船员，其取得的工资、薪金收入减按 50%计入应纳税所得额，依法缴纳个人所得税

53. 依据个人所得税有关规定，下列说法中正确的有（　　）。

A. 出租汽车经营单位对出租车驾驶员采取单车承包或承租方式运营，出租车驾驶员从事客货运营取得的收入，按"工资、薪金所得"项目征收个人所得税

B. 员工因拥有股权而参与企业税后利润分配取得的所得，应按照"利息、股息、红利所得"项目征收个人所得税

C. 个人转让上市公司限售股所得，按照"财产转让所得"项目征收个人所得税

D. 公司职工取得季度奖金，按"工资、薪金所得"项目征收个人所得税

E. 作者将自己的文字作品手稿原件或复印件公开拍卖取得的所得，应按照"财产转让所得"项目征收个人所得税

54. 下列关于量化资产的个人所得税的说法正确的有（　　）。

A. 个人取得的仅作为分红依据，不拥有所有权的企业量化资产，不征收个人所得税

B. 个人以股份形式取得的拥有所有权的企业量化资产，征收个人所得税

C. 个人转让量化资产，按"财产转让所得"项目计征个人所得税

D. 个人转让量化资产，按"工资、薪金所得"项目计征个人所得税

E. 个人以股份形式取得企业量化资产参与企业分配而获得的股息、红利，按"利息、股息、红利所得"项目征收个人所得税

55. 下列说法，符合车船税规定的有（　　）。

A. 低速载货汽车免征车船税

B. 纯电动乘用车不征收车船税

C. 三轮汽车免征车船税

D. 插电式混合动力汽车免征车船税

E. 节能汽车减半征收车船税

56. 依据印花税的有关规定，下列说法正确的有（　　）。

A. 有些合同签订时无法确定计税金额，可以暂不贴花

B. 同一应税凭证载有两个以上税目事项，如未分别列明金额的，从高适用税率

C. 国际货运，由外国运输企业运输进出口货物的，运输企业所持的运费结算凭证免纳印花税

D. 已贴花的凭证，修改后所载金额增加的，其增加部分应当补贴印花税票

E. 财产租赁合同的应纳税额超过 1 角但不足 1 元的，免贴印花

57. 下列各项中，无须计算缴纳房产税的有（　　）。

A. 城市居民拥有的对外出租的住房

B. 外商投资企业自用的办公楼

C. 公园、名胜古迹管理单位的办公用房

D. 企业按政府规定价格向职工出租的单位自有住房

E. 按规定标准收取住宿费的高校学生公寓

58. 下列各项中，应计算缴纳契税的有（　　）。

A. 用材料等价交换取得的房屋

B. 为翻建新房而购买的旧房

C. 以获奖方式取得的房屋

D. 以自有房产作股投入本人独资经营的企业

E. 承受荒山土地使用权用于农业生产的

59. 下列关于城镇土地使用税的说法，正确的有（　　）。

A. 个人投资兴办的福利性、非营利性的老年服务机构的自用土地暂免征收城镇土地使用税

B. 对物流企业承租用于大宗商品仓储设施的土地，减按所属土地等级适用税额标准的50%计征城镇土地使用税

C. 以出让或转让方式有偿取得土地使用权的，合同约定交付时间的，应由受让方从合同签订的次月起缴纳城镇土地使用税

D. 以出让或转让方式有偿取得土地使用权的，合同未约定交付土地时间的，由受让方从实际交付土地的次月起缴纳城镇土地使用税

E. 通过招标、拍卖、挂牌方式取得的建设用地，从占用满一年时开始缴纳城镇土地使用税

60. 下列各项中，免征耕地占用税的有（　　）。

A. 社会福利机构占用耕地的

B. 学校教职工住房占用耕地的

C. 医疗机构占用耕地的

D. 港口占用耕地的

E. 幼儿园占用耕地的

三、计算题

共8题，每题2分。每题的备选项中，只有1个最符合题意。

（一）

中国居民张某2021年收入如下：

（1）张某2021年1月初领取个体户营业执照，经营汽车零件加工，当年取得生产经营收入100万元，生产经营成本为48万元，含独生女儿的生活费支出8万元、从业人员工资8万元、张某本人的工资12万元、生产经营和家庭生活难以区分的费用共计4万元，还包括张某6月份用个体户的资金为妻子买了市场价值10万元的轿车，作为生日礼物。

（2）2021年2月，张某通过股票交易账户在二级市场购进境内甲上市公司股票100000股，成交价格为每股12元。同年4月因甲上市公司进行2020年度利润分配取得35000元分红所得。同年7月张某以每股12.8元的价格将股票全部转让。

（3）2021年3月张某取得个人文物拍卖收入30万元，不能提供税费凭证，但能提供原值28万元的凭证，该文物经文物部门认定为海外回流文物。

（4）张某2009年2月以50万元购得A市一临街商铺，同时支付相关税费1万元，购置后从2015年一直对外出租，月租金2万元（不含增值税）。2021年6月1日，将临街商铺改租为卖，以不含税金额80万元转让给他人同时签订产权转移书据，经相关评估机构评定，房屋的重置成本价为70万元，成新度折扣率为80%。转让环节可以在个人所得税、土地增值税前扣除的税金及附加1.68万元（不含印花税、土地增值税）。

（其他相关资料：张某当年没有综合所得，上小学的女儿教育支出由张某扣除，不考虑专项扣除及其他扣除；产权转移书据适用的印花税税率为0.5‰）

要求：根据上述资料，回答下列问题。

61. 张某当年的经营所得应纳个人所得税为（　　）万元。

A. 10.24　　B. 20.47
C. 22.57　　D. 27.02

62. 对于业务（2），张某应纳个人所得税为（　　）元。
A. 0　　B. 3500
C. 7000　　D. 8600

63. 对于业务（3），张某应纳个人所得税为（　　）万元。
A. 0.6　　B. 0.9
C. 0.3　　D. 0.4

64. 张某转让商铺应缴纳的个人所得税为（　　）万元。
A. 2.67　　B. 4.12
C. 5.46　　D. 5.8

（二）

2022年年初某机械制造企业房产原值2000万元，其中厂房原值1600万元，企业办幼儿园房产原值300万元，独立的地下工业用仓库原价100万元。拥有整备质量10吨/辆的载货汽车10辆，8吨/辆的挂车5辆。该企业2022年发生如下业务：

（1）5月16日购置整备质量为2.5吨/辆的客货两用车2辆，合同载明金额10万元。

（2）6月30日将原值为300万元的厂房出租，合同载明每年不含税租金24万元，租赁期3年。

（3）7月份购买新建的独立地下商铺用于商业用途，入账的房屋原价为170万元，8月份交付使用。

（4）7月份接受甲公司委托加工一批机械配件，签订的承揽合同中注明原材料由该机械制造企业提供，金额为100万元，另收取加工费30万元。

（其他相关资料：当地政府规定计算房产余值的扣除比例为20%，所在省财政和税务部门规定工业用途地下建筑物以房产原价的50%作为应税房产原值、商业用途地下建筑物以房产原价的70%作为应税房产原值。载货汽车适用的车船税年税额为20元/吨。承揽合同印花税税率为0.3‰，买卖合同印花税税率为0.3‰）

要求：根据上述资料，回答下列问题。

65. 2022年该企业应缴纳的车船税为（　　）元。
A. 2458.33　　B. 2466.67
C. 2858.33　　D. 2866.67

66. 2022年该企业的地下建筑物应缴纳房产税（　　）元。
A. 6476　　B. 7656
C. 8608　　D. 9560

67. 2022年该企业的地上建筑物应缴纳房产税（　　）元。
A. 153600　　B. 168000
C. 182400　　D. 186000

68. 2022年该企业业务（4）应缴纳印花税（　　）元。
A. 0　　B. 300
C. 390　　D. 90

四、综合分析题

共12题，每题2分。由单项选择题和多项选择题组成。错选，本题不得分；少选，所选的每个选项得0.5分。

（一）

某市一家证券公司，2021年取得主营业务收入8000万元、其他业务收入270万元、投资收益330万元，发生的主营业务成本4300万元、其他业务成本180万元、税金及附加120万元、销售费用1600万元、管理费用800万元、财务费用150万元、营业外支出50万元。该公司财务人员自行计算的会计利润1400万元，后经聘请的税务师对其2021年度自行计算的企业所得税进行审核，发现如下问题：

（1）投资收益中包括向境内甲非上市公司投资分回的股息收入140万元、向境内乙上市公司（持股8个月）投资分回的股息收入80万元、国债利息收入50万元，另外60万元为从持股10%的被投资非上市丙公司撤回投资确认的所得（分回银行存款180万元、初始投资120万元、撤资时丙公司累计未分配利润和累计盈余公积为100万元）。

（2）主营业务成本中包括手续费及佣金支出2200万元（含向证券经纪人张某支付不含增值税佣金20万元）。

（3）销售费用中包含了当年发生的广告费和业务宣传费1150万元；上年度超过扣除限额结转的广告费和业务宣传费30万元。

（4）管理费用中包含了当年发生的业务招待费用80万元，为管理人员缴纳商业保险费10万元。

（5）营业外支出包括被证监会处以的罚款40万元、税收滞纳金10万元。

（其他相关资料：张某当年无其他综合所得，不考虑其他附加税费、专项扣除、专项附加扣除和其他扣除）

要求：根据上述资料，回答下列问题。

69. 下列关于投资收益的表述中，正确的有（　　）。

A. 从甲公司分回的股息属于免税收入

B. 从乙公司分回的股息属于免税收入

C. 国债利息收入应调减应纳税所得额50万元

D. 从丙公司的撤资所得应调减应纳税所得额60万元

E. 从丙公司的撤资所得应调减应纳税所得额10万元

70. 下列支出中，可以据实扣除的是（　　）。

A. 手续费及佣金支出2200万元

B. 为管理人员缴纳商业保险费10万元

C. 被证监会处以的罚款40万元

D. 税收滞纳金10万元

71. 计算企业所得税时，当年可以扣除广告费和业务宣传费（　　）万元。

A. 1150　　B. 1180

C. 1290　　D. 1240.5

72. 计算企业所得税时，可以扣除管理费用（　　）万元。

A. 751.35　　B. 748.65

C. 761.35　　D. 758

73. 该公司当年应缴纳企业所得税（　　）万元。

A. 324.66　　B. 307.16

C. 317.16　　D. 313

74. 张某当年应缴纳个人所得税（　　）元。

A. 57000　　B. 7480

C. 9480　　D. 3480

（二）

某外商投资的制造业企业为增值税一般纳税人。2021年该企业自行核算主营业务收入为2700万元，其他业务收入200万元，投资收益45万元；实现利润总额80.4万元。经税务师审核，发现下列情况：

（1）“管理费用”账户列支100万元，其中：与生产经营有关的业务招待费30万元；新产品研究开发费30万元；支付给母公司的管理费10万元。

（2）“财务费用”账户列支40万元，其中：2021年6月1日向非金融企业（非关联方）借入资金200万元用于生产经营，期限1年，当年支付利息12万元，银行同期同类贷款年利率为6%。

（3）“营业外支出”账户列支40万元，其中：对外捐款30万元（通过省级政府向希望小学捐款20万元，直接向某学校捐款10万元）；被生态环境主管部门处以罚款10万元。

（4）“投资收益”账户中：从直接投资的境内A公司（小型微利企业）分回股息10万元；从持股比例为15%的境外B公司分回税后股息30万元，B公司适用企业所得税税率20%（不考虑预提所得税）；国债利息收入5万元。

（5）实际支付工资总额300万元（其中支付给残疾人员工资50万元），发生职工福利费支出45万元、实际拨缴工会经费6万元、发生职工教育经费7万元，为后勤职工支付商业保险费20万元，均已计入相关的成本、费用。

（6）2021年2月份购进并实际使用规定的安全生产专用设备，取得的普通发票上注明金额20万元，当月投入使用，该设备按照直线法计提折旧，折旧年限10年，残值率10%。企业会计核算时将设备购置支出一次性在成本中列支。另知该设备生产的产品全部在当年销售，成本已结转；税法上未选择享受税前一次性扣除优惠政策。

（7）接受某公司捐赠的原材料一批，取得普通发票，价税合计金额为11.3万元，该项业务未反映在账务中。

（8）用自产产品对非关联企业进行投资，产品成本70万元，不含税销售价格100万元（假设增值税税率为13%），企业直接按照“库存商品”结转，将83万元（70+100×13%）计入长期股权投资账户，但未确认收入和成本。经审核，该业务相关的增值税、城市维护建设税和教育费附加处理正确（不考虑非货币性资产投资递延纳税政策）。

要求：根据上述资料，回答下列问题。

75. 该企业业务招待费应调增企业所得税应纳税所得额（　　）万元。

A. 12　　B. 15.5
C. 15　　D. 16.5

76. 该企业2021年度企业所得税纳税申报表上应当列示的会计利润为（　　）万元。

A. 128.5　　B. 110.2
C. 140.2　　D. 135.2

77. 该企业“营业外支出”项目应调整应纳税所得额（　　）万元。

A. 13.18　　B. 20
C. 20.83　　D. 23.18

78. 下列关于工资与职工福利费、工会经费、职工教育经费、职工保险费纳税调整的说法中，正确的有（　　）。

A. 工资应调减应纳税所得额50万元
B. 职工福利费应调增应纳税所得额3万元
C. 工会经费无须纳税调整
D. 职工教育经费应调增应纳税所得额1万元
E. 职工商业保险费无须纳税调整

79. 2021年度该企业境内应纳税所得额为（　　）万元。

A. 99.63　　B. 91.38
C. 107.63　　D. 117.63

80. 2021年度该企业在境内实际应缴纳企业所得税（　　）万元。

A. 23.35　　B. 22.73
C. 27.23　　D. 25.35

答案速查

我做对了 ________ 题　我得了 ________ 分

一、单项选择题

序号	1	2	3	4	5	6	7	8	9	10
答案	C	D	B	C	A	C	A	B	C	D
序号	11	12	13	14	15	16	17	18	19	20
答案	D	A	C	D	D	B	A	B	C	D
序号	21	22	23	24	25	26	27	28	29	30
答案	A	C	B	C	A	C	D	B	B	A
序号	31	32	33	34	35	36	37	38	39	40
答案	D	A	C	B	A	A	C	D	C	D

二、多项选择题

序号	41	42	43	44	45	46	47	48	49	50
答案	ABCE	ABCE	ACD	ABC	BDE	BCD	BC	ABDE	ACE	BCE
序号	51	52	53	54	55	56	57	58	59	60
答案	BCE	CDE	ABCD	ACE	BDE	BCD	CDE	ABC	AB	ACE

三、计算题

序号	（一）				（二）			
	61	62	63	64	65	66	67	68
答案	A	B	D	B	B	C	A	C

四、综合分析题

序号	（一）						（二）					
	69	70	71	72	73	74	75	76	77	78	79	80
答案	ACE	A	B	A	C	D	C	C	D	ABC	B	B

参考答案及解析

“使用“会计云课堂”App 或“微信”扫码对答案、看解析、掌握解题思路，开启轻松过关之旅。

扫码看解析

一、单项选择题

1. C　【解析】将自产货物用于股息分配，属于企业所得税外部处置资产的行为，应视同销售确认收入。

2. D　【解析】企业所得税中不征税收入包括：财政拨款；依法收取并纳入财政管理的行政事业性收费、政府性基金；企业取得的，由国务院财政、税务主管部门规定专项用途并经国务院批准的财政性资金；社保基金取得的直接股权投资收益、股权投资基金收益；符合条件的境外机构投资者从事中国境内原油期货交易取得的所得（不含实物交割所得）等。

3. B　【解析】对内地企业投资者通过深港通投资香港联交所上市股票取得的转让差价所得，计入其收入总额，依法征收企业所得税。

4. C　【解析】因股权分置改革造成由个人出资而企业代持有的限售股，企业转让时取得的收入，应作为企业的应税收入计算纳税，如果不能提供完整、真实的原值凭证，不能准确计算原值的，主管税务机关一律按照转让收入的 15%，核定为该限售股的原值和合理税费。乙企业转让限售股应纳企业所得税 = 200×（1-15%）×25% = 42.5（万元）；依照上述规定完成纳税义务后的限售股转让收入余额转付给实际所有权人时，不再纳税，因此张某不需要再缴纳个人所得税。

5. A　【解析】（1）A 公司向股东甲借款可扣除的利息支出：
债权性投资与权益性投资的比例 = 500 : 200 = 2.5 : 1，大于规定比例，另外，约定年利率 7% 高于银行同期同类贷款年利率 5%，所以向股东甲借款的利息支出不能全额税前扣除。
①调整后的借款额 = 200×2 = 400（万元）；
②可扣除的利息支出 = 400×5% = 20（万元）。
（2）A 公司向职工个人借款可扣除的利息支出 = 200×5% = 10（万元）。

（3）由于 B 公司的实际税负低于该关联企业，所以不用考虑关联企业的债资比例问题，但一定要考虑利率限制的问题。B 公司可税前扣除的利息支出 = 1000×6% = 60（万元）。

A 公司和 B 公司可税前扣除的利息支出总计 = 20+10+60 = 90（万元）。

6. C 【解析】居民企业以非货币性资产对外投资，应于投资协议生效并办理股权登记手续时，确认非货币性资产转让收入的实现；确认的非货币性资产转让所得，可在不超过 5 年期限内，分期均匀计入相应年度的应纳税所得额，按规定计算缴纳企业所得税。

7. A 【解析】选项 B：自 2022 年 1 月 1 日至 2024 年 12 月 31 日，对小型微利企业年应纳税所得额超过 100 万元但不超过 300 万元的部分，减按 25% 计入应纳税所得额，按 20% 的税率缴纳企业所得税。选项 C：企业在非货币性资产捐赠过程中发生的运费、保险费、人工费用等相关支出，凡纳入国家机关、公益性社会组织开具的公益捐赠票据记载的数额中的，作为公益性捐赠支出按照规定在税前扣除；未纳入公益性捐赠票据记载的数额中的，作为企业相关费用按照规定在税前扣除。选项 D：发行方企业发生的可转换债券的利息，可以按照规定在税前扣除。

8. B 【解析】甲企业该项业务所得 = 180. 8−140×13%−130 = 32. 6（万元）

甲企业应缴纳企业所得税 = 32. 6×25% = 8. 15（万元）。

9. C 【解析】拖船按照发动机功率每 1 千瓦折合净吨位 0. 67 吨并按相同净吨位机动船舶税额的 50% 计征船舶吨税。该拖船负责人应缴纳船舶吨税 = 44776. 12×0. 67×3. 3×50% = 49500（元）。

10. D 【解析】在中国境内未设立机构、场所，或者虽设立机构、场所但取得的所得与其所设机构、场所没有实际联系的非居民企业，从中国境内取得的股息、红利等权益性投资收益和利息、租金、特许权使用费所得，以收入全额为应纳税所得额；转让财产所得，以收入全额减除财产净值后的余额为应纳税所得额。

11. D 【解析】采取缩短折旧年限方法加速折旧的，最低折旧年限不得低于规定折旧年限的 60%。

12. A 【解析】选项 BCD：不列入工资、薪金所得项目，不计征个人所得税。

13. C 【解析】企业发生的下列支出作为长期待摊费用，按照规定摊销的，准予扣除：（1）已足额提取折旧的固定资产的改建支出（选项 D）；（2）租入固定资产的改建支出（选项 B）；（3）固定资产的大修理支出（选项 A）；（4）其他应当作为长期待摊费用的支出。

14. D　【解析】（1）一次卖出债券应扣除的买价及相关费用 =（1000×10+150）÷1000×600+110 = 6200（元），卖出债券应缴纳的个人所得税 =（600×12－6200）×20% = 200（元）；（2）债券利息收入应缴纳的个人所得税 = 2500×20% = 500（元）；（3）该公民共应缴纳个人所得税 = 200+500 = 700（元）。

15. D　【解析】劳务报酬所得是指个人独立从事设计、装潢、审稿等而取得的报酬。选项 AC 属于稿酬所得。选项 B 属于特许权使用费所得。

16. B　【解析】纳税人照护 3 岁以下婴幼儿子女的相关支出，按照每个婴幼儿每月 1000 元的标准定额扣除。

17. A

18. B　【解析】3 月 6 日、6 月 8 日、6 月 14 日和 12 月 20 日，均按半天计算在华工作天数。
中国境内工作天数 = 25.5+30+31+24+31+31+30+31+30+19.5 = 283（天）。

19. C　【解析】（1）个人达到国家规定的退休年龄，领取的年金符合规定的，不并入综合所得，全额单独计算应纳税款；其中按月领取的，适用月度税率表计算纳税。（2）李先生每月应缴纳个人所得税 = 3000×3% = 90（元）。

20. D　【解析】选项 ABC：房屋产权所有人将房屋产权无偿赠与其配偶、父母、子女、祖父母、外祖父母、孙子女、外孙子女、兄弟姐妹，双方均不征收个人所得税；选项 D：受赠人转让受赠房屋的，以其转让受赠房屋的收入减除原捐赠人取得该房屋的实际购置成本以及赠与和转让过程中受赠人支付的相关税费后的余额，为受赠人的应纳税所得额，依法计征个人所得税，所以张某将受赠房产转让时应纳税所得额 = 400－100－12－50 = 238（万元）。

21. A　【解析】选项 B：实际支付给职工的合理的工资薪金支出，准予扣除；投资者的工资不得在税前扣除。选项 C：企业年度内发生的与生产经营活动相关的业务招待费，按照实际发生额的 60% 扣除，但最高不得超过当年销售（营业）收入的 5‰，超过部分不得结转以后年度扣除。选项 D：企业发生的赞助支出不得在税前扣除。

22. C　【解析】受新型冠状病毒感染的肺炎疫情影响较大的困难行业企业 2020 年度发生的亏损，最长结转年限由 5 年延长至 8 年。

23. B　【解析】居民个人取得综合所得，按年计算个人所得税；有扣缴义务人的，由扣缴义务人按月或者按次预扣预缴税款；需要办理汇算清缴的，应当在取得所得的次年 3 月 1 日至 6 月 30 日内办理汇算清缴。

24. C　【解析】企业因雇用季节工、临时工、实习生、返聘离退休人员所实际发生的费用，应区分为工资、薪金支出和职工福利费支出，按规定在企业所得税前扣除。职工福利费扣除限额 =（190+10）×14% = 28（万元），实际发生 32

万元，准予扣除28万元，调增应纳税所得额=32-28=4（万元）；工会经费扣除限额=（190+10）×2%=4（万元），实际发生4.2万元，准予扣除4万元，调增应纳税所得额=4.2-4=0.2（万元）；职工教育经费扣除限额=（190+10）×8%=16（万元），实际发生4万元，上年结转剩余未扣除的职工教育经费1万元，所以总计5万元，可以税前扣除5万元，应调减应纳税所得额1万元；2021年应调增应纳税所得额=4-1+0.2=3.2（万元）。

25. A　【解析】向关联方借款的利息支出，税前扣除应满足2个条件：①不能超过按银行同期同类贷款利率计算的利息支出；②非金融企业实际支付给关联方的利息支出，最多不能超过按权益性投资的2倍计算的利息金额。准予扣除的利息支出=200×2×7%=28（万元）。

26. C　【解析】该项股权转让收入明显偏低且无正当理由，税务机关应对股权转让的收入进行核定，核定收入按照所有者权益150万元计算。因此，该项股权转让的所得=150-100=50（万元）。应缴纳个人所得税=50×20%=10（万元）。

27. D　【解析】选项D：非银行企业内营业机构之间支付的利息，不得税前扣除；银行企业内营业机构之间支付的利息，可以税前扣除。

28. B　【解析】对于由受托方提供原材料的加工、定做合同，凡在合同中分别记载加工费金额和原材料金额的，应分别按"承揽合同""买卖合同"计税；对于由委托方提供主要材料或原料，受托方只提供辅助材料的加工合同，无论加工费和辅助材料金额是否分别记载，均以辅助材料与加工费的合计数，依照"承揽合同"计税贴花。对委托方提供的主要材料或原料不计税贴花。甲公司应纳的印花税=300×10000×0.3‰+20×10000×0.3‰+50×10000×0.3‰=1110（元）。

29. B　【解析】该企业共涉及三个合同，买卖合同、借款合同虽然作废，但是纳税义务已经在签订合同时产生，不论合同是否兑现都应当缴纳印花税。买卖合同应纳的印花税=1000×0.3‰=0.3（万元）=3000（元）；借款合同应纳的印花税=1000×0.05‰=0.05（万元）=500（元）；融资租赁合同应纳的印花税=1100×0.05‰=0.055（万元）=550（元），该企业当月应纳印花税合计=3000+500+550=4050（元）。

30. A　【解析】选项BD：属于专项附加扣除；选项C：属于依法确定的其他扣除。

31. D　【解析】该建筑公司上述合同应缴纳印花税=（4800+2000）×0.3‰=2.04（万元）。

32. A　【解析】购买新建房屋，自房屋交付使用之次月起计征房产税。地下商铺应缴纳的房产税=200×70%×（1-20%）×1.2%×3/12×10000=3360（元）。

33. C　【解析】(1) 该企业A栋房产2021年应纳房产税＝1200×（1－30%）×1.2%＝10.08（万元）；(2) 该企业B栋房产2021年1月至4月应纳房产税＝60×4×12%＝28.8（万元）；(3) 该企业B栋房产2021年5月至8月应纳房产税＝1100×（1－30%）×1.2%×4/12＝3.08（万元）；(4) 该企业B栋房产2021年9月至12月应纳房产税＝（1100－60＋100＋320）×（1－30%）×1.2%×4/12＝4.09（万元）；(5) 该企业2021年应纳房产税＝10.08＋28.8＋3.08＋4.09＝46.05（万元）。

34. B　【解析】以劳务或者其他形式为报酬抵付房租收入的，应根据当地同类房产的租金水平，确定一个标准租金额从租计征房产税。

35. A　【解析】甲不纳税；乙纳税＝1000000×3%＝30000（元）；丙纳税＝120000×3%＝3600（元）。

36. A　【解析】选项B：承受荒山、荒地、荒滩土地使用权用于农、林、牧、渔业生产的，免征契税。选项C：省、自治区、直辖市可以决定免征或者减征契税。选项D：属于生前赠与，不属于法定继承，应照章缴纳契税。

37. C　【解析】甲企业全年应纳城镇土地使用税＝［（10000－1000）＋5000/2＋3000］×5＝14500×5＝72500（元）。

38. D　【解析】纳税人新征用的耕地，自批准征用之日起满1年时开始缴纳城镇土地使用税，因此选项D不正确。

39. C　【解析】拖船和非机动驳船分别按照机动船舶税额的50%计算车船税。拖船按照发动机功率每1千瓦折合净吨位0.67吨计算车船税。该船舶公司2021年应缴纳车船税＝3000×4×5×50%＋4000×0.67×2×5×50%＝43400（元）。

40. D　【解析】选项D：纳税人应当自纳税义务发生之日起30日内申报缴纳耕地占用税。

二、多项选择题

41. ABCE　【解析】选项D：适用20%的企业所得税税率。

42. ABCE　【解析】选项D：商业零售企业存货因风、火、雷、震等自然灾害，仓储、运输失事，重大案件等非正常因素形成的损失，为存货非正常损失，应当以专项申报形式进行企业所得税纳税申报。

43. ACD

44. ABC　【解析】选项D：发行永续债的企业对每一永续债产品的税收处理方法一经确定，不得变更。选项E：企业发行符合规定条件的永续债，也可以按照债券利息适用企业所得税政策，即：发行方支付的永续债利息支出准予在其企业所得税税前扣除，投资方取得的永续债利息收入应当依法纳税。

45. BDE 【解析】以经营租赁方式租出的固定资产和未投入使用的房屋、建筑物都可以按规定计提折旧，在税前扣除。

46. BCD 【解析】（1）建造的仓库应纳房产税 = 9500×（1−30%）×1.2%÷12×7 = 46.55（万元）

委托施工企业建设的房屋，自办理验收手续之次月起，计征房产税。

（2）受让的土地应纳城镇土地使用税 = 4000×20÷12×11 = 73333.33（元）。

（3）购置仓库应纳契税 = 1200×4% = 48（万元）。

（4）购置的仓库应纳房产税 = 1250×（1−30%）×1.2%÷12×9 = 7.88（万元）。购置存量房，自办理房屋权属转移、变更登记手续，房地产权属登记机关签发房屋权属证书之次月起计征房产税。

47. BC 【解析】选项 A：企业以《资源综合利用企业所得税优惠目录》规定的资源作为主要原材料，生产国家非限制和禁止并符合国家和行业相关标准的产品取得的收入，减按 90%计入收入总额。选项 DE：减半征收企业所得税。

48. ABDE 【解析】选项 C：以作价投资（入股）、偿还债务、划转、奖励等方式转移土地、房屋权属的，应当依照规定征收契税。

49. ACE 【解析】选项 B：子女教育扣除时间为子女年满 3 周岁当月至全日制学历教育结束的当月。选项 D：技能人员职业资格继续教育、专业技术人员职业资格继续教育，扣除时间为取得相关证书的当年。

50. BCE 【解析】选项 A：捐赠股权、房产的，其捐赠支出金额按照个人持有股权、房产的财产原值确定。选项 D：居民个人在综合所得中扣除公益捐赠支出，取得劳务报酬所得、稿酬所得、特许权使用费所得的，预扣预缴时不扣除公益捐赠支出，统一在汇算清缴时扣除。

51. BCE 【解析】选项 A：非机动驳船按相同净吨位船舶税率的 50%计征税款，不免税；选项 D：吨税执照期满后 24 小时内不上下客货的船舶，免征吨税。

52. CDE 【解析】个人通过拍卖市场拍卖个人财产，应以财产最终拍卖成交价格为转让收入额，转让收入额减除财产原值和合理费用后的余额为应纳税所得额，选项 A 混淆了收入额和应纳税所得额的概念；个人购买福利彩票，一次中奖收入在 1 万元（含 1 万元）以下的，暂免征收个人所得税，超过 1 万元的，全额征收个人所得税，所以选项 B 错误。

53. ABCD 【解析】选项 E：个人拍卖除文字作品手稿原件及复印件外的其他财产取得的所得，按照“财产转让所得”项目征收个人所得税。作者将自己的文字作品手稿原件或复印件公开拍卖取得的所得，应按照“特许权使用费所得”项目征收个人所得税。

54. ACE 【解析】选项 B：暂缓征收个人所得税。

55. BDE　【解析】选项 AC：农村居民拥有并主要在农村地区使用的三轮汽车、低速载货汽车，省、自治区、直辖市人民政府可根据实际情况定期减征或免征车船税。

56. BCD　【解析】选项 A：有些合同签订时无法确定计税金额，可在签订时先定额贴花 5 元，以后结算时再按实际金额计税，补贴印花；选项 E：财产租赁合同经计算，税额不足 1 元的，按 1 元贴花。

57. CDE　【解析】选项 A：个人拥有的营业用房或出租的房产，不属于免税房产，应照章纳税；选项 B：外商投资企业、外国企业和外籍个人的房产，应按照规定缴纳房产税。

58. ABC　【解析】选项 D：以自有房产作股投入本人独资经营的企业，不缴纳契税；选项 E：承受荒山土地使用权用于农业生产的，免征契税。

59. AB　【解析】选项 CD：以出让或转让方式有偿取得土地使用权的，应由受让方从合同约定交付土地时间的次月起缴纳城镇土地使用税，合同未约定交付土地时间的，由受让方从合同签订的次月起缴纳城镇土地使用税。选项 E：通过招标、拍卖、挂牌方式取得的建设用地，不属于新征用的耕地，纳税人应按照规定，从合同约定交付土地时间的次月起缴纳城镇土地使用税；合同未约定交付土地时间的，从合同签订的次月起缴纳城镇土地使用税。

60. ACE　【解析】选项 B：征收耕地占用税；选项 D：减按每平方米 2 元的税额征收耕地占用税。

三、计算题

（一）

61. A　【解析】取得经营所得的个人，没有综合所得的，计算其每一纳税年度的应纳税所得额时，应当减除费用 6 万元、专项扣除、专项附加扣除以及依法确定的其他扣除。专项附加扣除在办理汇算清缴时减除。张某当年经营所得的应纳税所得额＝100－48＋8＋12＋4×60%＋10－6－1.2＝77.2（万元）。自 2021 年 1 月 1 日至 2022 年 12 月 31 日，个体工商户年应纳税所得额不超过 100 万元的部分，在现行优惠政策基础上，再减半征收个人所得税。应纳个人所得税＝（77.2×35%－6.55）×50%＝10.24（万元）。

62. B　【解析】1 个月<持股期限≤1 年的，其股息、红利所得暂减按 50% 计入应纳税所得额，取得分红所得应纳个人所得税＝35000×50%×20%＝3500（元）；个人转让境内上市公司股票免征个人所得税。

63. D　【解析】纳税人能够提供合法、完整、准确的财产原值凭证，但不能提供有关税费凭证的，不得按征收率计算纳税，应当就财产原值凭证上注明的金额据实扣除，并按照规定计算缴纳个人所得税。拍卖文物应纳个人所得税=（30-28）×20%=0.4（万元）。

64. B 【解析】
①张某转让商铺应缴纳的印花税=80×0.05%=0.04（万元）
②张某转让商铺应缴纳的土地增值税：
可扣除项目=70×80%+1.68+0.04=57.72（万元）
增值额=80-57.72=22.28（万元）
增值率=22.28/57.72×100%=38.60%
土地增值税=22.28×30%=6.68（万元）
③张某转让商铺应缴纳的个人所得税：
应纳税所得额=80-（50+1）-1.68-0.04-6.68=20.6（万元）
转让商铺缴纳个人所得税=20.6×20%=4.12（万元）。

（二）

65. B 【解析】该企业应缴纳的车船税=10×10×20+8×5×20×50%+2.5×2×20×8/12=2466.67（元）。

66. C 【解析】地下工业用仓库应缴纳的房产税=100×50%×（1-20%）×1.2%×10000=4800（元）；地下商铺应缴纳的房产税=170×70%×（1-20%）×1.2%×4/12×10000=3808（元），2022年该企业的地下建筑物应缴纳房产税=4800+3808=8608（元）。

67. A 【解析】2022年该企业的地上建筑物应缴纳房产税=1600×（1-20%）×1.2%×6/12+（1600-300）×（1-20%）×1.2%×6/12+24/2×12%=15.36（万元）=153600（元）。

68. C 【解析】应缴纳的印花税=100×10000×0.3‰+30×10000×0.3‰=390（元）。

四、综合分析题

（一）

69. ACE 【解析】符合条件的居民企业之间的股息、红利等权益性投资收益，属于免税收入，但不包括连续持有居民企业公开发行并上市流通的股票不足12个月取得的投资收益。投资企业从被投资企业撤回或减少投资，其取得的资产中，相当于初始出资的部分，应确认为投资收回；相当于被投资企业累计未分配利润和累计盈余公积按减少实收资本比例计算的部分，应确认为股息所得（100×10%=10万元），符合条件的免税；其余部分确认为投资资产转让所得。国债利息收入，属于免税收入。针对业务（1）共调减应纳税所得额=140+50+10=200（万元）。

70. A 【解析】从事代理服务、主营业务收入为手续费、佣金的企业（如证券、期货、保险代理等企业），其为取得该类收入而实际发生的营业成本（包括手续费及佣金支出），准予在企业所得税前据实扣除。

71. B 【解析】企业每一纳税年度发生的符合条件的广告费和业务宣传费支出，除另有规定外，不超过当年销售（营业）收入15%的部分，准予扣除；超过部分，准予结转以后纳税年度扣除。税前扣除限额=（8000+270）×15%=1240.5（万元）>待扣除金额=1150+30=1180（万元），可以扣除广告费和业务宣传费1180万元，应调减应纳税所得额30万元。

72. A 【解析】业务招待费税前扣除限额1=（8000+270）×0.5%=41.35（万元）<税前扣除限额2=80×60%=48（万元），业务招待费按照41.35万元扣除；为管理人员缴纳商业保险费，除另有规定外，不得扣除，可以扣除的管理费用=800-（80-41.35）-10=751.35（万元）。应调增应纳税所得额=800-751.35=48.65（万元）。

73. C 【解析】应纳税所得额=1400-200-30+48.65+40+10=1268.65（万元），应缴纳企业所得税=1268.65×25%=317.16（万元）。

74. D 【解析】证券经纪人取得的佣金收入，属于劳务报酬所得。收入额=200000×（1-20%）=160000（元），展业成本=160000×25%=40000（元），应缴纳个人所得税=（160000-40000-60000）×10%-2520=3480（元）。

（二）

75. C 【解析】业务（8）自产产品对外投资，视同销售确认收入。所以业务招待费的扣除限额1=（2700+200+100）×5‰=15（万元），扣除限额2=30×60%=18（万元），所以业务招待费支出税前可扣除15万元，需要调增应纳税所得额=30-15=15（万元）。

76. C 【解析】业务（6）应调增会计利润=20-20×（1-10%）÷10×10÷12=18.5（万元）

业务（7）应调增会计利润=11.3（万元）

业务（8）应调增会计利润=100-70=30（万元）

企业的会计利润=80.4+18.5+11.3+30=140.2（万元）。

77. D 【解析】①直接捐赠支出10万元不能在税前扣除；②被生态环境主管部门处以的罚款10万元，不能在税前扣除；③公益性捐赠支出扣除限额=140.2×12%=16.82（万元）<20万元，应调增应纳税所得额=20-16.82=3.18（万元）。营业外支出项目应调增应纳税所得额=10+10+3.18=23.18（万元）。

78. ABC 【解析】①支付给残疾人员的工资准予100%加计扣除，应调减应纳税所得额50万元；②职工福利费扣除限额=300×14%=42（万元）<实际发生额45万元，应调增应纳税所得额=45-42=3（万元）；③工会经费扣除限额=300×

2% = 6（万元），工会经费准予据实扣除，无须纳税调整；④职工教育经费扣除限额 = 300×8% = 24（万元）>实际发生额 7 万元，据实扣除，无须纳税调整；⑤为后勤职工支付商业保险费，不得税前扣除，应调增应纳税所得额 20 万元；⑥合计调减应纳税所得额 = 50-3-20 = 27（万元）。

79. B 【解析】利息费用，向非金融企业（非关联方）借款，不超过同期同类银行贷款利率计算的部分准予扣除，超过部分不得扣除；需纳税调增 = 12-200×6%×7÷12 = 12-7 = 5（万元）。境内应纳税所得额 = 140.2+15（业务招待费）-30×100%（新产品研究开发费加计扣除）+10（母公司管理费）+5（财务费用）+23.18（营业外支出）-45（投资收益）-27（工资及三项费用、保险费）= 91.38（万元）。

80. B 【解析】境外分回股息应补缴企业所得税 = 30÷（1-20%）×（25%-20%）= 1.88（万元）

购进并实际使用规定的安全生产专用设备，其投资额的 10%可以从企业当年的应纳税额中抵免。所以，该企业在境内实际应缴纳企业所得税 = 91.38×25%+1.88-20×10% = 22.73（万元）。

2022年税务师职业资格考试

全真模拟测试题（二）

使用“会计云课堂”App或“微信”扫码快速做题、对答案、看解析、掌握解题思路，开启轻松过关之旅。

扫码做题

- 建议答卷时长 150分钟
- 答卷开始时间 ________
- 答卷结束时间 ________

一、单项选择题

共40题，每题1.5分。每题的备选项中，只有1个最符合题意。

1. 保险企业发生与其经营活动有关的手续费及佣金支出，不超过当年全部保费收入扣除退保金等后余额的（　　）的部分，在计算应纳税所得额时准予扣除；超过部分，允许结转以后年度扣除。

A. 10%　　B. 15%

C. 18%　　D. 20%

2. 根据企业所得税法的相关规定，下列各项中，说法不正确的是（　　）。

A. 企业在计算股权转让所得时，不得扣除被投资企业未分配利润等股东留存收益中按该项股权所可能分配的金额

B. 被投资企业将股权（票）溢价所形成的资本公积转为股本的，不作为投资方企业的股息、红利收入，但投资方企业应增加该项长期投资的计税基础

C. 纳税人签订的租赁合同或协议中规定租赁期限跨年度，且租金提前一次性支付的，出租人可以在租赁期内，分期均匀计入相关年度收入

D. 企业已作坏账损失处理后又收回的应收款项应计入企业收入总额中，计算缴纳企业所得税

3. 根据企业所得税的规定，下列关于所得来源地确定的表述中，不正确的是（　　）。

A. 不动产转让所得按照转让不动产的企业或者机构、场所所在地确定

B. 权益性投资资产转让所得按照被投资企业所在地确定

C. 股息、红利等权益性投资所得，按照分配所得的企业所在地确定

D. 租金所得，按照负担、支付所得的企业或者机构、场所所在地确定，或者按照负担、支付所得的个人的住所地确定

4. 甲居民企业为符合条件的软件生产企业，2021年实际发放的合理工资、薪金总额为200万元；实际发生职工福利费35万元、职工教育经费17万元（其中职工培

训费用为 5 万元）、拨缴工会经费 3.5 万元；另为职工支付补充养老保险费 12 万元、补充医疗保险费 8 万元。假设无其他纳税调整事项，则甲企业在申报 2021 年度企业所得税时就上述费用应调增应纳税所得额（　　）万元。

A. 9　　B. 10

C. 26　　D. 17

5. 某居民企业 2021 年 12 月 31 日归还其关联企业一年期借款 1200 万元，另一次性支付利息费用 90 万元，已知该关联企业的权益性投资额为 480 万元，银行同期同类贷款年利率为 5.8%，该居民企业的实际税负高于境内关联企业，双方均为非金融企业；假设借款利息支出全部费用化，计入当期损益。则该项业务应调增企业所得税应纳税所得额（　　）万元。

A. 26.42　　B. 34.32

C. 45.65　　D. 18

6. 居民企业 A 在 2018 年以 1000 万元投资上市居民企业 M，取得 M 企业 30% 的股权。2022 年 1 月经 M 企业股东大会批准，A 企业决定撤资，撤资时 M 企业累计未分配利润与累计盈余公积合计数为 3000 万元，A 企业撤资分得银行存款 2000 万元。则 A 企业该业务应缴纳企业所得税（　　）万元。

A. 25　　B. 225

C. 250　　D. 500

7. 2021 年某非居民企业向税务机关申报收入总额 800 万元，成本费用支出总额 850 万元，经税务机关检查，收入总额核算准确，但成本费用支出不能准确确定。税务机关对该企业采取核定征收办法，核定的利润率为 20%。已知该非居民企业适用的企业所得税税率为 25%，则该企业 2021 年度应缴纳企业所得税（　　）万元。

A. 18.75　　B. 31.25

C. 40　　D. 50

8. 境内某橙汁生产企业 2021 年实现的会计利润为 1000 万元，当年取得橙汁销售收入 2500 万元，出租闲置厂房收入 100 万元，国债利息收入 120 万元，转让闲置的固定资产所有权取得收入 80 万元；当年实际发生广告费 400 万元，业务宣传费 160 万元，上年结转未扣除的广告费为 200 万元。不考虑其他纳税调整事项，该企业当年应缴纳企业所得税（　　）万元。

A. 150　　B. 170

C. 220　　D. 250

9. 根据企业所得税的有关规定，下列表述不正确的是（　　）。

A. 对企业盘亏的固定资产，以该固定资产的账面净值减除责任人赔偿后的余额，作为固定资产盘亏损失在计算应纳税所得额时扣除

B. 企业因存货发生非正常损失而不得从增值税销项税额中抵扣的进项税额，可以与存货损失一起在计算应纳税所得额时扣除

C. 企业在计算应纳税所得额时已经扣除的资产损失，在以后纳税年度全部或者部分收回时，其收回部分应当追补到损失发生年度确认为收入计入应纳税所得额

D. 企业境内、境外营业机构发生的资产损失应分开核算，对境外营业机构由于发生资产损失而产生的亏损，不得在计算境内应纳税所得额时扣除

10. 下列企业取得的股息、红利中，应免征企业所得税的是（　　）。

A. 居民企业连续持有其他居民企业公开发行并上市流通的股票不足 12 个月取得的股息、红利

B. 在中国境内未设立机构、场所的非居民企业直接投资居民企业取得的股息、红利

C. 在中国境内设立机构、场所的非居民企业连续持有居民企业公开发行并上市流通的股票超过12个月取得的与该机构、场所有实际联系的股息、红利

D. 居民企业连续持有非居民企业公开发行并上市流通的股票超过12个月取得的股息、红利

11. 下列关于手续费及佣金支出在企业所得税税前扣除规定的表述中，不正确的是（　　）。

A. 企业以现金等非转账方式支付的手续费及佣金均不得在税前扣除

B. 企业为发行权益性证券支付给有关证券承销机构的手续费及佣金不得在税前扣除

C. 企业已计入固定资产、无形资产等相关资产的手续费及佣金支出，应当通过折旧、摊销等方式分期扣除，不得在发生当期直接扣除

D. 企业支付的手续费及佣金不得直接冲减服务协议或合同金额

12. 某工业企业2020年1月1日向非金融机构（非关联方）借款300万元用于建造厂房，年利率为8%，借款期限为2年。该厂房于2020年2月1日开始建造，至2021年8月31日完工，办理了竣工结算手续并交付使用。已知银行同期同类贷款年利率为6%，则该企业在计算2021年企业所得税时准予扣除的费用化的利息支出为（　　）万元。

A. 6　　B. 8

C. 10.5　　D. 14

13. 甲居民企业为创业投资企业，2019年9月1日，甲企业以股权投资方式向境内未上市的中小高新技术企业投资200万元。2021年度甲企业实现利润总额890万元；已计入成本费用中的实际支付的合理的工资薪金支出为72万元，实际拨缴工会经费2.16万元，实际发生职工福利费15.16万元，实际发生职工教育经费1.08万元。假设无其他纳税调整事项，2021年甲企业应缴纳企业所得税（　　）万元。

A. 173.95　　B. 223.95

C. 187.5　　D. 188.95

14. 下列关于房地产开发经营业务企业所得税处理的说法中，不正确的是（　　）。

A. 已售开发产品的计税成本，按当期已实现销售的可售面积和可售面积单位工程成本确认

B. 房地产开发企业对尚未出售的已完工开发产品和按照有关法律、法规或合同规定对已售开发产品（包括共用部位、共用设施设备）进行日常维护、保养、修理等实际发生的维修费用，准予在当期据实扣除

C. 房地产开发企业代有关部门、单位和企业收取的各种基金、费用和附加等，未纳入开发产品价内并由房地产开发企业之外的其他收取部门、单位开具发票的，可作为代收代缴款项进行管理，不计入应税收入中

D. 房地产开发企业将开发产品转为自用的，其实际使用时间累计未超过12个月又销售的，其自用期间计提的折旧费用可以在税前扣除

15. 某居民企业2021年实现会计利润600万元，当年购置并实际使用一台符合规定的生产安全专用设备，取得的普通发票上注明价税合计金额113万元。假设无其他纳税调整事项且对于设备支出企业未选择税前一次性扣除，则该居民企业

当年应缴纳企业所得税（　　）万元。

A. 150　　B. 140

C. 121.75　　D. 138.7

16. 某摩托车生产企业合并一家小型股份公司，股份公司全部资产公允价值为 5700 万元、全部负债公允价值为 3200 万元、未超过弥补年限的亏损额为 620 万元。合并时摩托车生产企业对股份公司的股权支付额为 2300 万元、银行存款支付额为 200 万元。已知：该合并业务符合企业重组特殊性税务处理的条件且选择此方法执行，当年年末国家发行的最长期限的国债年利率为 6%。则可以由摩托车生产企业弥补的股份公司亏损的限额为（　　）万元。

A. 0　　B. 620

C. 570.4　　D. 150

17. 中国居民王某 2022 年 2 月出版一部小说，获得稿酬 20000 元，王某将该收入中的 5000 元通过政府部门捐赠给受灾地区，该捐赠支出王某按规定在综合所得项目中扣除，则王某 2 月应被预扣预缴个人所得税（　　）元。

A. 2240　　B. 1680

C. 3200　　D. 2400

18. 根据个人所得税的相关规定，下列项目中，按照“劳务报酬所得”项目计征个人所得税的是（　　）。

A. 某教授发表论文取得的报酬

B. 企业员工因业绩突出而取得的奖金

C. 个人因从事彩票代销业务而取得的所得

D. 某教师受出版社委托审稿取得的所得

19. 我国公民刘某为某事业单位的职员，2022 年 3 月距离法定退休年龄尚有 4 年，刘某办理了提前退休手续，取得一次性补贴收入 280000 元。刘某就该项所得应缴纳个人所得税（　　）元。

A. 0　　B. 1200

C. 2100　　D. 4480

20. 根据个人所得税法律制度的规定，住房贷款利息专项附加扣除标准为每月（　　）元。

A. 800　　B. 1000

C. 1100　　D. 1500

21. 某上市公司实行股权激励计划授予员工小王不可公开交易的股票期权，承诺若小王自 2020 年 1 月 1 日到 2021 年 4 月 30 日在公司履行工作义务满 16 个月，则可以以每股 1 元的价格购买该公司股票 80000 股。2021 年 5 月 1 日小王行权时，该公司股票市价每股 2.5 元，则小王应缴纳个人所得税（　　）元。

A. 5480　　B. 9480

C. 12000　　D. 23080

22. 张某 2022 年 5 月为一单位提供设计劳务，取得劳务报酬所得 60000 元，在不考虑其他税费的情况下，支付报酬的单位应预扣预缴张某的个人所得税为（　　）元。

A. 9600　　B. 12200

C. 12400　　D. 17000

23. 合伙企业的个人投资者以企业资金为本人支付与企业生产经营无关的消费性支出及购买汽车、住房等财产性支出，应按（　　）征收个人所得税。

A. 工资、薪金所得

B. 经营所得

C. 劳务报酬所得

D. 利息、股息、红利所得

24. 2022 年 1 月，李某所在公司以 45 万元的价格向其出售一套 100 平方米的住房，住房的市场价格为 90 万元，该住房系公司 2017 年以 51 万元的价格购置。李某就该住房应缴纳个人所得税（　　）元。

A. 3480　　B. 5790

C. 50790　　D. 100080

25. 根据个人所得税的有关规定，下列表述不正确的是（　　）。

A. 股份制企业购买车辆并将车辆所有权登记到股东个人名下，其实质为企业对股东进行了红利性质的实物分配，应按照“利息、股息、红利所得”项目征收个人所得税

B. 个人从公开发行和转让市场取得的上市公司股票，持股期限在 1 个月以内（含 1 个月）的，其股息、红利所得全额计入应纳税所得额

C. 个体工商户不区分征收方式，均可享受年应纳税所得额不超过 100 万元的部分，减半征收个人所得税的优惠政策

D. 3 岁以下婴幼儿照护专项附加扣除只能由其父母其中一方按扣除标准的 100%扣除

26. 2022 年 2 月，中国公民赵某转让境内上市公司的股票净所得为 20000 元；当月购买某公司债券 20000 份，每份买价 8 元，另支付相关税费 800 元；3 月份将持有的债券全部卖出，每份卖价 8.3 元，另支付相关税费 415 元。赵某以上收入应缴纳个人所得税（　　）元。

A. 957　　B. 4957

C. 5200　　D. 2957

27. 2021 年某个体工商户取得销售商品收入 40 万元，另将自产商品赠送业主的亲友，该商品不含税市场售价为 5 万元；当年转让股票取得转让收入 10 万元，取得基金分红 1 万元。该个体工商户允许税前扣除的广告费和业务宣传费限额为（　　）万元。

A. 6.00　　B. 6.75

C. 7.50　　D. 8.25

28. 根据个人所得税法的相关规定，下列关于每次收入的确定，说法不正确的是（　　）。

A. 劳务报酬所得，属于同一项目连续性收入的，以一个月内取得的收入为一次

B. 财产租赁所得，以一个月内取得的收入为一次

C. 利息、股息、红利所得，以支付利息、股息、红利时取得的收入为一次

D. 偶然所得，以每月取得的收入为一次

29. 下列合同中，应计算缴纳印花税的是（　　）。

A. 个人书立的动产买卖合同

B. 企业签订的土地经营权转移书据

C. 企业以电子形式签订的货物买卖合同

D. 运输企业签订的管道运输合同

30. 2022 年 7 月，甲服装厂接受乙商场委托加工一批工作服，签订的承揽合同中注明所需材料全部由甲服装厂提供，金额为 200 万元，另收取加工费 30 万元；与丙公司签订一份以货易货合同，合同约定甲服装厂以 420 万元的服装换取丙公司 380 万元的布料，甲服装厂取得丙公司支付的差价款 40 万元。已知：承揽合同印花税税率为 0.3‰，买卖合同印花税税率为 0.3‰。甲服装厂 2022 年 7 月应缴纳印花税（　　）元。

A. 3090　　B. 1350

C. 2490　　D. 3210

31. A 企业 2022 年 7 月与甲公司签订了一份以物易物合同，用价值 500000 元的货物换取甲公司价值 460000 元的货物，甲公司支付差价款 40000 元；委托某物流公司将换回的货物运回 A 企业仓库，双方签订了运输保管合同，合同中约定运输费 30000 元，保管费 10000 元。当月另将一栋房屋捐赠给省实验中学作为教职工宿舍，双方签订的产权转移书据注明房屋价值 100000 元。已知：买卖合同印花税税率为 0.3‰，运输合同印花税税率为 0.3‰，保管合同印花税税率为 1‰，产权转移书据印花税税率为 0.5‰。A 企业当月就上述业务应缴纳印花税（　　）元。

A. 313　　B. 325

C. 307　　D. 320

32. 某企业 2021 年年初拥有一幢办公楼以及与办公楼相连的地下停车场和一独立的地下超市。办公楼的房产原值为 800 万元，与办公楼相连的地下停车场原价 100 万元，独立的地下超市原价 300 万元。该企业所在省政府规定房产税依照房产原值减除 30% 后的余值计算缴纳，所在省财政和税务部门规定商业用途地下建筑房产以房产原价的 80% 作为应税房产原值。2021 年该企业上述房产应缴纳房产税（　　）万元。

A. 6.72　　B. 8.06

C. 9.41　　D. 9.58

33. 根据房产税和城镇土地使用税的有关规定，下列说法不正确的是（　　）。

A. 纳税人购置新建商品房，自房屋交付使用之次月起计征房产税、城镇土地使用税

B. 纳税人购置存量房，自房屋交付使用之次月起计征房产税、城镇土地使用税

C. 饮水工程运营管理单位自用的生产、办公用房产、土地，免征房产税和城镇土地使用税

D. 国家机关的办公用房、用地，免征房产税和城镇土地使用税

34. 2021 年年初某渔业公司拥有捕捞渔船 5 艘，每艘净吨位 190 吨；其他机动船舶 5 艘，每艘净吨位 400 吨。2021 年 9 月 10 日购置游艇 2 艘，每艘艇身长度为 22 米，购置养殖渔船 1 艘，净吨位 2000 吨。新购置的船舶取得的发票上所载日期均为 9 月。车船税适用年税额为：机动船舶净吨位不超过 200 吨的，每吨 3 元；净吨位超过 200 吨但不超过 2000 吨的，每吨 4 元。游艇的艇身长度超过 18 米但不超过 30 米的，每米 1300 元。2021 年该渔业公司应缴纳车船税（　　）元。

A. 27066.67　　B. 9600

C. 10400　　D. 90400

35. 2021 年年初某航运公司拥有机动船舶 4 艘，每艘净吨位 3000 吨；拖船 2 艘，发动机功率均为 2000 千瓦。车船税年税额为：机动船舶净吨位超过 200 吨但不超过 2000 吨的，每吨 4 元；净吨位超过 2000 吨但不超过 10000 吨的，每吨 5 元。该航运公司 2021 年应缴纳车船税（　　）元。

A. 65360　　B. 68000

C. 76000　　D. 34000

36. 根据契税的有关规定，下列表述不正确的是（　　）。

A. 因人民法院、仲裁委员会的生效法律文书或者监察机关出具的监察文书等因素发生土地、房屋权属转移的，承受方应当依法缴纳契税

B. 纳税人缴纳契税后，因新建商品房在交付时实际交付面积小于合同约

定面积需返还房价款的，可依照有关法律法规申请退税

C. 城镇职工按规定第一次购买公有住房的，免征契税

D. 企业依照有关法律法规规定实施破产，对非债权人承受破产企业土地、房屋权属，凡按照国家有关法律法规政策妥善安置原企业超过30%的职工并签订服务年限不少于三年的劳动用工合同的，免征契税

37. 李某将价值100万元的房产与林某价值80万元的房产互换，差价部分林某以现金补偿。已知契税适用税率为3%，以上金额均为不含税金额，根据契税法律制度的规定，林某应缴纳的契税税额为（　　）万元。

A. 0.6　　B. 2.4

C. 3　　D. 5.4

38. 2021年甲企业生产经营用地分布于某市的A、B两个区域，A区域土地使用权属于甲企业，占地面积10000平方米，其中企业办学校占地2000平方米，厂区内绿化占地3000平方米；B区域的土地使用权属于甲企业与乙企业共同拥有，占地面积共8000平方米，实际使用面积各50%。已知甲企业所在地城镇土地使用税的年税额为每平方米5元，则甲企业全年应缴纳城镇土地使用税（　　）元。

A. 60000　　B. 75000

C. 90000　　D. 100000

39. 经济发达地区城镇土地使用税的适用税额标准可以适当提高，但须报经（　　）批准。

A. 财政部

B. 国家税务总局

C. 省、自治区、直辖市税务机关

D. 省、自治区、直辖市人民政府

40. 下列占用耕地的行为中，减按每平方米2元的税额征收耕地占用税的是（　　）。

A. 社会福利机构占用耕地

B. 航道占用耕地

C. 幼儿园占用耕地

D. 农村居民在规定用地标准以内占用耕地新建自用住宅

二、多项选择题

共20题，每题2分。每题的备选项中，有2个或2个以上符合题意，至少有1个错项。错选，本题不得分；少选，所选的每个选项得0.5分。

41. 根据企业所得税的有关规定，下列表述正确的有（　　）。

A. 非居民企业应缴纳的企业所得税，均实行源泉扣缴，以支付人为扣缴义务人

B. 发行方企业按照约定将购买方持有的可转换债券和应付未付利息一并转为股票的，其应付未付利息不得在税前扣除

C. 企业购买的文物、艺术品用于收藏、展示、保值增值的，文物、艺术品资产在持有期间，计提的折旧、摊销费用，不得税前扣除

D. 对饮水工程运营管理单位从事《公共基础设施项目企业所得税优惠目录》规定的饮水工程新建项目投资经营的所得，自项目取得第一笔生产经营收入所属纳税年度起，第1

年至第 3 年免征企业所得税，第 4 年至第 6 年减半征收企业所得税

E. 企业取得作为不征税收入处理的财政性资金用于研发活动所形成的费用或无形资产，可以计算加计扣除或摊销

42. 根据企业所得税的有关规定，下列说法中，正确的有（　　）。

A. 企业采取买一赠一方式组合销售本企业商品的，赠送的商品视同销售，按照同类商品的公允价值确认收入

B. 广告的制作费，应在相关的广告出现于公众面前时确认收入的实现

C. 采取以旧换新方式销售商品的，销售的商品应当按照扣除旧商品作价后的金额确认收入

D. 采用售后回购方式销售商品的，有证据表明不符合销售收入确认条件的，收到的款项应确认为负债，回购价格大于原售价的，差额应在回购期间确认为利息费用

E. 为特定客户开发软件的收费，应根据开发完工进度确认收入

43. 下列关于合伙企业缴纳所得税的表述中，不正确的有（　　）。

A. 合伙企业以每一个合伙人为纳税义务人

B. 合伙企业的生产经营所得和其他所得，包括合伙企业分配给所有合伙人的所得和企业当年留存的所得（利润）

C. 合伙企业不得约定将全部利润分配给部分合伙人

D. 合伙企业的合伙人是法人和其他组织的，合伙人在计算缴纳企业所得税时，可以用合伙企业的亏损抵减其盈利

E. 合伙企业的生产经营所得和其他所得采用“先税后分”的原则

44. 企业发生的下列支出中，在计算企业所得税应纳税所得额时准予扣除的有（　　）。

A. 支付给其他企业的租金

B. 向投资者支付的股息

C. 被行政机关处以的罚款

D. 航空企业实际发生的飞行训练费

E. 烟草企业的烟草广告费支出

45. 下列船舶中，免征船舶吨税的有（　　）。

A. 养殖渔船

B. 非机动驳船

C. 警用船舶

D. 应纳税额为人民币 100 元的船舶

E. 吨税执照期满后 24 小时内不上下客货的船舶

46. 根据个人所得税的规定，下列说法正确的有（　　）。

A. 对个人取得的教育储蓄存款利息所得，免征个人所得税

B. 自 2020 年 7 月 1 日起，对一个纳税年度内首次取得工资、薪金所得的居民个人，扣缴义务人在预扣预缴个人所得税时，可按照 5000 元/月乘以纳税人当年截至本月月份数计算累计减除费用

C. 个人取得的保险赔款，免征个人所得税

D. 单位发给个人用于预防新型冠状病毒感染的肺炎的药品、医疗用品和防护用品等实物（不包括现金），免征个人所得税

E. 个人转让自用达 2 年以上并且是唯一的家庭生活用房取得的所得，免征个人所得税

47. 某居民企业 2021 年 3 月以一项土地使用权对外投资另一居民企业，该土地使用权的计税基础为 5000 万元，评估的公允价值为 8000 万元，下列关于此项行为的税务处理，说法不正确的有（　　）。

A. 土地使用权转让所得应确认为8000万元
B. 评估增值3000万元必须一次性计入投资年度的应纳税所得额中按规定计算缴纳企业所得税
C. 评估增值3000万元可在不超过5年期限内，分期均匀计入相应年度的应纳税所得额，按规定计算缴纳企业所得税
D. 企业应于投资协议生效并办理股权登记手续时，确认土地使用权转让收入的实现
E. 评估增值3000万元应在投资收回时计入投资收回年度的应纳税所得额按规定计算缴纳企业所得税

48. 下列关于个人所得税的相关表述中，正确的有（　　）。
A. 年终加薪、劳动分红不分种类和取得情况，一律按“工资、薪金所得”征收个人所得税
B. 出租汽车经营单位对出租车驾驶员采取单车承包或承租方式运营，出租车驾驶员从事客货运营取得的收入，按照“经营所得”征收个人所得税
C. 演员走穴演出取得的报酬，按照“劳务报酬所得”征收个人所得税
D. 作者将自己的文字作品手稿原件或复印件公开拍卖取得的所得，按照“稿酬所得”征收个人所得税
E. 编剧从任职的电视剧制作单位取得的剧本使用费，按“工资、薪金所得”项目计征个人所得税

49. 张某承包了一家餐厅，餐厅每年支付张某承包收入10万元，张某不参与分享餐厅经营成果；李某承包了一家国有招待所，承包合同约定每月支付李某工资4000元，同时李某每年要上交承包费50万元，其余招待所经营成果归李某所有。则下列关于个人所得税的说法正确的有（　　）。
A. 张某取得的所得10万元按照工资、薪金所得项目征税
B. 张某取得的所得10万元按照经营所得项目征税
C. 李某取得的工资按照工资、薪金所得项目征税
D. 李某取得的工资按照经营所得项目征税
E. 李某取得的承包经营成果按照经营所得项目征税

50. 根据个人所得税的现行规定，下列说法不正确的有（　　）。
A. 个人转让境外上市公司股票取得的所得应照章纳税
B. 内地个人投资者通过沪港通投资香港联交所上市股票取得的转让差价所得，暂免征收个人所得税
C. 对个人持有的上市公司限售股，解禁前取得的股息红利暂减按50%计入应纳税所得额计征个人所得税
D. 内地个人投资者通过沪港通投资香港联交所上市的非H股取得的股息红利，由中国结算按照10%的税率代扣个人所得税
E. 对香港市场投资者个人投资上交所上市A股取得的转让差价所得，应按规定征收个人所得税

51. 下列关于律师事务所从业人员个人所得税的表述，不正确的有（　　）。
A. 合伙制律师事务所应将年度经营所得全额作为基数，按出资比例或者事先约定的比例计算各合伙人应分配的所得，据以征收个人所得税
B. 律师以个人名义再聘请其他人员为其工作而支付的报酬，应由该律师按“劳务报酬所得”项目负责扣缴

个人所得税

C. 作为律师事务所雇员的律师当月的分成收入，扣除办理案件支出的费用后，余额单独作为“工资、薪金所得”项目计征个人所得税

D. 兼职律师从律师事务所取得工资、薪金性质的所得，律师事务所在扣缴其个人所得税时，以其取得分成收入扣除办理案件支出费用后的余额直接确定适用预扣率，计算扣缴个人所得税

E. 律师事务所支付给雇员的所得，按照“劳务报酬所得”项目负责扣缴个人所得税

52. 国际税法原则主要包括（　　）。

A. 优先征税原则

B. 独占征税原则

C. 税收分享原则

D. 无差异原则

E. 受益原则

53. 下列关于国际税收抵免制度的说法，不正确的有（　　）。

A. 直接抵免法仅适用于母、子公司之间的税收抵免

B. 实际抵免额一定等于抵免限额

C. 免税法是减除国际重复征税普遍采用的方法

D. 抵免限额是指对跨国纳税人在外国已纳税款进行抵免的限度

E. 境外税额抵免分为直接抵免和间接抵免

54. 根据印花税的有关规定，下列合同应按“产权转移书据”计税贴花的有（　　）。

A. 土地使用权出让合同

B. 非专利技术转让合同

C. 专利权转让合同

D. 专有技术使用权转让合同

E. 商品房销售合同

55. 下列有关房产税税务处理的表述正确的有（　　）。

A. 对按照房产原值计税的房产，无论会计上如何核算，房产原值中均包含地价

B. 房产原值的具体扣除比例，由当地税务机关在税法规定的减除幅度内自行确定

C. 某商场对外出租仓库，合同约定第一个月免收租金，在免收租金期间该商场按照房产余值缴纳房产税

D. 对房地产开发企业建造的商品房，在出售前未使用或未出租、出借的，不征收房产税

E. 对于与地上房屋相连的地下建筑，应将地下部分与地上房屋视为一个整体，按照地上房屋建筑的有关规定计征房产税

56. 下列房产中，需要计算缴纳房产税的有（　　）。

A. 公园内附设的照相馆用房

B. 老年服务机构自用的房产

C. 个人用于自己居住的住房

D. 房地产开发企业对外出租的新建商品房

E. 企业办的医院自用的房产

57. 根据车船税的相关规定，下列表述中，正确的有（　　）。

A. 购置的新车船，购置当年的应纳税额自取得车船所有权或管理权的次月起按月计算

B. 在一个纳税年度内，已完税的车船被盗抢、报废、灭失的，纳税人可以凭有关管理机关出具的证明和完税证明，向纳税所在地的主管税务机关申请退还自被盗抢、报废、灭失月份起至该纳税年度终了期间的税款

C. 已办理退税的被盗抢车船，失而复

得的，纳税人应当从公安机关出具相关证明的次月起计算缴纳车船税

D. 从事机动车第三者责任强制保险业务的保险机构为机动车车船税的扣缴义务人，应当在收取保险费时依法代收车船税，并出具代收税款凭证

E. 已缴纳车船税的车船在同一纳税年度内办理转让过户的，不另纳税，也不退税

58. 下列关于契税的说法中，正确的有（　　）。

A. 军事单位承受土地、房屋权属用于军事设施，免征契税

B. 承受荒山、荒地、荒滩土地使用权用于农、林、牧、渔业生产，免征契税

C. 法定继承人通过继承承受土地、房屋权属，免征契税

D. 因不可抗力灭失住房，重新承受住房权属，减半征收契税

E. 社会福利机构承受土地、房屋权属用于养老、救助，免征契税

59. 根据城镇土地使用税的有关规定，下列表述正确的有（　　）。

A. 城镇土地使用税按年计算，分期缴纳

B. 城镇土地使用税的缴纳期限由省、自治区、直辖市税务机关确定

C. 纳税人新征用的土地，必须于批准新征用之日起15日内申报登记

D. 城镇土地使用税的纳税地点为土地所在地

E. 在同一省（自治区、直辖市）管辖范围内，纳税人跨地区使用的土地，由各省、自治区、直辖市税务局确定纳税地点

60. 下列关于耕地占用税的表述中，正确的有（　　）。

A. 占用耕地建设农田水利设施的，不征收耕地占用税

B. 耕地占用税的纳税义务发生时间为纳税人收到自然资源主管部门办理占用耕地手续的书面通知的当日

C. 航道占用耕地，减按每平方米2元的税额征收耕地占用税

D. 纳税人因建设项目施工临时占用耕地，应当按规定缴纳耕地占用税，其在批准临时占用耕地期满之日起1年内依法复垦，恢复种植条件的，减半退还已经缴纳的耕地占用税

E. 社会福利机构占用耕地，减半征收耕地占用税

三、计算题

共8题，每题2分。每题的备选项中，只有1个最符合题意。

（一）

中国公民张某为某上市公司高管，2021年取得的部分收入如下：

（1）1月取得任职公司支付的工资12000元，另取得差旅费津贴1000元、餐补500元。

（2）自2月1日起将自有住房按市场价格出租给李某居住，每月租金7000元，租期为一年。

（3）3月发表一篇文章，取得稿酬收入5000元。

（4）4月取得国债利息收入2000元、某上市公司发行的企业债券利息收入1500元。

[其他相关资料：张某每月需支付首套住房贷款利息4000元（张某未婚）；张某

为独生子，赡养双亲（均年过 60 周岁）每月支出 3000 元。对于专项附加扣除，张某选择在每月预扣预缴个人所得税时扣除，不考虑专项扣除]

要求：根据上述资料，按照序号回答下列问题。

61. 该上市公司 1 月预扣预缴张某的个人所得税（　　）元。

A. 120　　B. 135

C. 195　　D. 285

62. 2 月张某取得租金应缴纳的个人所得税为（　　）元。(不考虑租金收入应缴纳的其他税金及附加)

A. 496　　B. 560

C. 620　　D. 1120

63. 张某汇算清缴时并入综合所得的稿酬收入额为（　　）元。

A. 560　　B. 2800

C. 4000　　D. 5000

64. 4 月张某取得的各项利息收入应缴纳的个人所得税为（　　）元。

A. 0　　B. 300

C. 400　　D. 700

（二）

2022 年年初某企业房产原值共计 5000 万元、占地 80000 平方米，其中厂房原值 3000 万元、占地 63000 平方米，企业办学校、托儿所的房产原值合计为 1200 万元、占地共 10000 平方米，企业办招待所的房产原值 800 万元、占地 5000 平方米，企业厂区内绿化用地 2000 平方米。拥有载货汽车 10 辆，每辆整备质量为 9.4 吨；挂车 5 辆，每辆整备质量 7.8 吨。该企业 2022 年发生如下业务：

(1) 7 月 1 日将原值为 300 万元的厂房出租，合同载明每年租金 24 万元，不含增值税，租期 3 年。

(2) 7 月 10 日经批准新征用非耕地 15000 平方米，签订的土地使用权出让合同注明价款 16 万元。

(3) 7 月 20 日购置整备质量均为 3.5 吨的客货两用车 2 辆，合同载明总金额为 10 万元，购买发票上所载日期为 7 月 20 日。

(4) 12 月 10 日与运输公司签订一份运输保管合同，合同载明总金额为 40 万元，未分别注明运输费用及保管费用的金额。

(5) 12 月 20 日从甲企业租入一台机器，签订的租赁合同注明月租金 5000 元，租期 10 个月，后因对方违约，合同没有履行。

(其他相关资料：当地省人民政府规定计算房产余值的扣除比例为 20%；载货汽车车船税年税额 20 元/吨；城镇土地使用税年税额为 10 元/平方米；买卖合同印花税税率为 0.3‰，土地使用权出让书据印花税税率为 0.5‰，运输合同印花税税率为 0.3‰，租赁合同印花税税率为 1‰，保管合同印花税税率为 1‰)

要求：根据上述资料，回答下列问题。

65. 该企业 2022 年应缴纳车船税（　　）元。

A. 2070　　B. 2158.33

C. 2370　　D. 2340

66. 该企业 2022 年应缴纳房产税（　　）万元。

A. 28.8　　B. 36.48

C. 37.92　　D. 38.48

67. 该企业 2022 年应缴纳城镇土地使用税（　　）万元。

A. 76.25　　B. 69.25

C. 83　　D. 85

68. 该企业 2022 年应缴纳印花税（　　）元。

A. 630　　B. 1280

C. 1055　　D. 1230

四、综合分析题

共12题，每题2分。由单项选择题和多项选择题组成。错选，本题不得分；少选，所选的每个选项得0.5分。

（一）

位于县城的某卷烟厂为增值税一般纳税人，主要生产销售同一牌号规格的卷烟，2021年有关经营业务如下：

（1）全年共销售卷烟5000标准箱，取得不含税收入26000万元，与卷烟销售收入配比的销售成本为5392万元。

（2）全年发生管理费用1100万元，其中含业务招待费300万元，为全体职工支付的补充养老保险费130万元，当年发生诉讼费10万元。

（3）全年发生销售费用1300万元，其中含当年发生的卷烟广告费500万元，以现金方式支付给中介服务公司佣金50万元（所签订的协议注明相关交易实现收入1500万元）。

（4）全年发生财务费用700万元，其中含2021年1月1日向某工业企业（非关联企业）借款1000万元所支付的全年借款利息100万元（金融企业同期同类贷款年利率为7%）。

（5）营业外支出共计250万元，包括通过省级人民政府向希望小学捐款200万元，因违规经营被市场监督管理部门处以罚款20万元，订购的一批材料因临时取消而支付给供货方违约金30万元。

（6）计入成本、费用中的实发合理工资总额为2000万元，实际发生职工福利费300万元，职工教育经费170万元，拨缴工会经费48万元。

（7）取得投资收益260万元，其中包括：当年3月份购买了境内甲上市公司的流通股股票30万股，12月份收到甲上市公司发放的现金股利80万元（2022年1月该股票全部转让）；取得国债利息收入180万元。

（8）当年购入原材料等取得增值税专用发票，注明价款共计5000万元、增值税650万元；11月从上海的小规模纳税人处购进符合规定的环境保护专用设备，支付价税合计金额121.2万元，取得增值税专用发票，该专用设备当月已投入使用且计提的折旧已计入相关成本中，该卷烟厂未选择一次性在税前扣除的优惠政策。

（其他相关资料：假定该卷烟厂每月销项税额均大于进项税额，取得的相关发票均符合规定；该卷烟厂生产销售的卷烟适用的消费税比例税率为56%、定额税率为150元/标准箱；不考虑除消费税、城市维护建设税、教育费附加以外的税金及附加）

要求：根据上述资料，回答下列问题。

69. 2021年卷烟厂应缴纳的下列税费，正确的有（　　）。

A. 全年应缴纳增值税2726.47万元

B. 全年应缴纳消费税14635万元

C. 全年应缴纳城市维护建设税868.07万元

D. 全年应缴纳教育费附加520.91万元

E. 全年应缴纳消费税14560万元

70. 2021年卷烟厂实现的会计利润为（　　）万元。

A. 2014.93　　B. 1494.02

C. 2014.81　　D. 1493.9

71. 下列支出项目在计算企业所得税应纳税所得额时，准予按实际发生额扣除的有（　　）。

A. 为全体职工支付的补充养老保险费130万元

B. 支付的诉讼费 10 万元
C. 支付给中介服务公司的佣金 50 万元
D. 支付给供货方的违约金 30 万元
E. 支付给市场监督管理部门罚款 20 万元

72. 计算企业所得税应纳税所得额时，业务（2）、业务（3）共计应调整的金额是（　　）万元。

A. 170　　B. 200
C. 250　　D. 750

73. 2021 年该卷烟厂的企业所得税应纳税所得额为（　　）万元。

A. 2182.63　　B. 2122.63
C. 2352.63　　D. 2172.63

74. 2021 年该卷烟厂应缴纳企业所得税（　　）万元。

A. 531.16　　B. 543.16
C. 531.04　　D. 410.66

（二）

中国居民张某为境内某高校教师，2021 年取得收入情况如下：

（1）每月工资 16000 元，每月可扣除住房公积金和各项社会保险费合计 2000 元，12 月份另外取得全年一次性奖金 30000 元。

（2）2 月出版专著，取得稿酬收入 7000 元，当月将其中 1000 元通过政府机关捐赠给贫困地区。

（3）2017 年对外投资某公司，2021 年 12 月因终止投资，收回补偿款 20 万元、赔偿金 5 万元，投资额为 10 万元，不考虑其他税费。

（4）通过拍卖行将一幅祖传珍藏多年的字画拍卖，取得拍卖收入 500000 元，不能提供财产原值凭证；经认定该字画为海外回流文物，拍卖时支付相关税费 50000 元。

[其他相关资料：张某女儿于 2020 年 9 月出生；张某作为独生子需要赡养年满 60 周岁的父母；张某发生的与基本医保相关的医药费用支出，扣除医保报销后张某自行负担（指医保目录范围内的自付部分）35000 元。符合条件的专项附加扣除均由张某 100% 扣除。全年一次性奖金收入，张某选择不并入综合所得计税。公益捐赠支出选择在综合所得中汇算清缴时扣除]

要求：根据上述资料，回答下列问题。

75. 下列关于张某可以扣除的专项附加扣除项目的表述中，正确的有（　　）。

A. 3 岁以下婴幼儿照护支出，在张某 2021 年工资、薪金所得预扣预缴及综合所得汇算清缴时，不得扣除，在张某 2022 年工资、薪金所得预扣预缴时，可以每月定额扣除 1000 元
B. 大病医疗支出，在计算张某 2021 年综合所得应纳税所得额时可以扣除 35000 元
C. 大病医疗支出，在张某工资、薪金所得预扣预缴时不能扣除
D. 赡养老人支出，在张某 2021 年工资、薪金所得预扣预缴时可以每月定额扣除 1000 元
E. 赡养老人支出，在张某 2021 年综合所得汇算清缴时可以定额扣除 24000 元

76. 张某取得的全年一次性奖金收入应缴纳个人所得税（　　）元。

A. 750　　B. 900
C. 3590　　D. 4840

77. 张某取得的稿酬收入被预扣预缴个人所得税（　　）元。

A. 0　　B. 868
C. 1120　　D. 784

78. 张某终止投资收回款项应缴纳个人所得税（　　）元。

A. 30000　　B. 20000
C. 50000　　D. 0

79. 张某取得的拍卖字画所得应缴纳个人所得税（　　）元。

A. 9000　　B. 10000

C. 13500　　D. 15000

80. 张某2021年综合所得的应纳所得税额为（　　）元。

A. 3072　　B. 2972

C. 2845　　D. 4172

附：个人所得税税率表

个人所得税预扣率表（部分）

（居民个人工资、薪金所得预扣预缴适用）

级数	累计预扣预缴应纳税所得额	预扣率（%）	速算扣除数（元）
1	不超过36000元的部分	3	0
2	超过36000元至144000元的部分	10	2520
3	超过144000元至300000元的部分	20	16920

综合所得个人所得税税率表（部分）

（居民个人适用）

级数	全年应纳税所得额	税率（%）	速算扣除数（元）
1	不超过36000元的部分	3	0
2	超过36000元至144000元的部分	10	2520
3	超过144000元至300000元的部分	20	16920

经营所得个人所得税税率表

级数	全年应纳税所得额	税率（%）	速算扣除数（元）
1	不超过30000元的部分	5	0
2	超过30000元至90000元的部分	10	1500
3	超过90000元至300000元的部分	20	10500
4	超过300000元至500000元的部分	30	40500
5	超过500000元的部分	35	65500

按月换算后的综合所得税率表（部分）

级数	全月应纳税所得额	税率（%）	速算扣除数（元）
1	不超过3000元的部分	3	0
2	超过3000元至12000元的部分	10	210
3	超过12000元至25000元的部分	20	1410

答案速查

我做对了 ________ 题　　我得了 ________ 分

一、单项选择题

序号	1	2	3	4	5	6	7	8	9	10
答案	C	B	A	A	B	A	C	B	C	C
序号	11	12	13	14	15	16	17	18	19	20
答案	A	A	D	D	D	D	A	D	B	B
序号	21	22	23	24	25	26	27	28	29	30
答案	B	C	B	B	D	A	B	D	C	A
序号	31	32	33	34	35	36	37	38	39	40
答案	C	D	B	A	A	D	A	A	A	B

二、多项选择题

序号	41	42	43	44	45	46	47	48	49	50
答案	CD	DE	DE	AD	ACE	ABCD	ABE	AC	ADE	DE
序号	51	52	53	54	55	56	57	58	59	60
答案	CE	ABCD	ABC	ACDE	ACDE	AD	BDE	ABCE	ADE	ABC

三、计算题

序号	（一）				（二）			
	61	62	63	64	65	66	67	68
答案	B	B	B	B	D	B	A	B

四、综合分析题

序号	（一）						（二）					
	69	70	71	72	73	74	75	76	77	78	79	80
答案	BD	D	BD	D	D	A	ACE	B	D	A	B	D

参考答案及解析

“使用“会计云课堂”App 或“微信”扫码对答案、看解析、掌握解题思路，开启轻松过关之旅。

扫码看解析

一、单项选择题

1. C 【解析】自 2019 年 1 月 1 日起，保险企业发生与其经营活动有关的手续费及佣金支出，不超过当年全部保费收入扣除退保金等后余额的18%（含本数）的部分，在计算应纳税所得额时准予扣除；超过部分，允许结转以后年度扣除。

2. B 【解析】被投资企业将股权（票）溢价所形成的资本公积转为股本的，不作为投资方企业的股息、红利收入，投资方企业也不得增加该项长期投资的计税基础。

3. A 【解析】选项 A：不动产转让所得按照不动产所在地确定。

4. A 【解析】（1）符合条件的软件生产企业发生的职工教育经费中的职工培训费用，可以全额在税前扣除，其他职工教育经费，按照工资、薪金总额 8%的比例计算限额扣除。除职工培训费用以外的其他职工教育经费税前扣除限额 = 200×8% = 16（万元），职工培训费以外的其他职工教育经费实际发生额 = 17 - 5 = 12（万元），未超过扣除限额，不需要进行纳税调整。（2）职工福利费税前扣除限额 = 200×14% = 28（万元），实际发生 35 万元，应调增应纳税所得额 = 35 - 28 = 7（万元）。（3）工会经费税前扣除限额 = 200×2% = 4（万元），实际发生 3.5 万元，未超过扣除限额，不需要进行纳税调整。（4）企业为在本企业任职或受雇的全体员工支付的补充养老保险费、补充医疗保险费，分别在不超过职工工资总额 5%标准内的部分，准予扣除；超过部分，不得扣除。补充养老保险费税前扣除限额 = 200×5% = 10（万元），实际发生 12 万元，应调增应纳税所得额 = 12 - 10 = 2（万元）；补充医疗保险费税前扣除限额 = 200×5% = 10（万元），实际发生 8 万元，未超过扣除限额，不需要进行纳税调整。（5）甲企业在申报 2021 年度企业所得税时就上述费用应调增应纳税所得额 = 7 + 2 = 9（万元）。

5. B 【解析】该项业务可在税前扣除的利息支出＝480×2×5.8%＝55.68（万元），应调增应纳税所得额＝90－55.68＝34.32（万元）。

6. A 【解析】投资企业从被投资企业撤回或减少投资，其取得的资产中，相当于初始出资的部分，应确认为投资收回；相当于被投资企业累计未分配利润和累计盈余公积按减少实收资本比例计算的部分，应确认为股息所得；其余部分确认为投资资产转让所得。A企业取得的银行存款2000万元中，1000万元应确认为投资收回；3000×30%＝900（万元），应确认为股息所得，居民企业投资于其他上市居民企业，其持股期限超过12个月取得的股息、红利等权益性投资收益属于免税收入；剩余金额＝2000－1000－900＝100（万元），应确认为投资资产转让所得。A企业该业务应缴纳企业所得税＝100×25%＝25（万元）。

7. C 【解析】由于该非居民企业申报的收入总额准确而成本费用支出不能准确确定，所以该企业应纳税所得额＝收入总额×经税务机关核定的利润率＝800×20%＝160（万元）；应纳税额＝应纳税所得额×25%＝160×25%＝40（万元）。

8. B 【解析】对化妆品制造与销售、医药制造和饮料制造（不含酒类制造）企业发生的广告费和业务宣传费支出，不超过当年销售（营业）收入30%的部分，准予扣除；超过部分，准予在以后纳税年度结转扣除。该橙汁生产企业2021年广告费和业务宣传费支出税前扣除限额＝（2500＋100）×30%＝780（万元），当年实际发生的广告费和业务宣传费支出＝400＋160＝560（万元），由于560＋200＝760（万元）<780万元，则广告费和业务宣传费应调减应纳税所得额200万元；国债利息收入免征企业所得税，应调减应纳税所得额120万元。该企业当年应缴纳企业所得税＝（1000－200－120）×25%＝170（万元）。

9. C 【解析】选项C：企业在计算应纳税所得额时已经扣除的资产损失，在以后纳税年度全部或者部分收回时，其收回部分应当作为收入计入收回当期的应纳税所得额。

10. C 【解析】居民企业直接投资于其他居民企业取得的投资收益免征企业所得税；在中国境内设立机构、场所的非居民企业从居民企业取得与该机构、场所有实际联系的股息、红利等权益性投资收益，免征企业所得税。上述投资收益均不包括连续持有居民企业公开发行并上市流通的股票不足12个月取得的投资收益。所以只有选项C是免征企业所得税的。

11. A 【解析】选项A：除委托个人代理外，企业以现金等非转账方式支付的手续费及佣金不得在税前扣除。

12. A 【解析】企业为购置、建造固定资产、无形资产和经过12个月以上的建造才能达到预定可销售状态的存货发生借款的，在有关资产购置、建造期间发生的合理的借款费用，应予以资本化，作为资本性支出计入有关资产的成本；有关资产交付使用后发生的借款利息，可在发生当期扣除。非金融企业向非金融企业借款的利息支出，不超过按照金融企业同期同类贷款利率计算的数额的部分可据实扣除，超过部分不得扣除。该企业在计算2021年企业所得税时准予扣除的费用化的利息支出＝300×6%×4/12＝6（万元）。

13. D 【解析】创业投资企业采取股权投资方式投资于未上市的中小高新技术企业两年以上的，可以按照其投资额的70%在股权持有满2年的当年抵扣该创业投资企业的应纳税所得额；当年不足抵扣的，可以在以后纳税年度结转抵扣。企业实际支付的合理的工资、薪金可以据实扣除，不需要作纳税调整；工会经费的扣除限额＝72×2%＝1.44（万元）<实际发生额2.16万元，职工福利费的扣除限额＝72×14%＝10.08（万元）<实际发生额15.16万元，职工教育经费的扣除限额＝72×8%＝5.76（万元）>实际发生额1.08万元；工会经费、职工福利费、职工教育经费应调增应纳税所得额＝（2.16－1.44）＋（15.16－10.08）＝5.8（万元）。2021年甲企业应缴纳企业所得税＝［（890＋5.8）－200×70%］×25%＝188.95（万元）。

14. D 【解析】选项D：房地产开发企业开发产品转为自用的，其实际使用时间累计未超过12个月又销售的，不得在税前扣除折旧费用。

15. D 【解析】企业购置并实际使用符合规定的生产安全专用设备投资额的10%可以从企业当年的应纳税额中抵免。本题中由于取得的是普通发票，所以增值税进项税额不能抵扣，其专用设备投资额包括不得抵扣的增值税进项税额。该居民企业当年应缴纳企业所得税＝600×25%－113×10%＝138.7（万元）。

16. D 【解析】可由合并企业弥补的被合并企业亏损的限额＝被合并企业净资产公允价值×截至合并业务发生当年年末国家发行的最长期限的国债利率＝（5700－3200）×6%＝150（万元）。

17. A 【解析】居民个人在综合所得中扣除公益捐赠支出，取得劳务报酬所得、稿酬所得、特许权使用费所得的，预扣预缴时不扣除公益捐赠支出，统一在汇算清缴时扣除，所以王某应被预扣预缴个人所得税＝20000×（1－20%）×70%×20%＝2240（元）。

18. D 【解析】选项A：教授发表论文取得的报酬属于稿酬所得；选项B：企业员工因业绩突出而取得的奖金，属于工资、薪金所得；选项C：个人因从事彩票代销业务而取得的所得，属于经营所得。

19. B 【解析】个人因办理提前退休手续而取得的一次性补贴收入，不属于免税的离退休工资收入，应按规定计算个人所得税。刘某应纳个人所得税＝（280000÷4－60000）×3%×4＝1200（元）。

20. B 【解析】纳税人本人或配偶，单独或共同使用商业银行或住房公积金个人住房贷款，为本人或其配偶购买中国境内住房，发生的首套住房贷款利息支出，在实际发生贷款利息的年度，按照每月1000元的标准定额扣除，扣除期限最长不超过240个月（20年）。

21. B 【解析】小王股票期权行权所得应缴纳个人所得税＝80000×（2.5－1）×10%－2520＝9480（元）。

22. C 【解析】支付报酬的单位应预扣预缴张某的个人所得税＝60000×（1－20%）×30%－2000＝12400（元）。

23. B 【解析】个人独资企业、合伙企业的个人投资者以企业资金为本人、家庭成员及其相关人员支付与企业生产经营无关的消费性支出及购买汽车、住房等财产性支出，视为企业对个人投资者的利润分配，并入投资者个人的生产、经营所得，依照“经营所得”项目计征个人所得税。

24. B 【解析】（510000－450000）/12＝5000（元），适用10%的税率，速算扣除数210元。低价购房差价所得应缴纳个人所得税＝（510000－450000）×10%－210＝5790（元）。

25. D 【解析】选项D：自2022年1月1日起，3岁以下婴幼儿照护专项附加扣除，父母可以选择由其中一方按扣除标准的100%扣除，也可以选择由双方分别按扣除标准的50%扣除，具体扣除方式在一个纳税年度内不能变更。

26. A 【解析】个人转让境内上市公司股票所得免征个人所得税。赵某应缴纳个人所得税＝［（8.3－8）×20000－415－800］×20%＝957（元）。

27. B 【解析】个体工商户年销售（营业）收入＝40＋5＝45（万元），广告费和业务宣传费的税前扣除限额＝销售（营业）收入×15%＝45×15%＝6.75（万元）。

28. D 【解析】偶然所得，以每次取得该项收入为一次。

29. C 【解析】选项A：个人书立的动产买卖合同不征收印花税；选项B：土地承包经营权和土地经营权转移书据不征收印花税；选项D：管道运输合同不征收印花税。

30. A 【解析】甲服装厂应缴纳印花税＝（200＋420＋380）×0.3‰×10000＋30×0.3‰×10000＝3090（元）。

31. C 【解析】以物易物合同，印花税的计税依据为购销合计金额。同一应税凭证载有两个以上税目事项并分别列明金额的，按照各自适用的税目税率分别计算应纳税额。财产所有人将财产赠给政府、社会福利机构、学校、慈善组织所立的产权转移书据免征印花税。A企业当月就上述业务应缴纳的印花税＝（500000＋460000）×0.3‰＋30000×0.3‰＋10000×1‰＝307（元）。

32. D　【解析】对于与地上房屋相连的地下建筑，应将地下部分与地上房屋视为一个整体，按照地上房屋建筑的有关规定计算征收房产税；独立的地下建筑物按照规定单独计算缴纳房产税。2021年该企业上述房产应缴纳房产税＝（800＋100）×（1－30%）×1.2%＋300×80%×（1－30%）×1.2%＝9.58（万元）。

33. B　【解析】选项B：纳税人购置存量房，自办理房屋权属转移、变更登记手续，房地产权属登记机关签发房屋权属证书之次月起计征房产税、城镇土地使用税。

34. A　【解析】捕捞、养殖渔船免征车船税。车船税纳税义务发生时间为取得车船所有权或管理权的当月，即为购买车船的发票或者其他证明文件所载日期的当月。应缴纳车船税＝5×400×4＋2×1300×22×4÷12＝27066.67（元）。

35. A　【解析】拖船按照发动机功率每1千瓦折合净吨位0.67吨，按照机动船舶税额的50%计算征收车船税。该航运公司2021年应缴纳车船税＝4×3000×5＋2×2000×0.67×4×50%＝65360（元）。

36. D　【解析】选项D：企业依照有关法律法规规定实施破产，债权人（包括破产企业职工）承受破产企业抵偿债务的土地、房屋权属，免征契税；对非债权人承受破产企业土地、房屋权属，凡按照《中华人民共和国劳动法》等国家有关法律法规政策妥善安置原企业全部职工规定，与原企业全部职工签订服务年限不少于三年的劳动用工合同的，对其承受所购企业土地、房屋权属，免征契税；与原企业超过30%的职工签订服务年限不少于三年的劳动用工合同的，减半征收契税。

37. A　【解析】土地使用权互换、房屋互换，计税依据为所互换的土地使用权、房屋价格的差额并由支付差额的一方缴纳契税。林某应缴纳的契税税额＝（100－80）×3%＝0.6（万元）。

38. A　【解析】企业办的学校用地免征城镇土地使用税；厂区内绿化用地不免征城镇土地使用税。甲企业全年应纳城镇土地使用税＝［（10000－2000）＋8000×50%］×5＝60000（元）。

39. A　【解析】经济发达地区城镇土地使用税的适用税额标准可以适当提高，但须报经财政部批准。

40. B　【解析】选项AC：免征耕地占用税；选项D：按照当地适用税额减半征收耕地占用税。

二、多项选择题

41. CD　【解析】选项A：并非所有的非居民企业都实行源泉扣缴的办法，一般对在中国境内未设立机构、场所，或者虽设立机构、场所但取得的所得与其所设机构、场所没有实际联系的非居民企业，其应缴纳的企业所得税，实行源泉扣缴，以支付人为扣缴义务人；选项B：发行方企业按照约定将购买方持有的可转换债券和应付未付利息一并转为股票的，其应付未付利息视同已支付，按照规定在税前扣除；选项E：企业取得作为不征税收入处理的财政性资金用于研发活动所形成的费用或无形资产，不得计算加计扣除或摊销。

42. DE 【解析】选项A：企业采取买一赠一方式组合销售本企业商品的，不属于捐赠，应将总的销售金额按各项商品的公允价值的比例来分摊确认各项销售收入；选项B：广告的制作费，应根据制作广告的完工进度确认收入的实现；选项C：采取以旧换新方式销售商品的，销售商品应当按照销售商品收入确认条件确认收入，回收的商品作为购进商品处理。

43. DE 【解析】选项D：合伙企业的合伙人是法人和其他组织的，合伙人在计算缴纳企业所得税时，不得用合伙企业的亏损抵减其盈利。选项E：合伙企业的生产经营所得和其他所得采用“先分后税”的原则。

44. AD 【解析】选项B：向投资者支付的股息、红利等权益性投资收益款项，不得在企业所得税税前扣除；选项C：罚金、罚款和被没收财物的损失，不得在企业所得税税前扣除；选项E：烟草企业的烟草广告费和业务宣传费支出，一律不得在计算应纳税所得额时扣除。

45. ACE 【解析】选项B：非机动船舶（不包括非机动驳船）免征船舶吨税；选项D：应纳税额在人民币50元以下的船舶免征船舶吨税。

46. ABCD 【解析】选项E：个人转让自用达5年以上并且是唯一的家庭生活用房取得的所得，免征个人所得税。

47. ABE 【解析】选项A：企业对外投资的非货币性资产，应进行评估并按评估后的公允价值扣除计税基础后的余额计算确认非货币性资产转让所得（本题应确认3000万元）；选项BE：居民企业以非货币性资产对外投资确认的非货币性资产转让所得，可在不超过5年期限内，分期均匀计入相应年度的应纳税所得额，按规定计算缴纳企业所得税。

48. AC 【解析】选项B：出租汽车经营单位对出租车驾驶员采取单车承包或承租方式运营，出租车驾驶员从事客货运营取得的收入，按“工资、薪金所得”征收个人所得税；选项D：作者将自己的文字作品手稿原件或复印件公开拍卖取得的所得，按照“特许权使用费所得”项目征收个人所得税；选项E：从2002年5月1日起，编剧从电视剧的制作单位取得的剧本使用费，不再区分剧本的使用方是否为其任职单位，统一按“特许权使用费所得”项目计征个人所得税。

49. ADE 【解析】张某不参与分享餐厅经营成果，其取得的承包收入实质上属于岗位责任工资，所以按照“工资、薪金所得”项目征税。李某参与分享承包招待所的经营成果，其从招待所取得的工资、薪金和承包经营成果都属于“经营所得”。

50. DE 【解析】选项D：内地个人投资者通过沪港通投资香港联交所上市的非H股取得的股息红利，由中国结算按照20%的税率代扣个人所得税；选项E：对香港市场投资者个人投资上交所上市A股取得的转让差价所得，暂免征收个人所得税。

51. CE 【解析】选项C：作为律师事务所雇员的律师当月的分成收入，扣除办理案件支出的费用后（律师事务所不负担律师办理案件支出的费用），余额与律师事务所发给的工资合并，按“工资、薪金所得”项目计征个人所得税；选项E：律师事务所支付给雇员（不包括律师事务所的投资者）的所得，按照“工资、薪金所得”项目扣缴个人所得税。

52. ABCD 【解析】选项ABCD：国际税法原则是普遍适用国际税收问题处理全过程和各个方面，具有指导意义的基本信念和习惯，包括优先征税原则、独占征税原则、税收分享原则和无差异原则等。选项E：属于国际税收原则。

53. ABC 【解析】直接抵免法主要适用于企业就来源于境外的营业利润所得在境外所缴纳的企业所得税，以及就来源于或发生于境外的股息、红利等权益性投资所得、利息、租金、特许权使用费、财产转让等所得在境外被源泉扣缴的预提所得税，A选项错误；实际抵免额不等同于抵免限额，而是抵免限额与境外实纳税额相比较较小的金额，B选项错误；抵免法是减除国际重复征税普遍采用的方法，C选项错误。

54. ACDE 【解析】非专利技术转让所书立的合同，按照“技术合同”计税贴花。

55. ACDE 【解析】选项B：房产原值的具体扣除比例，由省、自治区、直辖市人民政府在税法规定的减除幅度内自行确定。

56. AD 【解析】选项A：公园、名胜古迹中附设的营业单位，如影剧院、饮食部、茶社、照相馆等所使用的房产及出租的房产，应征收房产税；选项D：房地产开发企业建造的商品房，在出售前不征收房产税，但对出售前房地产开发企业已使用或出租、出借的商品房，应按规定征收房产税；选项BCE：均免征或暂免征收房产税。

57. BDE 【解析】选项A：购置的新车船，购置当年的应纳税额自纳税义务发生的“当月”起按月计算，车船税纳税义务发生时间为取得车船所有权或者管理权的当月；选项C：已办理退税的被盗抢车船，失而复得的，纳税人应当从公安机关出具相关证明的“当月”起计算缴纳车船税。

58. ABCE 【解析】选项D：因不可抗力灭失住房，重新承受住房权属，省、自治区、直辖市可以决定免征或者减征契税。

59. ADE 【解析】选项 B：城镇土地使用税的缴纳期限由省、自治区、直辖市人民政府确定；选项 C：纳税人新征用的土地，必须于批准新征用之日起 30 日内申报登记。

60. ABC 【解析】选项 D：纳税人因建设项目施工或者地质勘查临时占用耕地，应当按规定缴纳耕地占用税。纳税人在批准临时占用耕地期满之日起一年内依法复垦，恢复种植条件的，全额退还已经缴纳的耕地占用税。选项 E：社会福利机构占用耕地，免征耕地占用税。

三、计算题

（一）

61. B 【解析】差旅费津贴不征收个人所得税；误餐补助不征收个人所得税，但本题只说是餐补，未说明是误餐补助，默认不是，故照章征税。
1 月工资预扣预缴应纳税所得额＝12000+500−5000−1000−2000＝4500（元）
该上市公司 1 月预扣预缴张某的个人所得税＝4500×3%＝135（元）。

62. B 【解析】2 月取得租金应纳个人所得税＝7000×（1−20%）×10%＝560（元）。

63. B 【解析】汇算清缴时并入综合所得的稿酬收入额＝5000×（1−20%）×70%＝2800（元）。

64. B 【解析】国债利息收入免征个人所得税。4 月张某取得的各项利息收入应缴纳的个人所得税＝1500×20%＝300（元）。

（二）

65. D 【解析】挂车按照货车税额的 50%计算缴纳车船税。《车船税法》及其实施条例涉及的整备质量等计税单位，有尾数的一律按照含尾数的计税单位据实计算车船税应纳税额；计算得出的应纳税额小数点后超过两位的可四舍五入保留两位小数。客货两用车依照货车的计税单位和年基准税额计征车船税。车船税的纳税义务发生时间为取得车船所有权或管理权的当月，即购买车船的发票或其他证明文件所载日期的当月。该企业 2022 年应缴纳车船税＝9.4×10×20+7.8×5×20×50%+3.5×2×20×6/12＝2340（元）。

66. B 【解析】该企业 2022 年应缴纳房产税＝（3000+800）×（1−20%）×1.2%×6/12+（3000+800−300）×（1−20%）×1.2%×6/12+24/12×6×12%＝18.24+16.8+1.44＝36.48（万元）。

67. A 【解析】纳税人新征用的非耕地，自批准征用次月起缴纳城镇土地使用税。该企业 2022 年应缴纳城镇土地使用税＝［（80000−10000）×10+15000×10×5/12］/10000＝76.25（万元）。

68. B　【解析】同一应税凭证载有两个以上税目事项并分别列明金额的，按照各自适用的税目税率分别计算应纳税额；未分别列明金额的，从高适用税率。纳税人签订应税合同，就发生了纳税义务，无论合同是否兑现或能否按期兑现，都应当缴纳印花税。该企业 2022 年应缴纳印花税 =（24×3×1‰+16×0.5‰+10×0.3‰+40×1‰）×10000+5000×10×1‰ = 1280（元）。

四、综合分析题

（一）

69. BD　【解析】选项 A：全年应缴纳增值税 = 26000×13% − 650 − 121.2÷（1+1%）×1% = 2728.8（万元）；选项 BE：全年应缴纳消费税 = 26000×56% + 5000×150/10000 = 14635（万元）；选项 C：全年应缴纳城市维护建设税 =（2728.8+14635）×5% = 868.19（万元）；选项 D：全年应缴纳教育费附加 =（2728.8+14635）×3% = 520.91（万元）。

70. D　【解析】会计利润 = 26000 − 5392 − 1100 − 1300 − 700 − 250 + 260 − 14635 − 868.19 − 520.91 = 1493.9（万元）。

71. BD　【解析】选项 BD：企业支付的诉讼费和支付给供货方的违约金，准予在企业所得税前据实扣除。选项 A：企业为在本企业任职或受雇的全体员工支付的补充养老保险费、补充医疗保险费，分别在不超过职工工资薪金总额 5% 标准内的部分，准予扣除；超过部分，不得扣除。实际支付的补充养老保险费 130 万元超过了职工工资薪金总额的 5%（2000×5% = 100 万元），只能在企业所得税前扣除 100 万元，超过的 30 万元不得扣除。选项 C：除委托个人代理外，企业以现金等非转账方式支付的手续费及佣金不得在税前扣除。选项 E：行政性质的罚款不得税前扣除。

72. D　【解析】业务招待费实际发生额的 60% = 300×60% = 180（万元）>销售（营业）收入的 5‰ = 26000×5‰ = 130（万元），税前可扣除业务招待费 130 万元，应调增应纳税所得额 = 300 − 130 = 170（万元）。支付的补充养老保险费应调增应纳税所得额 = 130 − 100 = 30（万元）。

烟草企业的烟草广告费和业务宣传费支出，一律不得在计算企业所得税应纳税所得额时扣除，广告费应调增应纳税所得额 500 万元。支付给中介服务公司的佣金应调增应纳税所得额 50 万元。

共计应调增应纳税所得额 = 170+30+500+50 = 750（万元）。

73. D　【解析】利息费用应调增应纳税所得额 = 100 − 1000×7% = 30（万元）；捐赠支出税前扣除限额 = 1493.9×12% = 179.27（万元），实际发生捐赠支出 200 万元，超过扣除限额，应调增应纳税所得额 = 200 − 179.27 = 20.73（万元）。

被市场监督管理部门处以罚款 20 万元，不得在企业所得税前扣除，应调增应纳税所得额 20 万元。

职工福利费税前扣除限额 = 2000×14% = 280（万元），实际发生 300 万元，应调增应纳税所得额 = 300 - 280 = 20（万元）；职工教育经费税前扣除限额 = 2000×8% = 160（万元），实际发生 170 万元，应调增应纳税所得额 = 170 - 160 = 10（万元）；工会经费税前扣除限额 = 2000×2% = 40（万元），实际发生 48 万元，应调增应纳税所得额 = 48 - 40 = 8（万元）。

国债利息收入免征企业所得税，应调减应纳税所得额 180 万元。

该卷烟厂的企业所得税应纳税所得额 = 1493.9 + 750 + 30 + 20.73 + 20 + 20 + 10 + 8 - 180 = 2172.63（万元）。

74. A 【解析】2021 年该卷烟厂应缴纳企业所得税 = 2172.63×25% - 121.2÷（1 + 1%）×10% = 531.16（万元）。

（二）

75. ACE 【解析】选项 B：在一个纳税年度内，纳税人发生的与基本医保相关的医药费用支出，扣除医保报销后个人负担（指医保目录范围内的自付部分）累计超过 15000 元的部分，由纳税人在办理年度汇算清缴时，在 80000 元限额内据实扣除。在计算张某 2021 年综合所得应纳税所得额时可以扣除 20000 元。选项 D：纳税人为独生子女的，赡养老人支出按照每月 2000 元的标准定额扣除。

76. B 【解析】居民个人取得全年一次性奖金选择不并入当年综合所得的，以全年一次性奖金收入除以 12 个月得到的数额，按照“月度税率表”，确定适用税率和速算扣除数，单独计算纳税。30000÷12 = 2500（元），适用税率为 3%，全年一次性奖金收入应缴纳个人所得税 = 30000×3% = 900（元）。

77. D 【解析】张某取得的稿酬收入被预扣预缴个人所得税 = 7000×（1 - 20%）×70%×20% = 784（元）。

78. A 【解析】张某终止投资应缴纳的个人所得税 =（200000 + 50000 - 100000）×20% = 30000（元）。

79. B 【解析】纳税人如不能提供合法、完整、准确的财产原值凭证，不能正确计算财产原值的，拍卖品为经文物部门认定是海外回流文物的，按转让收入额的 2% 征收率计算缴纳个人所得税。张某拍卖字画所得应缴纳个人所得税 = 500000×2% = 10000（元）。

80. D 【解析】不考虑捐赠，张某 2021 年综合所得的应纳税所得额 = 16000×12 + 7000×（1 - 20%）×70% - 60000 - 2000×12 - 2000×12 - 20000 = 67920（元）。捐赠扣除限额 = 67920×30% = 20376（元）>实际捐赠额 1000 元，因此 1000 元准予从综合所得应纳税所得额中扣除。张某当年综合所得的应纳所得税额 =（67920 - 1000）×10% - 2520 = 4172（元）。

❖中教科（保定）印刷股份有限公司